D0585511

Les Chemins de papier

HÉLÈNE POTVIN

Les Chemins de papier

www.quebecloisirs.com

UNE ÉDITION DU CLUB QUÉBEC LOISIRS INC.
© Avec l'autorisation des Éditions JCL
© 2002, Les Éditions J.C.L. inc.
Dépôt légal — Bibliothèque nationale du Québec, 2002
ISBN 2-89430-553-2
(publié précédemment sous ISBN 2-89431-270-9)

Imprimé au Canada

À Claude, témoin amoureux de mes envolées romanesques.

À Pascale et Philippe, enfants de l'amour
dont l'âme d'artiste m'inspire chaque jour.

À Guy et Rosalie pour avoir entendu mon appel dans la nuit.

À ma famille et mes amis, si chers à mon cœur.

À l'oiseau qui a guidé mon retour sur les terres ancestrales.
Ici, au « pays des corneilles », il m'a prêté, le temps d'un roman,
une plume aux couleurs de mes rêves : « La Plume saguenéenne ».

I

Par ce beau matin d'octobre, le réveille-matin prit la forme surprenante d'un immense bourdon aux oreilles endormies de Marie-Ève Saint-Amour. Malgré ce bourdonnement lancinant, la jeune femme ne daigna même pas regarder l'heure. Se contentant de se retourner doucement dans son lit, elle remonta sa bonne vieille doudou jusqu'aux oreilles et souhaita qu'on l'oublie. Il lui semblait plus important – pour l'heure – de poursuivre les abeilles.

Elle replongea donc tête première dans ce rêve étrange qui revenait sans cesse depuis quelques mois, rêve dont le scénario demeurait invariable : pieds nus, elle courait à perdre haleine afin de ne pas arriver en retard à son rendez-vous. Pourtant, même en se cassant les méninges lors de sa course effrénée, Marie-Ève n'arrivait pas à se souvenir de quel rendez-vous il s'agissait. Où allait-elle, qui devait-elle rencontrer, dans quel but? Pourquoi portait-elle ce drôle d'accoutrement et cette coiffure du début du siècle?

Dès l'instant où les questions – qui lui paraissaient tout aussi primordiales les unes que les autres – se bousculaient dans sa tête, elles prenaient subitement la forme de petites abeilles.

Intriguée et essoufflée, Marie-Ève s'arrêtait alors de courir pour les observer de plus près. Finalement, sans trop savoir pourquoi, elle se décidait à les suivre. Invariablement, les abeilles viraient à gauche, longeaient une route de campagne et se dirigeaient vers une maison ancestrale pour se poser sur le rebord d'une fenêtre entrouverte. Invariablement, Marie-Ève s'approchait et tentait de glisser un regard gêné à travers les carreaux poussiéreux. Invariablement – à ce stade-ci du rêve – elle se réveillait en sursaut.

Mais pas ce samedi. Cette fois, il y eut une suite.

À travers les vitres abandonnées aux toiles d'araignée, la rêveuse entrevit une femme sans âge assise sur une vieille chaise en bois, s'affairant à la lueur d'une bougie posée sur un secrétaire antique. Cette personne, à cause de ses vêtements, ses pieds nus et sa coiffure, lui ressemblait en tous points mais n'était pas elle. L'étrangère paraissait concentrée; ses mains délicates – mais oh! combien fanées – caressaient avec douceur... une ruche! Dans chaque alvéole, elle insérait délicatement et avec une patience infinie de petits bouts de papier parchemin qu'elle avait pris grand soin d'embrasser du bout des lèvres.

Marie-Ève sut instantanément, en détaillant avec curiosité le visage attristé et presque fantomatique de la femme, que les larmes qui coulaient le long de ses joues avaient un goût de miel. Au moment exact où cette pensée excentrique l'effleura, les abeilles s'empressèrent de venir cueillir le précieux nectar pour le porter à la bouche de la rêveuse. En le savourant, Marie-Ève y décela le goût de l'hydromel et ne put s'empêcher de penser qu'elle tomberait... en amour!

Comme un réveille-matin n'a pas été inventé pour bourdonner, celui de la rêveuse ne se soucia pas de faire exception à la règle. Il se permit d'insister de son timbre le plus strident pour atteindre son but et, cette fois, il y parvint. Choquée, ahurie, Marie-Ève sursauta dans son lit. Non pas à cause du réveil, mais bien en raison d'une très désagréable sensation de brûlure : une abeille venait juste de la piquer!

« Ouf! je l'ai échappé belle, c'était juste dans mon rêve », songea-t-elle soulagée, une fois les yeux ouverts. La jeune femme regarda l'heure en se demandant pourquoi elle avait mis le réveil à sonner un samedi matin.

« Mon rendez-vous avec monsieur Pamphile, réalisa-t-elle d'un coup. Zut! je vais être en retard. Il vaudrait peut-être mieux que je lui passe un coup de fil. Ce serait plus poli, les vieilles personnes aiment ce genre d'attention... »

Sur ce, elle sortit en trombe du lit et, comme chaque matin, elle prit une douche froide. Ce rituel, espérait-elle, finirait bien par la réveiller d'aplomb. Hélas! ce n'était pas encore le cas aujourd'hui. Pendant que l'odeur du café embaumait la pièce, Marie-Ève, frigorifiée et frustrée de devoir chercher sa clarté d'esprit dans les vapeurs matinales, décida d'appeler son vieux compagnon.

— Monsieur Pamphile, c'est moi, Marie-Ève. Bonjour! Je suis désolée, j'ai pris mon réveil pour une abeille... Enfin, je vous expliquerai. Je serai un peu en retard, mais attendez-moi, je viens dès que j'ai pris mon déjeuner. Pouvez-vous me rappeler les coordonnées, juste pour être sûre?

— Les quoi? L'adresse, tu veux dire? Que tu te compliques donc la vie des fois avec tes mots de dictionnaire... Coudon. Bonjour, fillon! T'as ben le temps, va. Y a pas le feu quand même! L'autre monde doit venir juste à deux heures après-midi; on aura tout notre temps. En partant de chez toi, t'as juste à suivre la direction Saint-André. Arrivée au carrefour, tu sais celui du feu jaune orange, vire à gauche, c'est dret-là le rang que tu dois prendre : le rang des Apis. Roule environ deux milles pis, sur ta gauche, tu vas voir, tu pourras pas la manquer, est toute seule comme une pauvre : c'est la maison verte, délabrée, avec des fenêtres à carreaux. Y a pas de numéro, mais je vas probablement y être ben avant toi. À tantôt, la p'tite! Perds-toi pas surtout!

***

Tout en sirotant son café et en attendant que l'antique grille-pain veuille bien se décider à dorer son pain (il fonctionnait par à-coups et, comme par hasard, surtout les matins où le temps manquait), Marie-Ève songea avec tendresse à sa toute première rencontre avec monsieur Pamphile. En fait, cette rencontre et l'histoire du grille-pain étaient intimement liées. « Pamphile Côté, antiquaire » avait réussi à lui vendre – à elle – cet objet informe, archaïque, sans valeur, quasi inutilisable : un vrai tour de magie! Elle si moderne qui venait de la grande ville, habituée aux ordinateurs de pointe, aguerrie aux logiciels les plus sophistiqués, entichée de tout ce qui portait le nom de gadget électronique n'en revenait pas encore, même après tous ces mois! Mais aujourd'hui, pour rien au monde, elle ne se séparerait de son grille-pain qui savait si bien lui rappeler son cher antiquaire!

Pamphile Côté portait fièrement sur ses épaules quatre-vingt-neuf « hivers » très exactement, aussi légèrement que Marie-Ève portait son sac en bandoulière. Le vieillard parlait d'hivers « parce que, philosophait-il, accoudé au comptoir en formica de son magasin d'antiquités, les hivers avec la neige blanche pis la froidure, la lumière éclatante pis la noirceur avancée, le temps des fêtes pis celui du carême, c'est comme les années de ma vie : ils sont longs pis changeants. Des fois durs, des fois doux, des fois imprévisibles... Y a de tout, autant dans l'un que dans l'autre! En tout cas, je m'en souviens! Les étés passent vite, icitte au Lac, ça fait que... »

Les villageois avaient fait gentiment remarquer à la nouvelle venue que personne ne semblait pouvoir résister au charme du vieillard : « Surtout pas les femmes, fussent-elles nées soixante années après lui! » (Allusion à son cas ne pouvant être plus claire.) Le charme de monsieur Pamphile? Peut-être bien. Son charisme et sa gentillesse, sûrement!

Marie-Ève avait d'abord été subjuguée par la dignité du regard de Pamphile Côté. Dignité qui agissait instantanément comme une grâce quand ses yeux regardaient une personne ou même un objet. Ses yeux couleur de nuit sombre d'hiver touchaient, ses yeux bénissaient, ses yeux aimaient. On aurait dit qu'ils avaient, avec le temps, pris non seulement la magnificence des meubles antiques que le vieillard chérissait de toute évidence, mais aussi leur puissante énergie.

Et que dire de cette étincelle de jeunesse qui, malgré le passage des années, était demeurée bien accrochée dans le regard, telle une éternelle poussière d'étoiles. Ses yeux rieurs rajeunissaient tout le reste de sa personne qui était effectivement hiver : ses cheveux, ses sourcils et sa magnifique barbe en neige, son visage – et en particulier son nez – en boule, son air bonhomme et jusqu'à sa carrure de père Noël! Ensuite, sans trop comprendre pourquoi, Marie-Ève s'était entichée de ses éclatantes, ses illustres bretelles, rouges, vertes, bleues, jaunes, noires... toujours sur une chemise impeccablement blanche. Des couleurs différentes selon les humeurs, les événements importants ou les fêtes : rouges à Noël, jaunes à Pâques, noires aux enterrements, blanches aux mariages... Ses bretelles, c'était lui, un peu ses humeurs, beaucoup ses souvenirs, tout à fait son langage : coloré à souhait, comme on n'en faisait presque plus.

Suite à l'achat du grille-pain – il y avait presque une année de cela – la jeune femme n'avait pu s'empêcher de s'arrêter régulièrement au magasin après le travail. En effet, presque tous les jours entre quatre et six heures, Marie-Ève se retrouvait chez « monsieur Pamphile ». Le vieil antiquaire lui avait glissé d'un air enjoué et familier : « Monsieur Côté, c'était mon paternel, la p'tite! »

Ils discutaient longuement et il leur arrivait de prendre le thé ensemble. Une étrange complicité avait rapidement vu le jour et avait engendré de part et d'autre des nouvelles passions... mais des passions contraires!

Chez l'antiquaire, le goût « de se mettre moderne » avait brusquement surgi au contact de l'informaticienne; le vieil homme désirait ardemment apprivoiser ces boîtes de Pandore qu'étaient pour lui les ordinateurs. Quant à la jeune femme, au fil des rencontres, elle ne désira plus s'entretenir que d'antiquités.

En conséquence, leurs échanges allaient souvent dans un sens opposé à leurs désirs respectifs. C'est pourquoi tous deux avaient dû se mettre d'accord pour « être modernes pendant une heure et... s'occuper des vieilleries le reste du temps ». Mais, plus souvent qu'autrement, ce « reste du temps » s'avéra trop court pour Marie-Ève qui défendait avec fougue son point de vue :

— Toute la journée, la modernité me rattrape, monsieur Pamphile! Je suis en plein dedans. Ah! Si vous passiez tout votre temps devant ces boîtes de Pandore, comme vous dites, vous deviendriez vite gaga, c'est moi qui vous le dis. Vous en avez de la chance d'être antiquaire. Vous n'avez certainement jamais dû vous exiler pour faire des stages, vous! Dans six mois, l'ordinateur que vous venez d'acheter sera désuet, plus personne n'en voudra. Alors que les meubles et les objets qui nous entourent vivent toujours et peuvent encore être utiles. Même après des dizaines d'années, ils dégagent des odeurs, des sons et jusqu'à l'énergie de leurs propriétaires! Croyez-moi, monsieur Pamphile. N'avez-vous pas réussi à me vendre un grille-pain qui date de 1940? Il faut le faire, vous savez...

Sur quoi, Pamphile l'avait regardée drôlement, sans pouvoir y croire. Il ne s'était surtout pas gêné pour l'interrompre d'un ton moralisateur :

— C'est pas possible d'entendre des choses pareilles! Toute la journée, moi, c'est l'antiquité qui me rattrape, c'est pas pire, ça? Ça fait soixante ans que CHUS EN EXIL DE MODERNE, essaye donc de battre ça, la p'tite! Je vieillis juste à regarder les vieux meubles! À force, je deviens croche comme eux autres : je penche, chus même pus tout dret! Je sens la poussière pis je grinche, ça ouais! t'as ben raison. Gaga, gaga, vaut mieux être sourd que d'entendre ça! S'il y a un gaga icitte, c'est ben moi.

« T'as peut-être pas encore remarqué mais je perds doucement la mémoire comme les vieilles portes perdent leurs pentures. Tu te rends pas compte, fillon, sinon tu parlerais pas comme ça! Coudon. C'est correct, je te promets qu'on rallongera « le reste du temps » si tu y tiens tant que ça. On le mettra même au début, quoique mon paternel disait toujours qu'on doit jamais mettre la charrue de devant les bœufs! Coudon. Par chance que je commence à comprendre un brin comment que la boîte marche. Comme de fait, viens donc icitte, la fille, j'aurais deux ou trois p'tites questions à te poser sur *la Ternette*... »

En deux temps, trois mouvements, Pamphile Côté, antiquaire, oubliait tout juste ce qu'il venait de promettre. Le vieux était déjà reparti à la conquête de la merveilleuse *Ternette*, les yeux pétillants, la bouche en cœur et les joues rouges, comme si c'était une femme qu'il lui fallait à tout prix conquérir. Alors, Marie-Ève s'attendrissait. Pamphile parlait de « la Ternette » exactement comme il parlait de sa « défunte femme, la Toinette, Antoinette Vaillancourt de son autre nom ».

À le voir ainsi, la jeune femme avait fini par comprendre l'importance de la Ternette dans la vie tranquille, solitaire et routinière de Pamphile Côté. Ne devenait-elle pas un peu sa mémoire? Ne comblait-elle pas à merveille sa solitude? L'informaticienne avait fini par abandonner l'idée de lui faire dire « internet » et n'avait plus jamais insisté sur « le reste du temps ».

L'odeur des toasts brûlés monta au nez de Marie-Ève et la tira de ses pensées. D'un regard sévère, elle foudroya le coupable en s'adressant directement à lui :

« Ah! non, s'il te plaît, pas ce matin! J'ai juste envie de manger des toasts... modernes, c'est peut-être trop te demander? »

Même si Marie-Ève passait le plus clair de son temps à enseigner les rudiments de l'informatique à l'antiquaire, elle devait bien admettre qu'il restait tout de même de petits moments magiques. Par exemple, quand monsieur Pamphile recevait de nouveaux arrivages. Quelle affaire! La boutique, déjà exiguë, prenait des allures de capharnaüm. La situation était des plus cocasses lorsque l'antiquaire s'écriait :

— Enfin! des nouveaux articles pour la boutique. C'est-ti pas beau, ça? I faut que je leur trouve une place de choix pour que le monde les voye. Je vas faire une vente sur l'ancien stock, une petite on s'entend, pis je vas pouvoir mettre le nouveau ben en avant, hein, qu'en penses-tu, fillon?

Confuse, Marie-Ève n'osait intervenir car plus souvent qu'autrement le « nouveau stock » s'avérait être aussi vieux, sinon plus, que l'ancien. Dès lors, il devenait difficile pour elle, comme pour la clientèle, de faire une quelconque différence entre les deux. D'autant plus qu'il était impossible à quiconque de tracer une ligne, même imprécise, entre l'avant et l'arrière de la boutique!

Dans ces rares occasions où ils travaillaient côte à côte à dépoussiérer, astiquer, polir, réparer ou encore décaper « l'arrivage », il est vrai que Pamphile Côté prenait tout le temps du monde pour « faire des confidences sur les vieilleries » à sa protégée. Ainsi, Marie-Ève avait pu découvrir qu'elle avait une nette préférence pour les meubles d'utilité, en particulier ceux du XIXe siècle. Comparativement aux meubles d'apparat, ils avaient vraiment servi, servi à vivre la vie de tous les jours : buffet bas à panneaux soulevés et buffet à deux corps, vaisselier ouvert, armoire ou coffre à caissons creux, table, chaises à fond paillé, porte-bassin, banc à seau, berceau à quenouilles... Elle avait un faible pour ceux dont la finition avait été laissée au bois vif. Le temps et aussi les centaines de frôlements s'étaient chargés de patiner admirablement leurs essences de pin, de merisier, d'érable, ou encore de noyer tendre.

Mais, jamais n'était-elle arrivée à soutirer à son vieil ami une information quelconque quant à la provenance des meubles; l'antiquaire demeurait muet comme une carpe.

— C'est comme les champignons, ma p'tite. Motus et bouche cousue, sinon tout le monde rapplique à la même place et dans le temps de crier lapin, i reste pus rien pantoute!

Tel était son unique et bref commentaire. Sauf mardi dernier. Le ciel semblait être tombé sur la tête de l'antiquaire. Jamais elle ne l'avait vu si excité et surtout si loquace.

— Fillon, tu vas jamais le croire! Rentre vite. Enlève ton capot. Tire-toi une chaise. Écoute ben ça : la vieille Joséphine Frigon, tu sais la Fine qui venait de Saint-André jusqu'à Saint-Gédéon pour promener son chien Trompette tous les samedis matin, eh ben! figure-toi donc qu'elle a passé de l'autre bord avant-hier au soir! Je t'avais déjà dit qu'elle avait pus personne au monde, la pauvre. J'étais son seul ami, enfin le seul qui pouvait encore supporter ses caprices de vieille fille. Je l'aimais ben gros mais pas pour la marier. Faut me comprendre, vingueu! elle aurait eu quatre-vingt-dix-huit sonnants la semaine prochaine, pas mal trop vieille pour moi...

« Tu le croiras peut-être pas, mais le notaire Huot

de Saint-André m'a appelé à matin. Je me suis mis sur mon trente et un, pis chus allé dret à son bureau à deux heures. Saudite de surprise qui m'attendait! La Fine m'a légué tous ses meubles et toutes ses affaires... intimes. Une fois la maison vide, le notaire doit la vendre pis apparence que l'argent sera donné à des œuvres charitables du coin.

« Tiens-toi ben, la belle, c'est pas tout! Le notaire Huot m'a remis un mot que la vieille m'a écrit de sa main, y a quelques années de ça. Tiens, lis-le donc. À haute voix pour voir si j'ai ben tout compris parce que le monsieur Huot, il avait l'air de dire que c'était exactement comme un testament. Il a dit un mot que j'ai pas trop compris... Ortogaf, je pense ben... quelque chose comme ça. Il a une mauvaise manie à parler comme toi d'ailleurs. Coudon. Qu'il fallait exactement agir comme la Fine a dit; c'est la loi qui veut ça, i paraît. »

L'excitation de Pamphile s'était propagée, à l'insu de Marie-Ève, comme un rhume d'hiver : la contagion avait été instantanée. La jeune femme, habituellement réservée, voire timide, s'était surprise à arracher – le terme n'est pas trop fort! – le billet de la Fine des mains tremblantes du vieil homme, en prenant tout de même le temps de lui fournir quelques brèves explications sur les testaments « olographes ».

Avant de se plier à cette étrange requête, Marie-Ève avait pris le temps de remarquer l'écriture fluide, très féminine et particulièrement belle de la testatrice.

Cher vieil ami,

Les jours d'hiver m'auraient paru bien longs sans ta présence réconfortante. Nous nous connaissons depuis tellement de temps que j'arrive plus à m'en souvenir. Ça doit donc faire longtemps... Venons-en au fait. Je me fais vieille et, comme tu sais, j'ai personne au monde. Alors, j'ai décidé hier de mes volontés. Il faut bien en arriver là un jour ou l'autre, même si, comme disait ma mère, ça fait venir la Faucheuse plus vite. Mais au point où j'en suis, je suis rendue à l'espérer...

Je te lègue tous mes meubles et objets personnels avec une seule obligation de ta part : le secrétaire de l'officine (et tout ce qui est dedans) doit être donné – de préférence – à une femme. Tu peux le vendre si t'arrives pas à le donner; à ma connaissance, tu connais pas grand femme et comme t'es antiquaire, je tiens pas à te mettre ça plus dur qu'il ne faut. Ce serait bien si elle pouvait prendre Trompette avec. Je sais bien que ça va pas nécessairement ensemble mais bon. Même s'il est habitué aux vieilleries, il sera pas bien avec toi, t'as déjà de la misère à t'occuper comme il faut de ta personne...

Si jamais tu respectais pas cette obligation, je m'assurerai d'avoir la permission de venir te hanter dans ton sommeil! (Tu me connais, Pamphile Côté, je suis capable de le faire!) Pour la maison, le cher notaire Huot t'expliquera. Je vais lui remettre un double de la clef du secrétaire et il s'arrangera bien pour te la donner en temps et lieu. Mais c'est uniquement la femme qui pourra l'ouvrir, j'espère que c'est bien clair.

Je signe avec toute ma tête, en ce jour d'octobre (je trouve plus mon calendrier) 1995, à Saint-André dans le Québec.

Joséphine Frigon (plus connue sous le nom de la Fine)

Pendant quelques secondes, Marie-Ève était restée bouche bée. Quelle histoire! Impossible de vivre à Saint-Gédéon sans avoir, au moins une fois, rencontré « la seule vieille fille » du village voisin de Saint-André, la Fine! Une femme frêle, effacée, qui parlait si doucement que même les feuilles des arbres s'arrêtaient de trembler pour qu'elle puisse être entendue. Solitaire comme un oiseau de nuit. Délicate comme une libellule. Blanche comme la lune. Vieille comme un siècle. Une femme qui portait bien ses années – plutôt des « étés » dans son cas – et mieux encore son surnom; on disait volontiers d'elle qu'elle était *fine comme de la soie*.

Marie-Ève avait eu envie de taquiner son vieil ami, en train de lui exhiber fièrement la fameuse clef :

— Monsieur Pamphile, vous ne m'aviez jamais parlé de vos liens... intimes avec mademoiselle Frigon! Cachottier, va. Pour une nouvelle, c'est toute une nouvelle, comme vous dites. Je ne pensais pas qu'une chose pareille était encore possible de nos jours. Il doit être bien particulier ce secrétaire pour mériter tant de circonspections.

— De quoi? Parle comme du monde si tu veux que je te comprenne, fillon! Voilà qu'elle fait son notaire, astheure! La Fine a passé sa vie assise devant son secrétaire. Elle écrivait des lettres pis sa malle ordinaire, mais je l'ai surprise ben des fois juste à être assise là, à rêvasser ou ben donc à sangloter. Elle l'astiquait tous les jours comme si ça dépendait de sa vie. Non, non, regarde-moi pas de même! J'exagère pas une miette! Même qu'y a des mauvaises langues qui ont dit que cette drôle de manie devait ben cacher quelque chose. Honnêtement, je sais pas ce qu'elle lui trouvait à ce vieux meuble. D'un autre bord, avait-il ajouté espiègle et en prenant son air et ses mots du dimanche, comme je TE connais, je suis pour ainsi dire assuré que TOI, ma chère enfant, tu vas y trouver quelque chose...

— Moi? Pourquoi moi? Ah! oui. Effectivement, je vous ai dit la semaine passée que je cherchais un bureau. En fait, voyez-vous, c'est plus une table de travail dont j'ai besoin. Je ne crois pas qu'un secrétaire...

Marie-Ève n'avait pas eu le temps de terminer sa phrase que Pamphile s'était déjà lancé dans une tirade étonnante :

— Mais, tu te rends pas compte ou tu le fais exprès?

Ah! ces jeunes des fois. La Fine veut que JE donne ou que JE vende le fameux secrétaire à une femme. C'est pas la condition qu'elle a écrit de sa propre main? Tu l'as pas lue comme moi? Je veux quand même mettre quelque chose au clair avant de continuer; elle a dû vouloir se faire un p'tit velours quand elle écrit que je connais pas grand femme. Coudon, est morte, on va y pardonner ça...

« Revenons à nos moutons; toi, tu en cherches un, et jusqu'astheure, t'es une femme, non? Alors? Bureau, secrétaire, c'est du pareil au même. Faut pas trop faire la délicate par les temps qui courent, mam'selle Saint-Amour! L'affaire est réglée, me semble. Pour ce qui est de Trompette, on verra ben... »

Marie-Ève n'avait que trop remarqué cette courte allusion au chien de la Fine, allusion accompagnée d'un fort claquement de bretelles. Et lorsque Pamphile Côté faisait claquer ses bretelles, c'est qu'il était certain que les choses s'arrangeraient selon son bon désir. Ce qui avait fait penser à Marie-Ève qu'il reviendrait sur le sujet en temps voulu, c'est-à-dire quand elle ne pourrait plus refuser. Vu les circonstances exceptionnelles, elle lui laissa le bénéfice du doute et attendit la suite avec intérêt.

— J'ai déjà passé une petite annonce dans la gazette *Les Vagues du Lac* pour annoncer une vente aux enchères qui se tiendra à la maison de mademoiselle Frigon sur le rang des Apis à Saint-André pour deux heures de l'après-midi, samedi qui s'en vient. Nous deux, on va y aller le matin pour ramasser le « chèrr... » secrétaire et ce qu'y a dedans, ben entendu.

« Comme tu m'as donné un fameux coup de pouce avec la Ternette, je pensais ben t'en faire cadeau... (À ces mots, la rougeur avait gagné les joues de l'antiquaire sans qu'il puisse l'empêcher.) La Fine disait toujours que j'étais un peu trop séraphin à son goût!

Ben là! la vieille va pas avoir de défaite pour revenir me hanter. »

Pour la circonstance, Pamphile avait cru bon de prendre un air théâtral et quelque peu torturé avant de terminer son propos :

— Dis pas non surtout; un cadeau, ça se refuse pas. Pis les volontés de quelqu'un, ça se discute pas, c'est sacré! Tu voudrais pas avoir ça sur la conscience, la p'tite. Tu vois-ti ça d'icitte : un pauvre vieux inoffensif – qui se trouve à être une connaissance intime à toi en plus – qui se ferait hanter par l'esprit défunt d'une vieille fille contrariée? Brr! il doit y avoir rien de pire au monde!

« Approche, je vas te montrer dret-là comment qu'on se rend sur le rang des Apis... parce que je te connais, tu sais. Avec tes tendances à te perdre dans un trou de souris, deux précautions valent mieux qu'une! »

***

Pamphile Côté, plutôt fier de lui, souriait dans sa barbe toute fraîche taillée et bien brossée. Au volant de sa vieille camionnette Ford jaune citron des années cinquante, il jubilait. Pour plusieurs bonnes raisons. D'abord parce qu'il étrennait une nouvelle paire de bretelles, grises pour la circonstance. Il avait ainsi souhaité être clair par rapport à ses sentiments : il n'était pas « dévasté » par la mort de la Fine mais tout de même attristé. Des bretelles noires auraient signifié plus de peine qu'il n'en ressentait en réalité. Qui sait? Elles auraient peut-être même attisé les commérages quant à la teneur de « ses rapports » avec la défunte...

Ensuite, Pamphile était impatient de voir arriver « l'autre monde » dans l'après-midi. Il était plus que certain de la présence d'Adémar Tremblay, l'éternel prétendant refoulé de la Fine. Le seul vieux garçon de Saint-Gédéon.

« Le vieux snoreau achètera rien, c'est sûr. I va juste venir fouiner pis voir de ses yeux combien je vas empocher avec cette vente-là. Ça va-ti être drôle en saudit! Sa jalousie risque de lui faire faire une infractus dret-là... » songea-t-il, hilare. Le vieux se sentit gêné par l'écho de son propre rire qui résonnait fort dans la cabine de la Ford, et il se fit aussitôt un devoir de s'administrer de sévères reproches :

« Voyons, le père, un peu de respect pour la demoiselle Frigon, son corps est même pas gelé par le fret encore! C'est quand même grâce à elle que tu vas rendre la p'tite heureuse à matin. »

En regardant défiler le paysage, Pamphile se souvint que c'était justement l'automne dernier, à peu près quand les feuilles avaient viré au rouge, qu'il avait réussi à vendre ce vieux « toaster branlant » à la petite Saint-Amour.

« Si c'est pas vingueu vrai! réalisa-t-il soudain. C'était le même jour que j'avais laissé aller pour pas cher le bureau en chêne massif du défunt docteur Provencher. Pis c'était justement le p'tit notaire Huot qui l'avait acheté. Même qu'il avait demandé à le payer à retardement! Ça vaut ben la peine d'avoir des diplômes... Mais, comme il était une parenté par alliance à Josépha, il était à prendre avec des pincettes.

« Coudon. Je dois quand même avouer que le bureau a assez fière allure dans son étude. J'aurais pas cru, comme de quoi! C'est vrai que notaire pis docteur, ça se ressemble pas mal. Y en a un qui nous suit de notre vivant, pis l'autre i nous suit après notre mort. Le bureau, il doit ben se retrouver en pays de connaissance! En tout cas, sans le savoir, le notaire me fait toute une publicité avec l'achalandage de monde qui passe là! Pour le toaster, je sais pas, j'ai jamais osé demander à la p'tite... »

Pamphile réalisa qu'il avait été prêt à bien des concessions pour voir partir cette pièce encombrante, baptisée, pour la circonstance, « le mastodonte ». Ce dernier avait osé prendre racine dans la minuscule boutique et ce, du vivant de son père, Charles Côté, antiquaire. Mais, qu'on ne s'y méprenne pas : cet élan de générosité inattendu – encore plus rare qu'un hiver sans neige – aurait peu de chance de se reproduire! Quant au don du secrétaire, il demeurerait secret, évidemment.

« Faut jamais divulguer les histoires de testament, ça met toujours des embrouilles pas possibles, même avec des gens qui ont pas rapport! Y en a ben qui vont trouver à dire qu'ils seraient peut-être ben des p'tits cousins éloignés de la Joséphine en cherchant un brin. Tricoté serré comme on est icitte, au Lac, ça se pourrait ben après tout! En tout cas, le cadeau, ce sera juste entre la p'tite pis moi... pis la Fine comme de raison. »

Marie-Ève et le notaire faisaient partie de cette nouvelle clientèle que Pamphile n'arrivait pas à comprendre : « Des jeunots qui remplissent leurs maisons modernes de vieilleries, ça se peut juste pas! » répétait-il, ahuri, à qui voulait l'entendre. Mis à part ce détail troublant, il devait bien admettre que les ventes avaient pris un nouvel essor ces deux dernières années et là était la troisième raison de son euphorie matinale. Parce que, des jeunes comme l'informaticienne et le notaire, il en pleuvait au Lac en automne, surtout depuis l'ouverture de la nouvelle aluminerie, il y a quelques années. Pamphile s'était laissé dire par monsieur le Maire, alias monsieur l'Instituteur, que les industries modernes, c'était plus ce que c'était avant :

— Que voulez-vous, mon cher antiquaire, il faut que les travailleurs retournent régulièrement sur leurs bancs d'école! Ils doivent réapprendre constamment parce que ça change trop vite. Ils sont toujours en stage et cela, dans leur PROPRE domaine! Et des stages assez bien payés, laissez-moi vous en passer un papier, mon chèrr...! Quand c'est pas chez eux, c'est ailleurs, comme ici par exemple, et même aux États ou dans les vieux pays, i paraît.

— I peuvent quand même pas changer tout le temps toutes les machines, vingueu! pis rouvrir des petites écoles de rang dans les grandes usines de ville? Ce serait-ti pas le monde à l'envers?

— Non, pas spécialement les machines, monsieur Pamphile. Ce sont les logiciels pour les machines qui changent, car ils deviennent toujours plus sophistiqués, plus complexes. La mondialisation des marchés a un prix, mon chèrr... : la rentabilité, ou la profitabilité si vous préférez, bien souvent au détriment de l'humanité. Plus de machines, moins d'ouvriers. Moins d'ouvriers, plus d'argent pour les actionnaires affamés. Il s'agit là de très grandes questions existentielles, mon ami! Quand je parle de bancs d'école, c'est une allégorie, mon chèrr... Disons qu'ils suivent des cours de rattrapage, en quelque sorte!

À ce stade de la conversation, Pamphile avait abandonné, car le vocabulaire de l'instituteur avait pris le dessus sur celui du maire, habituellement plus simple à saisir. Quoi qu'il en fût, l'antiquaire avait conclu une chose : les « stages » étaient une manne pour les antiquaires. Une manne d'automne à prendre en grande considération.

À ces nouveaux clients tombés des stages, Pamphile aimait à se vanter en ces termes : « Vous verrez, je suis un homme régulier en affaires comme sur la grand'route : je garde toujours le même prix et la même vitesse, de jour comme de soir, d'été comme d'hiver. Circulation ou pas! » Nul besoin d'ajouter que ses prix étaient « invariablement » élevés et sa vitesse « toujours » basse puisque, selon son dicton préféré, « toute la vérité est pas toujours ben bonne à dire ».

Le vieux Pamphile, fidèle à lui-même, conduisait donc très lentement en ce clair matin d'automne. Il préférait de loin regarder la campagne et le lac que la route, au grand dam de ses passagers qui s'étaient faits de plus en plus rares avec les années. Cette habitude lui jouait parfois des tours : une embardée dans un banc de neige, un petit dérapage dans un virage ou même une irruption soudaine dans un pré. Mais depuis le temps qu'il roulait avec la Ford – tel était le sobriquet de la camionnette antique – sans avoir eu un seul « vrai » accident, une sorte d'intimité s'était créée. Ce qui lui faisait affirmer en claquant ses bretelles :

« C'est comme pour ma défunte, la pauvre Ford partira certainement avant moi, en me laissant ben vivant, comme de raison. »

Il est vrai qu'en ce matin ensoleillé, la campagne était particulièrement attirante. Presque envoûtante. Parée de ses plus belles couleurs automnales, telle une femme fatale et séduisante, elle semblait inviter les promeneurs, autant que les conducteurs, à la contempler. Pamphile venait tout juste de tourner à gauche sur le rang des Apis quand « l'envoûtement » (il en reparlerait par la suite en ces termes, mais en réalité il s'agissait du soleil qui lui aveuglait les yeux, l'empêchant de discerner clairement) agit sur lui d'une drôle de manière. En une seconde, le vieillard eut la très nette impression de voir la Fine en chair et en os marcher le long du chemin avec Trompette, comme tous les samedis matin du temps d'avant. Le chien lui parut furieux, voire hargneux et, au grand désespoir de Pamphile, il aboya rageusement au passage de la Ford. Le vieux ne put que ressentir la scène comme un mauvais présage :

« Retrouve tes esprits tusuite, le père. C'est un ordre! T'es peut-être mieux de checker le chemin à partir d'astheure. Panique pas, voyons. Quand la Fine va voir que tu donnes le secrétaire à une femme, tout va rentrer dans l'ordre. (Cette pensée le soulagea mais fut de très courte durée; l'état de panique reprit de plus belle.) Ça doit être... parce que j'ai pas parlé de Trompette à la p'tite. J'aurais donc dû, vingueu! Mais je voulais pas trop en mettre en même temps, on sait jamais avec ces jeunots... Mais je la connais, elle tombe en pâmoison dès qu'elle voit un animal à quatre pattes au magasin.

« Tout va s'arranger, la Fine, retourne donc te reposer, tu dois être morte de fatigue à courir par les chemins. C'est pas catholique ce que tu fais là. Je te promets sur mon honneur (il se sentit extrêmement mal à l'aise d'avoir à utiliser une expression aussi solennelle, mais l'instant était à l'urgence) que la p'tite, je veux ben parler de *la Marie* – c'est ben juste entre toi pis moi, la Fine, parce qu'elle aimerait pas ça pantoute de se faire appeler comme ça – va prendre Trompette avec le secrétaire, exactement comme tu l'as demandé dans tes volontés, parole d'antiquaire! »

Malgré la meilleure volonté du monde, Pamphile n'arriva pas à contrôler l'inquiétude qui le gagnait, l'obligeant à s'arrêter sur le bas-côté pour soulager sa vessie gonflée à bloc. Jamais n'avait-il eu à subir une telle humiliation, lui qui avait été capable – jusqu'à ce jour – de « se retenir » en toutes occasions! La tête en girouette, les bretelles en berne, le cœur qui battait la chamade, il ne put que s'apitoyer davantage sur son triste sort :

« Vingueu! i faudrait pas que la p'tite trouve le secrétaire trop laite ou trop gros. D'un coup qu'elle a pas de place dans son appartement, j'ai pas pensé à y demander, vieux escogriffe que chus donc. Si elle en veut pas ou qu'elle peut pas le prendre, je serai obligé d'annuler la vente après-midi... Je connais pas d'autre femme qui veut un secrétaire pis un chien à matin, moi! J'aurais-ti assez l'air niaiseux! Elle peut juste pas refuser un cadeau. Elle peut juste pas me faire ça! Surtout qu'elle va avoir itou tout ce qu'y a dedans! Pas grand-chose probablement, mais c'est gratis, c'est donc pas à dédaigner. Moi, j'ai jamais refusé un cadeau, ça fait que ça va aller diguidou. »

Une fois soulagé, Pamphile se sentit mieux, beaucoup mieux. Il respira un grand coup d'air campagnard (d'aucuns auraient été incommodés par les effluves de fumier, mais pas lui) et retrouva, du même coup, ses esprits et le volant de la Ford, auquel il se cramponna :

« Je vas y faire miroiter la clef de devant ses beaux yeux verts, comme pour y faire entendre qu'y a peut-être des trésors cachés là-dedans! J'y soufflerai que ce serait plus respectueux de l'ouvrir juste rendue chez eux. Si y a rien pantoute, i sera pas mal trop tard pour revenir en arrière. Pis, elle en voulait pas un, un secrétaire, et pas plus loin que la semaine passée en plus! Là, comme ils disent astheure, i faudra que « mam'selle Saint-Amour se branche », pis ben plus vite que sur la Ternette! I faut que ça marche, vingueu! ou ben je m'appelle pus Pamphile Côté, antiquaire. »

***

Fidèle à ses habitudes, Marie-Ève passa tout droit et se retrouva penaude et contrariée au bout du rang des Apis, face à une route nationale banale, mais numérotée. Énervée de ne pas être capable de trouver la maison de la testatrice, elle sentit la frustration monter mais fut bien obligée de se calmer et de faire demi-tour.

« Dans son excitation, monsieur Pamphile a certainement oublié ou il ne devait pas savoir qu'il y a trois maisons vertes avec des fenêtres à carreaux, sans numéro de porte et toutes sur le côté gauche du rang, songea-t-elle de plus en plus exaspérée. Ou alors il est daltonien et il ne le sait pas! On se croirait vraiment au début du siècle dans ce rang. Comment ça se fait que le facteur n'exige pas qu'on installe des numéros aux portes? »

En regardant sa montre, elle constata amèrement qu'elle avait déjà quarante-cinq minutes de retard. Sur le chemin inverse, Marie-Ève crut avoir un éclair de génie en se décidant d'aiguiller sa recherche plutôt vers la Ford jaune citron que vers une maison verte. Sans plus de succès, à son grand désespoir d'ailleurs : la Ford demeurait, elle aussi, désespérément introuvable.

« Ce n'est tout simplement pas possible. Je peux quand même pas me perdre ICI tout de même! Du calme, ma belle. Monsieur Pamphile a bien dit au téléphone qu'il y serait avant toi, alors!... Mais je rêve ou quoi! C'est bien lui qui est en train de se bercer sur la galerie, juste là! Ça alors! Où est la Ford? »

Le temps n'était pas aux réponses, mais bien au soulagement. De part et d'autre, mais pas exactement pour les mêmes raisons! Marie-Ève décida carrément de « faire l'innocente ». Elle rétrograda, monta la pente de l'entrée du stationnement en première et gara sa voiture convenablement en faisant un signe de la main au vieil homme, l'air tout à fait décontracté.

Pamphile, de son côté, arrangea sa mimique, c'est-à-dire qu'il prit son air bonhomme pour la forme et il fit claquer ses bretelles pour la contenance. L'antiquaire lança nonchalamment un « Bien le bonjour, fillon », histoire de camoufler la peur qu'il venait de ressentir pendant la dernière demi-heure à l'idée qu'elle avait « peut-être ben viré son capot de bord et décidé de pas venir pantoute ». Le vieux avait bien remarqué que Marie-Ève n'était pas arrivée du bon côté, donc qu'elle s'était probablement perdue en chemin, comme cela lui arrivait souvent. Mais il se tut, ne posa aucune question, ne fit aucune remarque. Il joua le jeu et fit semblant de rien, lui aussi.

« Des fois, se dit-il, le silence vaut de l'or. Faut pas que t'en rajoutes, le père, elle doit déjà pas être dans ses p'tits souliers... Comment qu'elle a pu arriver à se perdre icitte, à Saint-André? Elle qui arrive à voyager sur la Ternette dans le monde entier sans s'égarer, la voilà qui se perd au fin fond d'un p'tit rang de campagne. Coudon. C'est-ti de valeur que je peux pas l'agacer un brin! (Pamphile, pour la seconde fois de la journée, eut vraiment du mal à se retenir.) Non, c'est mieux pas. Parce qu'i faudrait pas qu'elle monte sur ses grands chevaux, astheure, i manquerait pus rien que ça! »

— J'espère que vous n'avez pas attendu trop longtemps, mon cher monsieur Pamphile? Je cherchais la Ford... Je veux dire... la maison verte... Comment êtesvous venu, au fait? Vous n'avez pas marché tout ce chemin, j'espère! Je serais allée vous chercher, voyons donc!

— Jamais de ma sainte vie! Tu me vois-ti, moi, Pamphile Côté, marcher le samedi matin sur le rang des Apis! Y en aurait eu des grandes langues pour commérer que je faisais un pèlerinage à la défunte... Non, non. La Ford est ben parquée en arrière parce que je voulais pas trop que le monde voye que chus là, tu comprends. Sinon, ils vont tous entrer pis on sera pas tranquilles. Pis t'as-ti oublié qu'i faudra ben mettre le secrétaire en quelque part, Marie-Ève, hein? C'est pas dans ton p'tit char... Oh! c'est vrai, mam'selle aime pas trop qu'on dise son *p'tit* char! C'est vrai qu'il est pas pire, il a l'air à ben rouler...

Marie-Ève sut instantanément que quelque chose clochait. L'antiquaire ne l'avait appelée par son prénom que dans de très, très rares occasions, seulement dans les moments où il n'était pas sûr de lui, comme lorsqu'il avait voulu acquérir un ordinateur. Pamphile devait donc craindre qu'elle ne veuille pas, ou plus, prendre le fameux secrétaire! N'y avait-il pas aussi cette histoire avec le chien Trompette, histoire qui n'avait pas encore été réglée? Elle ne fit aucun commentaire, préférant attendre la suite... qui, elle, ne se fit pas attendre.

— Si on se décidait à rentrer en dedans, hein? Il est déjà dix heures passées. Tu trouves pas que c'est... je sais pas trop comment dire, c'est un peu funèbre? On dirait qu'on est des croque-morts de vieilles affaires. Je sais pas comment i font, les vrais! Tout un métier dans vie, être croque-mort. Brr! tous ses effets sont là, encore chauds, à nous attendre. Vingueu que la porte va avoir besoin d'être travaillée... pis le reste itou! Ça n'a pas dû être toujours drôle de vivre toute seule pendant tout ce temps-là. Un homme, ça sert, des fois... Dire qu'elle avait l'embarras du choix, en plus. Elle était pas pire pantoute, la Fine, dans la cinquantaine, pas pire pantoute. Pour ceusses-là qui s'adonnent à préférer « les p'tites », je veux dire...

Marie-Ève n'écoutait plus les divagations du vieil homme. Une envie de se laisser emporter par tout ce qu'elle découvrait, tout ce qui l'entourait, un peu à la manière d'un bateau qui va à la dérive, la prit d'assaut dès qu'elle pénétra le seuil de la maison. En passant dans le vestibule d'entrée long et étroit, elle ne put s'empêcher de frôler d'une caresse la magistrale patère en chêne et l'unique banc d'église en pin rouge. La patère portait encore un vêtement, un cardigan blanc qui, lui, ne serait plus jamais porté par Joséphine. Au fond, deux portes vitrées s'ouvraient sur un petit salon. La pièce n'avait jamais été redécorée et Marie-Ève, telle une somnambule, y déambula, l'air stupéfait et hagard.

Le temps d'avant s'inscrivait en lettres antiques dans les meubles, les planches en v, les magnifiques boiseries en pin, les murs garde chaise ou encore les tapisseries d'époque. Une atmosphère particulière empreinte de douceur et de mélancolie recouvrait l'ensemble d'un voile de nostalgie.

« Tout semble garder jalousement la présence de Joséphine à la manière de l'huître qui protège précieusement le nacre », songea Marie-Ève.

Régnaient dans la pièce une odeur d'antan, une ambiance du passé. Pas de télévision, pas de chaîne stéréo moderne. Un poste de radio sur pied datant du milieu du siècle se mariait harmonieusement avec un vieux gramophone. À la vue de ce dernier, la visiteuse céda à une impulsion subite; elle devait le mettre en marche. Et une voix venue d'ailleurs, une voix recouverte de poussières de temps, une voix altérée par l'humidité des saisons, fredonna : « *N'oublie jamais le jour où l'on s'est connus, si tu l'oubliais, mon bonheur serait perdu...* » Une grande mélancolie vint rattraper l'âme romantique de la jeune femme qui arrêta net l'appareil. La voix de Pamphile prit aussitôt la relève et vint la sortir de sa rêverie :

— Dis-moi pas qu'elle écoutait encore cet air-là? Si je l'ai pas entendu mille fois... Je lui disais tout le temps qu'y avait des nouvelles versions ben plus modernes, qu'elle devait se greyer d'un nouveau pick-up à la mode, mais pas moyen de moyenner. Quand elle avait une idée en tête, celle-là! I était pas encore né çui-là qui lui aurait fait changer son fusil d'épaule... Coudon. Ah! c'était toute une créature, la Joséphine Frigon!

La jeune femme remarqua les cadres sur les tables, les guéridons, les murs. De toutes les couleurs, de toutes les formes. Dans ces cadres, un unique sujet : une femme dans sa jeunesse. Elle était plutôt belle, mais d'une beauté grave; une sorte de résignation se dessinait au contour de sa bouche. Curieusement, sur toutes les photographies, elle serrait les lèvres. Une grande tristesse voilait son regard, la rendant inaccessible, presque détachée du monde. Les cheveux châtains coupés bien droits à la hauteur de la nuque lui donnaient un air sérieux, rangé et plutôt timide.

Plusieurs photographies, presque toutes en fait, montraient la jeune femme portant à son cou une chaîne en argent assortie d'un gros médaillon. Ce genre de bijou de forme ovale qui s'ouvre et dans lequel on place des portraits ou des mèches de cheveux avait toujours fasciné Marie-Ève qui jugea toutefois que le lourd médaillon contrastait fort avec le personnage frêle. Il faisait paraître le cou encore plus mince, la peau, plus blanche, tellement fine...

« Cela ne peut être que la Fine dans l'été de sa vie, songea Marie-Ève avec une certaine mélancolie. On dirait que cette femme s'interdisait de sourire. Peut-être tentait-elle de masquer un désir inavouable ou de cacher un bonheur équivoque? Qui peut savoir? Pourquoi je pense à ça? Je dois trop regarder les téléromans... Difficile de dire son âge. Probablement dans la trentaine, comme moi. Pourquoi les femmes de cette époque paraissent-elles toujours plus vieilles que celles d'aujourd'hui, au même âge?

« À quoi pouvait-elle bien se résigner, si tôt dans la vie? Pamphile a bien dit qu'elle était institutrice et qu'elle ne s'était jamais mariée malgré les nombreux prétendants. Étrange quand même parce qu'elle est pas mal belle et même assez originale dans un sens. Pourquoi donne-t-elle l'impression de porter le deuil en elle, sur elle? Ah! que j'aimerais savoir ce qu'il y avait dans ce médaillon. Sa vie a dû être si différente de la mienne. Comment ça se fait qu'elle a toujours vécu toute seule, il faut absolument que je demande à monsieur Pamphile... »

La jeune femme se sentit soudain comme une intruse et condamna ses pensées inconvenantes. L'indiscrétion dont elle faisait preuve la gêna au plus haut point. Elle fut très contrariée par cette façon de penser et d'agir qui ne lui ressemblait guère.

Marie-Ève constata alors que le petit salon donnait directement accès à une grande cuisine. Deux magnifiques berceuses rustiques au dossier formé de barreautins semblaient attendre qu'on les fasse bercer au coin du feu. En les faisant bouger au passage, Marie-Ève eut la nette impression qu'elles pleuraient doucement la Fine. Son cœur s'attrista davantage. Elle eut envie de s'asseoir et d'attendre là, tout simplement. Cette pensée la perturba puisqu'il n'existait aucun lien entre cette femme d'une autre époque et elle-même. Et, sans qu'elle puisse rien faire pour l'empêcher, une étrange tristesse l'envahit et elle sentit sa gorge se nouer.

En relevant la tête, elle aperçut un magnifique buffet-vaisselier ouvert à deux corps. Il s'agissait de l'une de ses pièces préférées. Cette fois, elle ne s'arrêta pas aux détails des pieds en crosse, de la base et des caissons chantournés comme lui avait enseigné Pamphile. Non. Cette fois, son attention se fixa sur ce qui remplissait les cinq étagères du corps en hauteur du meuble : une multitude de petits pots simples ou décoratifs, tous extrêmement bien rangés. Ils éveillèrent sa curiosité. En s'approchant plus près, elle put lire les étiquettes et réalisa qu'il s'agissait de pots de miel de diverses provenances : miel de bleuet du Lac, miel de trèfle des Cantons-de-l'Est, miel de pissenlit, miel de sarrasin, miel aux fleurs sauvages, aux fleurs des marais... Miel liquide, crémeux. Bonbons au miel. Gelée de miel...

Sans savoir pourquoi, le fait de découvrir que la Fine semblait apprécier le miel, tout comme elle, la rendit franchement heureuse. Sa tristesse s'était envolée d'un coup.

C'est alors qu'elle entendit la voix de Pamphile qui la priait de venir le rejoindre :

— Viens donc par icitte, la p'tite. Dans l'officine. Il est dret-là, le fameux secrétaire.

— Qu'avez-vous dit, monsieur Pamphile? L'officine?

— Ben! son p'tit coin secret... C'est comme ça qu'elle aimait à l'appeler. Va savoir pourquoi? C'est vrai que c'est pas grand. Y a ben juste de la place pour le secrétaire, la chaise pis les quelques livres qui traînent sur les tablettes...

— Dites-moi que c'est pas lui, le secrétaire? Mon Dieu! c'est pas possible.

Devant le brusque silence de Marie-Ève et ses yeux ronds comme des « trente sous », le vieil homme, déjà anxieux, se méprit. Pamphile sentit des gouttes de sueur lui couler sur les tempes et dans le dos. C'en était trop pour l'antiquaire, lui qui ne suait jamais! Cette fois, il ne put réprimer ses craintes et raconta, tous azimuts, l'envoûtement dont il avait été « la pauvre victime ».

— Marie-Ève, je t'en conjure par tous les saints du ciel, implora-t-il tout à fait sérieux, i faut que tu les prennes. Le faut, tu m'entends-ti? Sinon, la Fine pis son chien me lâcheront pus jamais. Je te jure sur ma défunte qu'on s'arrangera pour Trompette. Je te le garderai quand tu voudras. J'ai promis sur MON HONNEUR! Fais-moi pas cet air-là, si t'avais été à ma place, t'aurais fait pareil.

Pamphile Côté, pour la première fois depuis longtemps, ressentit vivement le froid de ses nombreux « hivers » (loin de lui l'idée d'imputer les frissons qui le secouaient à la chemise mouillée qui lui collait aux omoplates, cette sensation lui étant totalement inconnue).

— Tu sais, Marie-Ève, je me fais vieux, moi itou. (En disant cela, tout son corps se voûta et il ressentit le besoin de s'asseoir sur la vieille chaise en face de lui.) Je vas avoir quatre-vingt-dix à la fin de décembre. Chus pus tellement capable de vivre des émotions pareilles.

À quoi qu'elle a pensé, la Fine, vingueu! Des fois, je me laisse emporter par mes folleries. Tu sais, ma Toinette, c'est elle qui m'arrêtait quand je m'emportais tout seul, trop loin pis ben trop vite... Elle disait que je devais plus prendre avis des autres. Elle disait : « L'avis des autres, Pamphile Côté, c'est comme des ingrédients; t'en as besoin de plusieurs pour bien réussir une recette, même ceux que t'as pas dans ta propre armoire des fois... » Pis elle avait bougrement raison. Je t'ai pas jamais demandé si tu le voulais vraiment ce saudit de vieux bureau! Je t'ai forcé la main. Je déraille pas à peu près. Tout ça, c'est rien que de ma faute!

Et des larmes se mirent à couler le long des joues du vieil homme, des larmes de vieillesse. Ce qui fit sortir Marie-Ève de son silence et aussi de son insouciante jeunesse.

— Monsieur Pamphile, mais que se passe-t-il? Ne vous mettez pas dans cet état, voyons donc! Mon Dieu! il pense vraiment que je ne veux pas le secrétaire. Mais ce n'est pas le cas! Vous vous trompez! Je le veux, évidemment que je le veux. Je n'ai pas le droit de refuser un si beau cadeau, surtout venant de vous. Quant à Trompette, on arrivera certainement à trouver un compromis. Arrêtez un peu de « bliner » comme vous dites et souriez-moi. Allez, un petit effort!

En disant ces derniers mots, Marie-Ève s'était approchée doucement de Pamphile et lui avait passé un bras autour du cou. Elle lui fit un gros « bec sonnant » sur la joue, comme il les aimait, ce qui eut pour effet immédiat de remettre le vieux Pamphile sur les rails. Ce n'est pas tous les jours qu'une femme l'embrassait! Après avoir fait claquer ses bretelles, il plongea sa main dans la poche de son pantalon du dimanche pour retirer la clef du secrétaire. En la remettant délicatement à la jeune femme, il conclut d'une voix apaisée, une larme encore suspendue à ses cils blancs :

— Affaire conclue, ma chère mademoiselle Saint-Amour! Trompette, le secrétaire et tout ce qu'y a dedans sont bel et bien à vous! J'oublierai pas ce que tu viens de faire pour ton vieil ami l'antiquaire, la p'tite, tu peux en être sûre!

« Qui sait, ma belle enfant? C'est peut-être bien l'affaire de ta vie! »

II

Sans démontrer le moindre signe d'impatience, Marie-Ève attendait depuis déjà une heure. Cette patience exemplaire étonna la réceptionniste qui se préparait à quitter son poste.

— Monsieur Huot va vous recevoir dès qu'il en a terminé avec sa cliente. Cela ne devrait plus être trop long. Mais on ne sait jamais... avec la rédaction des testaments, on peut s'attendre à tout! Je dois partir plus tôt que prévu mais ne vous inquiétez pas, le notaire sait que vous êtes là. Au revoir, mademoiselle!

— Bonsoir, madame.

La salle d'attente était maintenant déserte. L'esprit de Marie-Ève, par contre, était fort occupé. La jeune femme déposa l'enveloppe qu'elle tenait dans ses mains sur la petite table en demi-lune, juste à côté d'elle. L'ameublement d'époque de l'étude du notaire parlait de lui-même : ce monsieur Huot avait dû s'approvisionner chez tous les antiquaires de la province. Des fauteuils rustiques aux dossiers garnis de voliches chantournées, des chaises aux sièges tressés en babiche, quelques tabourets, un magnifique coffre à caissons recouvert de revues disparates, un bahut à double vantaux ornés de pointes de diamant et des rideaux de dentelle aux fenêtres retenaient le temps de façon admirable. Ils faisaient subtilement oublier aux nombreux clients du notaire les longues minutes d'attente. Merisier, pin, érable, noyer tendre se côtoyaient dans une merveilleuse complicité.

Cette enveloppe officielle posée sur la table était la cause de sa présence inopinée chez le notaire. En la regardant, Marie-Ève songea à Pierre-Paul Simard. En fin de matinée, c'est avec ses manières habituelles de gentilhomme esseulé, son timbre de voix nasillard mais toujours correct, ses yeux mornes d'un gris insoutenable écrasés par de lourdes paupières et son perpétuel air de zombie (on chuchotait en riant que lui et son « petit ami » travaillaient souvent très tard sur le dossier des révisions journalières), que son patron lui avait habilement présenté la requête suivante :

— Mademoiselle Saint-Amour, ma chère, je pense que vous n'habitez pas très loin de Saint-André, n'est-ce pas? J'ai une faveur à vous demander. Voilà. J'avais rendez-vous avec le notaire Huot à seize heures aujourd'hui, mais le comité des révisions... hebdomadaires a convoqué certains chefs de service pour quinze heures trente cet après-midi. Je ne serai pas sorti de là avant tard ce soir, je le sens!

En disant ces mots, Pierre-Paul avait pris soin de lever les yeux au ciel et de rejeter la tête en arrière d'un geste théâtral pour bien démontrer son impuissance face aux contraintes d'un métier parfois si ingrat.

— Auriez-vous l'obligeance de passer chez le notaire Huot à ma place pour lui remettre ces documents en main propre? avait-il demandé, d'une voix mielleuse. Il doit y apposer un sceau et vous les remettre par la même occasion. Cela doit être fait aujourd'hui sans faute, car il me faut les envoyer par télécopieur à la maison mère demain matin. Je téléphonerai au notaire pour l'avertir. Vous partirez donc vers quinze heures. Mademoiselle Pouliot vous donnera les coordonnées...

Comme Marie-Ève avait eu l'esprit absent de son travail toute la matinée, elle avait trouvé que cette « échappée » correspondait en tous points à son humeur buissonnière. Elle avait donc accepté (avait-elle vraiment eu le choix?) de jouer le rôle de commissionnaire, riant sous cape du manège... des révisions. À son grand étonnement, elle était arrivée en avance chez le notaire et, pour la première fois de sa vie, sans se perdre!

Elle savourait donc pleinement ce temps libre qui lui permettait de faire le point sur la situation pour le moins particulière qu'elle était en train de vivre. Jamais n'avait-elle eu à penser à tant de choses en même temps! L'informaticienne avait l'impression que son cerveau, tel un ordinateur, devenait la cible d'un énorme « bug » d'informations disparates. C'est pourquoi elle tenta de fixer son attention sur les magnifiques chaises antiques pour essayer de découvrir l'année approximative de leur fabrication. Ses efforts demeurèrent stériles : les chaises, de par leur nature ancienne, ne purent que la ramener directement au secrétaire de la Fine...

Arrivée chez elle, le samedi, la première chose qu'elle avait faite avait été de téléphoner à sa meilleure amie Suzanne, à Montréal, pour lui raconter toute l'histoire. Assise sur la chaise de Joséphine, Marie-Ève avait décrit en détail – mais pas nécessairement dans l'ordre, vu son excitation – le miel, Trompette, le testament olographe, la maison ancestrale et ses fenêtres à carreaux, son rêve du matin, la mort de la Fine, le rang des Apis...

— Remarques-tu le lien, Suzanne? avait-elle confié, fort troublée. Api comme dans apiculteur : les abeilles, le miel... tu vois le genre? J'ai seulement réalisé ça quand j'étais devant le secrétaire parce que j'avais complètement oublié mon rêve, tu comprends, vu que j'étais en retard à mon rendez-vous et que je me dépêchais. C'est quand même bizarre, tu ne trouves pas? Je sais juste plus quoi penser. C'est la première fois que ça m'arrive...

Elle avait aussi raconté avec moult précisions l'envoûtement de son vieil ami et surtout sa surprise indescriptible, son incrédulité à la vue du fameux secrétaire.

— Si tu m'avais vue! J'ai figé raide. Je te jure,

Suzanne. Une statue. Je ne pouvais plus parler, ni bouger. D'ailleurs, le pauvre Pamphile s'est complètement mépris en me voyant ainsi. C'était bien trop, bien trop... insensé! Tu me connais. Je suis une fille rationnelle. J'ai toujours fait preuve de logique et de bon sens. Toutes les histoires de coïncidences troublantes, de destinée soi-disant incontournable, d'intuition pas possible ou même de rêve prémonitoire n'ont jamais fait partie de mon vocabulaire quotidien. Tu le sais, toi, même les films et les livres là-dessus ne m'ont jamais intéressée... Ça m'a tout l'air que je vais peut-être être « obligée de virer mon capot de bord » comme dirait Pamphile...

Pour Marie-Ève, qui y songeait pour la énième fois, il n'y avait aucun doute possible : le secrétaire-commode à abattant de style anglais de Joséphine Frigon s'avérait être celui de son rêve, le même, le pareil, la copie conforme. La partie du bas, composée de trois tiroirs, servait de meuble de rangement. L'abattant, une fois abaissé, devenait une table d'écriture équipée d'un pigeonnier et comportant des tiroirs secrets. Cela, elle le savait pertinemment... sans pourtant l'avoir encore vérifié! En effet, jusqu'à cette heure – l'horloge ancienne du notaire indiquait dix-sept heures et cinq minutes – l'abattant du secrétaire de la Fine était toujours relevé!

Le samedi et le dimanche étaient passés sans qu'elle se décide à l'ouvrir. Marie-Ève avait d'abord fait le ménage et préparé la place au nouveau venu. Elle avait ensuite installé le secrétaire sur un bout de tapis pour le faire glisser sans encombre jusqu'au salon, près de la fenêtre qui donnait sur la gare. Elle l'avait poli et repoli, elle l'avait examiné, touché, contemplé mais toujours pas ouvert.

Toute la journée du dimanche, elle avait tourné autour des dizaines de fois, exactement comme Trompette : perdue, un peu effrayée, ne sachant comment réagir.

Monsieur Pamphile avait porté le chien tôt le dimanche matin. L'antiquaire n'avait pas voulu entrer, n'avait posé aucune question. Il avait simplement réitéré sa promesse de garder Trompette à toute heure du jour et de la nuit. Puis, il était reparti très vite, encore un peu gêné, laissant Marie-Ève complètement désorientée.

D'entrée, le petit chien avait refusé autant les marques d'affection que la nourriture, toutefois sans pleurer ni japper. Histoire de chercher à mieux connaître et apprivoiser ce compagnon de fortune qui faisait irruption dans sa vie, la jeune informaticienne avait passé la soirée à naviguer sur internet, à la recherche d'informations sur les chiens.

Le nouveau venu devait peser entre trois et quatre kilos. Des poils demi-longs, roux et ébouriffés s'allongeaient autour des joues, du menton et d'une truffe bien noire. Deux grands yeux – tout aussi noirs – bien ronds et écartés saillaient de sa petite face intelligente. Par conséquent, son expression faciale, quasi humaine, captivait étrangement l'attention. Suite à ses recherches, Marie-Ève en était venue à la conclusion qu'il s'agissait bien d'un de ces petits chiens de dame, un griffon.

— Trompette, lui avait-elle confié, heureuse de briser le lourd silence qui planait, tu fais désormais partie de la race des griffons. T'es-tu content? Pur ou croisé, ça, je peux pas dire. Mais t'es mignon tout plein, ça, c'est sûr! Quand Suzanne va te voir... Hum! que tu vas en avoir des câlins. Heureusement que t'es petit. T'as plus de chances que ta maîtresse gagne son pari. Ah! si tu pouvais parler. Tu pourrais peut-être me dire ce qu'il y a dans ce fameux secrétaire?

Dès que Trompette rentrait de la cour, il se contentait d'aller se mettre en boule sous le secrétaire, le seul endroit où il ne tremblait pas comme une feuille au vent.

Contrairement à son habitude, Marie-Ève avait très mal dormi la nuit dernière. S'inquiétant pour le petit chien qui n'avait rien bu ni rien mangé, elle s'était levée toutes les heures pour vérifier s'il respirait encore. Ce matin même, avant de partir au travail, la jeune femme n'avait eu d'autre choix que de laisser l'eau et la nourriture du chien sous le secrétaire, en espérant que ce stratagème réussisse. Trompette avait quand même accepté une caresse sur la tête... C'était un début.

***

À l'inverse de Marie-Ève Saint-Amour, Jean Huot s'impatientait. L'horloge en face de lui indiquait cinq heures et quart. Sa cliente n'en finissait plus de revenir sur les mêmes détails.

— Il faut me comprendre, cher notaire. Si je lègue la grosse bague en or de mon deuxième mariage à ma fille Jeanne, comme j'aimerais, Paulette, la fille de mon défunt mari, le deuxième, va me faire une guerre du diable. Je vous le dis, je la connais, est tellement maline, elle va vouloir me tuer! (Le notaire songea que, vu les circonstances, il serait assez difficile de tuer quelqu'un qui serait déjà mort, mais préféra éviter tout commentaire.) Je pourrais toujours lui laisser mon manteau en rat musqué et le chapeau qui va avec... à la vlimeuse de Paulette (elle prononçait Pölète, ce qui agaçait franchement le notaire), qu'en dites-vous?

« C'était un cadeau de son défunt père, après tout. Non, je ne peux juste pas : Chantale, mon aînée en première noce, va jamais me le pardonner, elle m'a fait jurer de lui donner... Notaire! Aidez-moi un peu, voyons! Vous devez bien savoir quoi faire dans ces cas-là?

— Madame Gagnon, je ne voudrais pas être brusque, ni vous paraître impoli, mais ce sont des détails auxquels vous pourriez réfléchir chez vous, tout à votre aise, avec l'aide de vos proches ou de vos amis. Vous pouvez rédiger toutes vos volontés par écrit, pour ce qui concerne vos effets personnels, et je les ajouterai au testament. Je suis vraiment désolé, mais j'ai une cliente qui attend depuis plus d'une heure. Nous allons devoir arrêter ici notre entretien et ma secrétaire vous appellera mercredi pour fixer un autre rendez-vous, disons, la semaine prochaine?

Sur ces mots, le stylo plume qu'il tournait nerveusement entre ses doigts lui glissa des mains et roula par terre, sous le bureau. En s'excusant, Jean se pencha pour le ramasser. Le stylo avait roulé assez loin et le notaire dut se mettre à quatre pattes pour l'atteindre, le corps courbé en dessous du meuble. Alors qu'il jugeait sa position tout à fait saugrenue, il se cogna la tête et maugréa.

C'est alors qu'en relevant les yeux, il remarqua une chose étrange. Il vit dans le coin avant droit du dessous du meuble une sorte de petite boîte en bois ouverte d'un seul côté. Cette dernière, de toute évidence rajoutée et volontairement dissimulée aux regards, était fixée par des montants, eux-mêmes vissés sur l'un des côtés intérieurs du meuble.

Le notaire songea qu'il n'aurait jamais pu découvrir ce « tiroir secret » ou même le frôler avec ses genoux, sa chaise ne se rendant pas jusque-là en raison de la largeur exceptionnelle du bureau très ancien. En allongeant le cou, il put voir le fond du tiroir rempli de feuillets de différentes couleurs. Il lui était impossible de savoir s'ils étaient manuscrits, mais Jean fut tout de même en mesure de noter l'âge avancé du papier. Le notaire, tout à fait abasourdi par sa découverte, se releva lentement en se massant le crâne. Il fit face à sa cliente, surprise de la trouver encore assise.

— Vous ne vous êtes pas fait trop mal, j'espère? Vous vous êtes bien cogné la tête, pauvre de vous, je l'ai entendu jusqu'icitte... Bon. C'est comme vous voulez, concéda-t-elle en se levant à contrecœur, voyant que le notaire restait debout. Je vais essayer de faire mon gros possible, mais je ne vous promets rien. C'est des affaires bien compliquées, et MOI, les affaires compliquées, je pensais bien que les notaires, c'était là pour les régler! C'est sûr que, quand on meurt vieille fille comme la Joséphine, c'est pas la même histoire. Comme qui dirait, c'est des clientes... en or pour les notaires. Vous devez bien en savoir quelque chose puisqu'on dit que c'est vous qui s'occupiez de régler ses affaires... Hein?

Jean Huot fit quelques pas vers la porte capitonnée et se contenta d'une dernière remarque. En général, elle muselait à merveille toutes les grandes langues voraces :

— Le secret professionnel, madame Gagnon, je suis tenu au secret professionnel, ne l'oubliez pas! Au revoir, madame, et à la semaine prochaine...

Soulagé, Jean referma la porte d'entrée derrière sa cliente compliquée et s'avança vers la remplaçante de Pierre-Paul Simard. Le visage tourné vers la fenêtre, elle semblait totalement absente tout en paraissant très à l'aise, un peu comme chez elle.

— Mademoiselle Saint-Amour?

— Ah! oui. Oui. C'est moi. En fait, y a personne d'autre, on dirait... Notaire Huot, n'est-ce pas? Bonsoir.

— Bonsoir. Je suis tout à fait désolé. Veuillez excuser ce retard inadmissible...

— Non, non. Ne vous excusez pas, monsieur. J'avais tellement de choses à penser et à essayer de régler que cela m'a rendu bien service. L'attente, en fait, a été bénéfique. D'autant plus que cet endroit est... charmant. Vraiment. Je vous assure. Ne vous en faites pas.

Sur ces mots, Jean Huot, soulagé, la pria poliment de le suivre dans son bureau. En réalité, la jeune femme le précéda d'une façon très naturelle. Sa démarche gracieuse et aérée lui renvoya l'image d'une biche. Il sourit. Il s'était imaginé une tout autre personne : plutôt forte, dans la cinquantaine, sévère, des lunettes, cheveux courts, maquillée, portant le pantalon. Depuis un an, le notaire avait développé une manie; d'abord, il imaginait en détail l'aspect physique des personnes qu'il devait rencontrer. Comme sa clientèle oscillait régulièrement entre l'âge d'argent et l'âge d'or, la marge d'erreur était plutôt mince. Ensuite, ou plus précisément au moment de la rencontre, le notaire dressait le profil psychologique de la personne en très peu de temps. Il dessinait un portrait mental – qui s'avérait la plupart du temps très proche de la réalité – d'après l'apparence physique, la chevelure, la voix, le regard, le maintien et aussi le caractère, les manies, les besoins, les aspirations...

Jean devait bien admettre que, dans le cas de mademoiselle Saint-Amour, il avait échoué la première partie de son examen. Elle devait avoir à peu près trente ans. Un mètre soixante environ, soixante kilos, mince et bien proportionnée. Les cheveux longs coiffés derrière en une superbe tresse brillaient d'éclats roux, châtains, blonds... Charmante. Juvénile. Sans fard. Rafraîchissante. Pas du genre compliqué.

— Je vous en prie, asseyez-vous.

Tout en engageant la conversation et en sortant les documents de l'enveloppe, Jean Huot put détailler la jeune femme de face et ainsi s'engager dans la deuxième partie de son examen.

— Ce ne sera pas long, je dois simplement vérifier les documents et apposer mon sceau. Vous travaillez avec Pierre-Paul depuis longtemps, mademoiselle Saint-Amour?

— Appelez-moi Marie-Ève, s'il vous plaît. Je me sens tellement vieille quand on m'appelle « mademoiselle ». Genre... vieille fille, vous voyez? En fait, non. Pas vraiment. Je suis ici, enfin je travaille à Alma depuis un an. Je suis arrivée l'automne dernier et j'habite Saint-Gédéon. Je dois faire deux ans en région et puis je retournerai à Montréal, à la maison mère. Vous savez, c'est comme ça que cela se passe aujourd'hui. Tous les nouveaux doivent s'exiler pendant deux ou trois années pour assurer, c'est un bien grand mot en réalité, leur emploi dans les grands centres urbains.

— Vous n'avez pas l'air trop malheureuse... Enfin, je veux dire que vous ne semblez pas trop souffrir de cet exil forcé. Pas de menottes, pas de vêtements déchirés, pas de blessures apparentes...

Elle se mit à rire gaiement. Jean fut subjugué, presque happé par le rire cristallin de la jeune femme. Il n'avait pas entendu rire depuis si longtemps qu'il avait oublié qu'un rire pouvait être si beau, si riche de vie. Il sentit son cœur s'emballer, ses mains trembler. Il ne pouvait détacher son regard des petites taches de rousseur qui parsemaient le nez fin de Marie-Ève comme une poudre d'étoiles. Ses yeux d'émeraude brillaient de mille feux, de mille joies, d'une éclatante et audacieuse jeunesse. Quelques mèches de cheveux, libres comme un vent d'automne, voilaient délicatement le regard pénétrant, et pudique à la fois, descendant en caresses jusqu'à la bouche, tellement innocente qu'elle en devenait sensuelle. Cette femme était harmonie; elle dégageait une énergie saine, une simplicité touchante, une candeur presque ensorcelante.

Jean sentit une grande peine, une grande lassitude l'envahir de toutes parts. Le visage éclatant de santé de cette femme devant lui se superposait à celui de sa conjointe mourante, son épouse depuis une quinzaine d'années. Claire aux yeux éteints, aux cheveux ternes, à la bouche muette, au corps endormi.

— Monsieur Huot? Il y a... Quelque chose ne va pas? Est-ce qu'il manquerait des documents?

— Non, non. Excusez-moi, je vous en prie. La journée a été plutôt longue et je vous avoue que je suis un peu fatigué. Voilà. C'est prêt. Je compte sur vous pour remettre cette enveloppe à Pierre-Paul, sans faute.

— Comptez sur moi. Demain matin, à la première heure. Au revoir et bonne soirée, monsieur Huot. Reposez-vous un peu... Demain sera un autre jour!

Une fois seul, Jean Huot se sentit soulagé du départ de mademoiselle Saint-Amour. Il se rendit compte qu'il aurait été incapable de supporter plus longtemps le portrait magnifique qu'elle provoquait dans son esprit enfiévré.

Malheureusement, cette jeune femme se trompait. Demain, pour lui, serait le même jour douloureux.

***

Quand Marie-Ève tourna la clef dans la serrure, elle entendit un petit aboiement derrière la porte. Dès qu'elle l'ouvrit, Trompette se faufila entre ses jambes et déguerpit au fond du jardin.

— Eh ben! ça pressait. Mon Dieu! c'est vrai qu'avec ta maîtresse, tu ne devais pas rester enfermé toute la journée. On va voir comment on peut arranger ça. Oh! le bon chien-chien. Il a tout mangé! Bon, je vais te laisser un peu dehors, puisque tu ne veux pas rentrer... mais tu restes pas loin, O.K.? Pas de fugue, sinon tu vas te retrouver en maison d'accueil.

La jeune femme posa son sac, enleva son manteau et, d'un pas décidé, alla directement vers le secrétaire.

Elle s'assit sur la vieille chaise de la Fine et se mit à parler toute seule.

— Vous savez, Joséphine, quand vous disiez que Trompette n'allait pas nécessairement avec le secrétaire, vous vous trompiez. Sans lui, il se serait peut-être laissé mourir de faim. C'est ce soir, le grand soir. Je vais ouvrir le secrétaire, mais j'aimerais penser que vous me voyez. Ça avait l'air tellement important pour vous que j'ai peur de ne pas être à la hauteur. Vous savez, c'est pas dans la grande ville qu'on apprend ce genre de choses...

Elle prit la clef posée bien en vue sur le dessus du meuble et l'inséra dans la serrure. L'abattant s'ouvrit sans aucun problème. Comme elle l'avait pensé, il se rabaissa facilement pour devenir une table d'écriture. Le pigeonnier comportait dix petits tiroirs secrets. Marie-Ève remarqua que Joséphine avait pris soin de numéroter neuf d'entre eux. Un seul, le dernier, n'était pas numéroté. La tâche serait plus facile. Au moment où elle se décidait à ouvrir le tiroir qui portait le numéro un, elle entendit gratter à la porte.

— Un instant, je reviens. Trompette veut rentrer.

En effet, le griffon était devant la porte. Il entra et vint se blottir sous le secrétaire.

— Voilà, je suis prête. Oh! que j'ai la trouille, c'est pas possible. J'entends mon cœur battre jusque dans mes oreilles. J'ai même les jambes qui en tremblent... Ma foi! je fais comme toi, Trompette. Et comme Pamphile, je me parle toute seule, astheure!

En entendant son nom, le chien avait levé les oreilles. Il se rapprocha et vint se blottir contre les pieds de la jeune femme. Cette chaleur soudaine lui donna le courage de continuer.

Elle flatta Trompette qui, cette fois, s'abandonna entièrement à ses caresses. Sa proximité réconforta Marie-Ève au plus haut point. Le petit griffon semblait tout à coup complètement à l'aise, chez lui, heureux, satisfait, et pour cause! Pour lui, désormais, la vie reprenait son cours normal : sa maîtresse – quoique rajeunie et plutôt différente – était paisiblement installée au secrétaire comme à tous les jours de sa vie de chien.

Marie-Ève ouvrit le premier tiroir pour y découvrir un petit rouleau cylindrique composé de feuilles de papier. Les pages roulées étaient maintenues par un magnifique ruban doré. Aucune poussière, aucune déchirure ne venaient altérer de quelque manière que ce soit le précieux document. Malgré son état impeccable, Marie-Ève ne pouvait douter un instant de son âge avancé. Elle comprit qu'il s'agissait d'une lettre.

« Qu'est-ce que je fais maintenant? Est-ce que je peux l'ouvrir, la lire? C'est tellement personnel. Pourtant, Joséphine a voulu qu'une femme ait le secrétaire et tout ce qu'il y avait dedans. J'imagine qu'elle devait bien se douter... que la nouvelle propriétaire serait tentée de lire la lettre. »

— Ah! Trompette, aide-moi un peu. Fais quelque chose!

À la stupéfaction de la jeune femme, le chien fit quelque chose : en la regardant, il cligna des yeux. Marie-Ève, sans plus d'hésitation, ouvrit la lettre en s'adressant à Trompette.

— Tu sais que t'es pas mal intelligent, toi? Je sens qu'on va bien s'entendre.

Et elle lut :

Le 10 octobre 1920 à Saint-André-du-Lac.

Chère Mademoiselle Frigon,

Vous trouverez ma démarche bien surprenante, voire audacieuse, j'en conviens. Mais, de grâce, ne vous méprenez pas et continuez la lecture de cette missive. Suite à notre rencontre dans mon cabinet ce matin, lors de votre visite médicale, je n'arrête pas de penser à vous et surtout à l'échange bénéfique que nous avons eu.

Comme vous devez le savoir, mon épouse Marie-Jeanne est très malade. La tuberculose dont elle souffre depuis quelques années ne la laisse plus en paix un seul instant, ni moi-même. Ma femme est encore présente, mais son esprit semble loin de moi. Je dois, bien malgré moi, m'éloigner souvent de la maison, laissant mon cœur près d'elle. Le travail que j'exerce en tant que médecin de campagne exige une présence constante auprès de mes malades et de la population. Mes déplacements sont nombreux. Les accouchements et les morts se suivent à un rythme effarant dans cette contrée nordique de colonisation. Je ne peux ni ne dois ajouter mes préoccupations quotidiennes aux siennes, déjà trop lourdes à porter.

Dès lors, ma solitude et mon désarroi sont grands, plus grands que les océans de notre terre. Tout le monde me croit fort et courageux. Je le suis, certes, mais toute force et tout courage ont leurs limites. Je suis au bord de ces limites, je me sens impuissant, mais ne veux pas abandonner pour autant.

J'ai simplement besoin de parler ou d'écrire à quelqu'un pour me confier. Un médecin n'a pas d'amis ou très peu. Hélas, s'il en a, ils sont souvent éloignés. Un docteur possède, sans le vouloir, un statut de « guérisseur ». On le veut infaillible, disponible, connaissant. On attend parfois de lui qu'il ait un pouvoir sur la mort. On ne songe pas qu'il puisse avoir besoin d'être lui-même guéri de ses maux. Les miens appartiennent à un ordre différent. Ils découlent des profondeurs insondables de l'âme humaine.

Votre écoute, comme vous me l'avez démontré ce matin, n'a pas de frontières. Votre écoute est compassion, partage. Votre langage est poésie et richesse. Vos connaissances dans plusieurs domaines m'ont étonné, je dois l'avouer. Néanmoins, elles sont significatives de votre profond intérêt et de votre engagement au monde qui nous entoure. Sachez que les jeunes institutrices, en général, ne possèdent pas un tel bagage intellectuel.

J'aurais pu et dû, vous me soutiendrez, faire part directement de mes états d'âme à vos parents puisque vous n'avez que vingt ans. Pourtant, le besoin de vous écrire personnellement a été plus fort que la simple bienséance. L'âge, ici, n'est pas en cause. Pas dans votre cas, puisque la grande maturité dont vous faites preuve vous place bien en dehors de ces considérations. Permettez seulement que je vous écrive de temps à autre sans arrière-pensée. C'est tout ce que je vous demande, c'est tout ce dont j'ai besoin pour continuer ma route.

Je vous envoie mes meilleures salutations en espérant que cette lettre ne vous ait ni offusquée ni blessée. Je souhaite seulement devenir votre ami.

Marc-Aurèle Provencher

***

Jean n'arrivait pas à dormir. Les yeux grands ouverts, il contemplait la pleine lune. Adossé à l'oreiller, il détaillait la campagne, de son lit placé juste à côté de la fenêtre. Il pouvait apercevoir au loin les contours majestueux de la chaîne des Laurentides. Plus près, il distinguait nettement les grands arbres le long de la Belle-Rivière. Certains étaient nus, d'autres encore un peu vêtus. Mais tous se préparaient pour l'hiver alors que lui le traînait dans son cœur, comme un grand froid, depuis déjà des mois. Ici et là, sur le plateau et aussi sur les terres vallonnées, les sillons dans les champs apparaissaient, bien droits, tracés par les charrues. Les labours prenaient un court repos, dormant sous la lune paisible, dégageant encore les vapeurs de la terre retournée. Et partout, même jusqu'au fond des « coulées », à cause surtout des immenses silos qui s'élevaient vers le ciel, Jean reconnaissait la plupart des fermes qui semblaient minuscules dans la nuit claire.

La plus importante, la ferme laitière PIAR qui appartenait à Pierre Archambault, un de ses nombreux clients, demeurait éclairée toutes les nuits. Jean avait fini par s'attacher à elle plus qu'aux autres. Les longues heures d'insomnie avaient contribué à créer dans son esprit accablé une étrange métamorphose : le banal lampadaire devenait un précieux phare dans la nuit noire. Ainsi, quand il se noyait dans un océan de profonde noirceur, il s'accrochait désespérément à ce phare pendant des heures, parfois jusqu'au petit matin, comme un malheureux naufragé, l'esprit confus, le regard vide et hagard.

Par la fenêtre entrouverte, Jean entendit la chouette rayée. Son hululement ressemblait parfois à celui d'un aboiement. Dans la nuit blanche et silencieuse, il lui parut cette fois vraiment lugubre. *Houhou-houhouhâou...* En d'autres temps pourtant, Claire et lui avaient aimé entendre cette lamentation grave dans l'air doux de la campagne. Quand ils faisaient l'amour, ce chant particulier se confondait merveilleusement à leurs propres gémissements. *Houhou-houhouhâou...* Il n'y tint plus et se leva, sans faire de bruit.

Claire dormait paisiblement. Elle dormait depuis des heures. Elle dormait depuis des mois. Sans bouger. Engourdie. Assommée par les médicaments. Elle dormirait ainsi jusqu'au lever du soleil. Jusqu'à la fin de ses jours. Jean enfila ses pantoufles et sa robe de chambre en se dirigeant vers la porte. Il la referma doucement derrière lui.

Il alla à la cuisine et fit couler le robinet d'eau froide. Il s'aspergea le front, la nuque, les poignets et se servit un grand verre d'eau glacée qu'il avala d'un trait en faisant la grimace. Il n'avait jamais aimé le goût de l'eau. Ensuite, il alluma une cigarette et se promena de la cuisine au salon, du salon à la cuisine, silencieux, pensif, la tête baissée.

Sous ses pas, le plancher craquait par endroits et chaque craquement le ramenait au passé. Au passé de la maison, plus que centenaire, et à son passé à lui, tout récent. La comparaison entre son état et ces vieilles planches de pin rouge le fascinait. Ces dernières supportaient encore à merveille la charge qu'on leur imposait tous les jours, depuis plus de cent ans. Certes, le plancher n'était pas droit, il montrait des signes de fatigue, d'usure, il était ridé de partout, mais on le sentait tellement solide, durable, résistant. Quant à lui, deux courtes années, qui lui paraissaient une éternité, avaient suffi à le faire craquer dangereusement. Non seulement craquait-il, mais lentement il ployait sous le poids des tristesses, des peines et du désespoir qui le hantaient. Certaines nuits, Jean en était venu à chercher le secret de ces vieilles planches...

Il n'avait eu besoin d'allumer aucune lampe, la pleine lune se chargeant de tout éclairer, sans discrimination. En regardant par la fenêtre les voluptueuses rondeurs des collines avoisinantes, il se mit soudain à pleurer. Une autre rondeur, la plus belle qu'il lui fût donné de voir, s'imposait à son esprit. Le ventre rond de Claire. Le ventre de sa femme qui contenait un trésor, une petite fille qu'ils avaient décidé d'appeler Sophie.

Claire était tombée enceinte à peu près vers la période des fêtes de 1995, juste au moment où le couple perdait espoir et songeait à abandonner l'idée de fonder une famille. Cette annonce avait été reçue comme un cadeau du ciel, après quatre années de tentatives infructueuses. Claire était alors âgée de trente-huit ans, Jean en avait trente-cinq. Mariés depuis douze ans, ils habitaient la ville de Longueuil. Claire remplissait le poste de directrice artistique du célèbre magazine *Bon chic, bon genre* pendant que Jean travaillait pour une non moins célèbre étude de notaires de Montréal, « Léger, Thibeault et associés ».

Leurs finances aisées leur avaient permis de louer tout le sixième étage d'un vieil immeuble de banlieue qui comportait, outre les deux salles de bains, sept grandes pièces. De la terrasse, la vue sur le fleuve Saint-Laurent et sur la ville de Montréal ne cessait de leur couper le souffle. Amoureux et complices, ils avaient alors le vent dans les voiles...

Dès l'instant où Claire apprit qu'elle portait un enfant, sa carrière cessa de l'intéresser. Elle se mit à aller au travail à reculons. Les longues heures d'attente sur les ponts commencèrent à lui peser sérieusement. Elle devint craintive en voiture et opta pour le train de banlieue. Ensuite elle développa une phobie pour les trains et elle se tourna vers le métro. Finalement, elle souffrit de claustrophobie dans le métro. C'est alors qu'elle remit sa carrière et sa vie en question, jugeant qu'il était temps de s'intéresser aux priorités ou plutôt à la priorité : l'enfant à naître.

Un soir de mars, alors qu'il devait normalement faire printemps, elle avait éclaté comme la tempête hivernale qui sévissait dehors :

— Jean, je n'en peux plus. Je suis tannée! Tu te rends compte, cela m'a pris deux heures pour rentrer à cause de cette foutue neige. Ce que je désirais le plus au monde, ce dont nous rêvions depuis quatre ans, est enfin arrivé. Et j'ai l'impression de noyer ce bonheur dans un... stupide métro de banlieue. C'est tellement ordinaire que ça me lève le cœur! Je veux vivre ma grossesse à plein temps, tu m'entends! Si on partait? Hein? Si on déménageait? Tu sais de quoi j'ai vraiment envie? Retourner au Lac, maintenant! Accoucher là-bas. La ville, on l'a virée de bord, on la connaît sous toutes ses coutures, non?

« J'ai droit à une année sabbatique et puis je n'aurai qu'à prendre mon congé maternité après la naissance du bébé. Il me semble que la vie serait tellement plus simple en région. Au moins, la neige serait blanche et puis, y a pas de métro! Je suis certaine que tu pourrais t'ouvrir un bureau là-bas. Même si les gens de la place ne te connaissent pas bien, il suffit qu'ils me connaissent, moi. Je suis une fille du Lac, une Bouchard, et toute ma famille vient de là. Est-ce que tu veux y réfléchir... pour moi, pour le bébé?

— Ouf! Je savais bien que tu mijotais quelque chose, mais je ne m'attendais pas à ça, je te le dis franchement! Partir à mon compte... Laisser nos amis... Quitter la ville... J'aime bien la campagne, oui, pour y aller de temps à autre... Y vivre définitivement, je sais pas trop, Claire!

— T'as pas compris. J'ai pas dit pour toujours, mon chéri. J'ai dit maintenant. J'ai dit pour vivre ma grossesse et pour y accoucher. Pour quelque temps au moins. Juste quelques saisons... et puis on verra!

— Laisse-moi y penser, O.K.? Donne-moi, disons, deux petites semaines puis on va prendre une décision... ensemble, comme on a toujours fait.

En un rien de temps, ils avaient tout liquidé. Jean ne pouvait se résoudre à voir Claire dans cet état. Et il trouvait juste et normal que sa femme veuille profiter de sa grossesse, peut-être la seule, vu son âge. Le couple avait entreposé les meubles et les effets personnels à Longueuil et était arrivé au Lac en mai 1996. La famille de Claire avait déjà sondé le terrain avant leur arrivée pour leur trouver une maison.

Depuis ce soir de tempête, Jean s'était senti comme une girouette qui avait perdu le nord (quoiqu'il fût question de sud, dans son cas). Le fait de devoir tout recommencer à zéro – surtout dans une région nordique isolée comme celle du Lac – avait réveillé en lui des craintes oubliées. Nerveux, anxieux, inquiet, il n'était plus sûr de grand-chose et pas sûr du tout d'être à la hauteur du défi à relever. Claire, tout à sa joie, ne s'était heureusement aperçue de rien.

Mais dès l'instant où il avait franchi le seuil de la maison de campagne et marché sur les vieilles planches de pin rouge, une sorte de miracle s'était produit : Jean Huot avait changé d'attitude du tout au tout.

À peine située à deux kilomètres du village de Saint-André, la vieille demeure orientée plein sud et dotée d'ouvertures sur les quatre directions nichait confortablement sur un plateau. La vue y était exceptionnelle, sans contredit l'une des plus belles de la région : au sud, les Laurentides, à l'ouest, le lac Saint-Jean, au nord, les monts Valin, et à l'est, la campagne bucolique du Saguenay. La lumière, unique en son genre, et la paix omniprésente permettaient non seulement de prendre le pouls de la vie mais aussi de l'écouter. Jean avait ressenti ce genre d'enchantement une seule fois auparavant, lors de ses dernières vacances en Suisse avec Claire.

Il n'avait jamais songé un instant qu'il puisse exister un si bel endroit en région, encore moins au Lac! S'il avait su! Que d'énergie perdue! Jean avait alors réalisé à quel point la ville bruyante dans laquelle il était né l'avait hypnotisé, l'avait possédé, lui faisant croire dur comme fer qu'elle seule pouvait remplir ses aspirations, ses goûts, ses rêves, sa carrière, bref toute sa vie.

Les mois qui avaient suivi s'étaient déroulés comme dans un rêve. À la fin de l'été, qui s'était avéré le plus chaud de la dernière décennie, Jean et Claire étaient devenus les fiers acquéreurs de la propriété centenaire, mise en vente suite au décès de son propriétaire. Jean se souviendrait toujours de cette journée du 21 juillet 1996. Le rire de Claire et son gros ventre rond de sept mois, plein de la petite Sophie, qui riait lui aussi. Et ce souvenir fit rouler d'autres larmes, silencieuses et amères, le long de ses joues. Il entendait encore la voix douce de sa femme, cette voix désormais éteinte par l'aphasie dont elle souffrait. Cette voix dont il était tombé amoureux et qui lui manquait désespérément.

« Oh! le mignon notaire qui plaît tant à toutes les gentilles vieilles dames jeannoises. (En caressant son ventre rond, elle prenait le bébé à témoin.) Tu vois, Sophie, c'est normal, ton papa est pas mal beau dans son genre. Heureusement qu'il est myope, il s'en rend pas trop compte! Comme les temps changent! Il est devenu un vrai campagnard, ma fille! Monsieur le notaire ne veut plus rien savoir de la ville. Il a acheté cette belle maison pour toi, pour moi, pour nous trois! Et il répète qu'il veut y vivre pour l'éternité! Eh bien! si on lui promettait de ne jamais le laisser tout seul dans cette belle grande maison... »

Qu'il avait mal aujourd'hui! Pourquoi tant de douleur? Pourquoi tant d'injustice? Pourquoi tant de silence et de solitude? Quand tout cela s'arrêterait-il? Combien de temps encore pourrait-il supporter de voir sa femme mourir à petit feu? Sa bien-aimée, sa douce, sa jolie, sa Claire...

Chaque fois que les souvenirs remontaient à la surface, Jean Huot avait peur de devenir fou, de perdre la raison. Tellement qu'il lui arrivait de songer au suicide. Et cette pensée, loin de le soulager, augmentait son effroi, car elle témoignait de sa grande faiblesse. Comme un lourd fardeau, il traînait ce sentiment d'impuissance qui le rongeait. Fatigué et découragé, il préféra aller s'étendre sur le divan, seul, que d'aller se remettre au lit.

« Il faut absolument que je me repose un peu. Demain, samedi. Je crois que je vais appeler madame Gingras. Une fois, une seule fois... Elle m'a encore dit cette semaine que, si j'avais besoin de me reposer un samedi ou un dimanche, elle était disponible en tout temps. Mon Dieu! qu'est-ce que je ferais sans elle? Je vais prendre quelques heures loin de mon travail, loin de la maison. Je dois absolument arriver à me changer les idées... »

***

Tout en sirotant une bière, Pamphile Côté jetait de temps à autre un coup d'œil par la fenêtre d'où il pouvait lire l'écriteau sur la porte de sa boutique, « Fermé ». Il était arrivé au bistro L'Escalier plus tôt que d'habitude parce qu'il n'y avait pas foule au magasin et qu'il s'y ennuyait. Il n'avait pas vu Marie-Ève depuis une semaine. Ils s'étaient bien parlé au téléphone, mais Pamphile continuait à se sentir un peu coupable, surtout pour le chien.

Le bistro était encore désert, mais ne tarderait pas à être bondé. En souriant à Valérie qui faisait la mise en place pour le dîner, Pamphile se rappela l'arrivée de ces deux jeunes fringants, débarqués tout droit de la ville. Stéphane, le conjoint de Valérie, venait de terminer des cours d'art culinaire à Québec, après dix années passées en hôtellerie comme serveur. Il rêvait d'ouvrir son propre restaurant. Le hasard voulut qu'au même moment son oncle paternel, Éphrem Tremblay, décide de quitter lui-même la restauration et de louer son emplacement.

Chez Éphrem existait depuis quarante ans. Le restaurant, bien situé sur la rue Principale, près de l'église, juste en face de l'antiquaire et à côté de la Caisse populaire, n'avait jamais rendu son propriétaire riche. Néanmoins, grâce aux mariages et surtout aux enterrements, Éphrem et sa famille avaient bien su tirer leur épingle du jeu. Pamphile, probablement le client le plus assidu, y venait tous les jours, à midi pile, depuis le décès d'Antoinette en 1980.

Non seulement Chez Éphrem avait pris une nouvelle identité, mais il avait aussi complètement changé d'apparence. Les banquettes bleu nuit délavé au cuir déchiré s'étaient volatilisées, remplacées par des petites tables rondes garnies de nappes à carreaux rouges et blancs. Un beau plancher de bois franc, un bar et des tabourets hauts en chêne ainsi qu'un mur garde chaise en pin rehaussé d'une magnifique tapisserie avaient vu le jour bannissant définitivement le linoléum usé et les murs en préfini. Seul l'escalier en spirale avait été gardé intact, en plein centre du restaurant. Les tables rondes gravitaient autour, comme les planètes autour du soleil. L'effet était saisissant!

L'antiquaire riait dans sa barbe au souvenir du jour de l'ouverture. Il avait pris place à une petite table devant la fenêtre – celle-là même où il se trouvait aujourd'hui – qui avait vue sur sa boutique... au cas où. Le menu du jour apparaissait sur un tableau noir, en grosses lettres, juste au-dessus du bar, offrant à la clientèle quatre ou cinq choix de plats différents. Que le menu soit présenté sur une simple carte plastifiée ou écrit à la craie blanche sur un vieux tableau noir d'institutrice (qu'il avait lui-même vendu d'ailleurs) ne lui causait pas de problème. Ces jeunes-là ne faisaient pas exception à la règle moderne du retour aux vieilleries. Le problème avait été que le vieux Pamphile n'était pas arrivé à passer sa commande, vu sa totale incompréhension devant les choix proposés :

— Pardon, mam'selle, je voudrais pas être tannant, mais pouvez-vous me donner plus de détails sur le menu du jour? Ça a beaucoup changé...

— Pas de problèmes, chus là pour ça. Monsieur l'antiquaire, c'est bien ça? Bienvenue à L'Escalier! Je vous comprends. C'est pas mal différent d'avant. Je dirais que c'est de la nouvelle cuisine comparée à celle de l'oncle Éphrem! Ben, là, vous avez...

Et Valérie avait détaillé avec patience, et fierté, l'émincé de volailles aux poivrons, le gratin dauphinois, la salade de cresson au fromage du Lac, les asperges au beurre de pomme, la brouillade d'œufs à l'érable... Et Pamphile avait découvert avec ravissement les douceurs et les joies de cette « nouvelle cuisine » qu'il avait décidé – suite aux judicieux conseils de Valérie – d'arroser d'un petit verre de vin. C'est au moment de « l'expresso » que Pamphile avait réalisé à quel point il avait été « en exil de moderne » depuis bien trop longtemps. Il n'était pas trop tard pour y remédier. Après le repas, il avait poliment demandé à parler au chef.

— Mon p'tit gars, Stéphane, c'est bien ça? Tu peux être certain que je vas te faire monter du monde dans ton... *Escalier*! Ah! Ah! Je dirais pas qu'Éphrem, ton oncle, faisait mal à manger, mais il avait peut-être bien perdu le goût pis l'envie de cuisiner avec le temps... C'est normal!

« Quand la Valérie m'a apporté mon assiette, je savais pus trop quoi faire avec! C'était tellement beau que j'avais peur d'y toucher, pis, je dois te l'avouer, d'y goûter. Parce que les femmes trop belles sont pas toujours ben bonnes à marier. Tout le monde sait ça! Coudon. Chus étonné pis ben content, ben content... Ma défunte faisait ben à manger, elle itou, mais pas tout à fait pareil, pas tout à fait... Elle aurait trouvé ça... original! En tout cas, toutes mes félicitations, le jeune! Pis assure-toi de me réserver cette table icitte, tous les jours, pour midi pile, O.K.? »

Le restaurant affichait complet et il était à peine midi lorsque l'antiquaire entendit frapper à la vitre. C'était Marie-Ève qui lui faisait signe. Trompette l'accompagnait, sans laisse, comme un compagnon de longue date. Il la vit s'adresser gentiment au chien qui s'assit tout de suite, obéissant et tranquille. Elle entra dans le restaurant et vint directement vers lui.

— Oh ben! la belle visite. On dirait que t'as ben pris le tour avec Trompette! Regarde-le donc! I t'attend sans dire un mot! La Fine avait pas ce tour-là avec lui, tu sauras! Chus ben content que ça marche entre vous deux. Assis-toi, ma belle. Tu prendrais-ti une bonne p'tite bière avec moi?

— Avec plaisir, monsieur Pamphile! Je me suis dit que Trompette aimait bien venir à Saint-Gédéon le samedi... Sauf que là, c'était son premier « tour de machine », comme vous dites! Il était pas trop sûr de lui. Je pense qu'il est bien content de se retrouver sur la bonne terre des vaches... ou des chiens! Mais, ça s'est bien passé, ça fait que nous voilà! Je savais bien où vous trouver à cette heure-là...

— Valérie, Valérie! T'apporterais-ti une autre bière pour la p'tite? Merci bien. Pis, quoi de neuf?

En se penchant, il baissa le ton pour ajouter :

— T'as-ti fini par ouvrir le fameux secrétaire, coudon?

— Oui, évidemment. Mais il y avait pas grand-chose... vraiment rien de spécial, monsieur Côté. Et vous, la santé, le magasin, ça va à votre goût?

Pamphile avait noté la réponse brève et évasive de Marie-Ève et surtout le « monsieur Côté », plutôt inhabituel! Elle regardait de gauche à droite et il paraissait clair qu'elle désirait éviter le sujet. Il allait ajouter un commentaire quand la clochette de la porte d'entrée tinta. Un personnage fort insolite pour l'endroit entra d'une manière gauche et incertaine.

— Marie-Ève, regarde qui c'est qui vient de rentrer. Le notaire! Vingueu! Je l'ai jamais vu icitte avant... pis jamais atriqué comme ça non plus! I se passerait-ti quelque chose? Notaire! Notaire Huot! Venez donc par icitte! Avancez-vous une chaise! Assisez-vous avec nous autres. On vous voit si rarement dans les parages. J'aimerais vous présenter...

— Nous nous connaissons déjà. Bonjour, mademoiselle... non. C'est vrai. Marie-Ève, n'est-ce pas? Comment allez-vous? Bonjour, monsieur Côté. Je ne voudrais pas vous déranger...

— Vous nous bâdrez pas pantoute, en voilà une idée! C'est assez rare que j'ai de la si belle compagnie pour dîner! Valérie, Valérie! Une p'tite bière pour le monsieur. Sur mon compte, hein? Merci!

Après que le notaire lui eut expliqué comment lui et Marie-Ève s'étaient rencontrés, et après quelques mots d'usage, Pamphile se décida à poser au notaire une question qui lui tenait à cœur :

— Permettez-moi de vous demander comment se porte votre dame, cher notaire? Un p'tit peu mieux, j'espère? Voyez-y pas là de la curiosité malveillante. Vous savez peut-être pas, notaire, mais son grand-père Josépha Bouchard se trouve à être mon plus vieux compagnon de route. I m'en parle souvent, de sa Claire, pis il a le cœur ben gros de la savoir comme ça. Tout le monde d'icitte est avec vous, notaire... pis on pense ben à elle.

— Je vous remercie beaucoup de votre mansuétude, monsieur Côté. Cela me fait chaud au cœur. Malheureusement, il n'y a pas de changement notable. Positif, je veux dire. Même que, d'après son médecin, il semblerait que son cœur commence dangereusement à faiblir. Habituellement, je passe la fin de semaine en sa compagnie. Mais, je vous avoue que j'avais vraiment besoin de... Enfin, de reprendre des forces. C'est pourquoi j'ai demandé à madame Gingras de venir me remplacer aujourd'hui. Je ne sais pas ce que je ferais sans elle. Elle m'est d'un si grand secours!

— Ce que j'arrive pas à comprendre, notaire, c'est qu'elle est tellement jeune... C'est pas juste les vieux comme nous autres qui ont ce genre de maladie-là?

— C'est vrai qu'en général, les ACV touchent plus les personnes âgées. Mais vous savez, Claire avait subi un très grand choc avec... la perte du bébé. Une grave dépression avait suivi lors de son retour à la maison à la fin septembre, en 96. Elle était revenue, le cœur et les mains vides et elle ne cessait de se faire des reproches. Elle avait l'esprit ailleurs, comme... s'il était accroché à son bébé par un cordon ombilical. Ce dernier, de toute évidence trop serré, l'étouffait.

« Les anti-dépresseurs l'ont soulagée, certes, mais en même temps ils l'ont gardée dans un cocon malsain, une sorte de bulle increvable. Et puis le jour de Noël, elle a perdu connaissance. Subitement. Sans préavis. Ambulance, hôpital, examens... Elle est demeurée dans le coma plusieurs jours. Les médecins ont diagnostiqué un accident vasculaire cérébral, par hémorragie. Claire est restée, comme vous le savez, avec des séquelles neurologiques très graves : l'hémiplégie et l'aphasie. Toute la moitié du côté droit de son corps est paralysée et elle ne parle plus. Pour le langage, la rééducation existe bel et bien... Elle aurait pu... Mais elle n'a jamais désiré... s'exprimer de nouveau. Excusez-moi... Je... Mademoiselle, s'il vous plaît, pouvez-vous m'indiquer où sont les toilettes?

— Vingueu! j'aurais peut-être pas dû lui parler de sa femme? Il a l'air complètement dévasté, le pauvre homme. Ça fait-ti pitié de voir ça!

Marie-Ève, qui entendait cette terrible histoire pour la première fois, en fut toute bouleversée. Tout le temps des confidences, elle avait remarqué que le notaire évitait volontairement son regard. Jamais n'avait-elle vu des yeux si tristes, si désespérés. Leur première rencontre avait été tellement brève. Elle découvrait ici un homme totalement différent. Même qu'elle ne l'aurait certainement pas reconnu, n'eût été de Pamphile. C'est vrai que le jeans délavé, le col roulé, même les bottes de montagne, faisaient de lui une tout autre personne...

— Ça va-ti mieux? Je vous en prie de m'excuser sincèrement, notaire...

— Non, c'est moi qui m'excuse, monsieur Côté! Je suis... assez émotif ces temps-ci. Si vous saviez comme cela me fait du bien d'être avec vous, aujourd'hui. On pourrait changer de sujet et manger un morceau? Il paraît que la nourriture est succulente ici. Si on parlait un peu de vous, mademoiselle... Marie-Ève?

— Je veux bien mais vous allez me promettre tous les deux qu'après le repas, nous irons faire un tour sur le sentier du marais, près du presbytère. Je sais que vous y allez tous les jours après dîner, monsieur Pamphile. J'aimerais beaucoup vous accompagner. Qu'en dites-vous, notaire? Cela nous ferait le plus grand bien à tous, et à Trompette qui s'impatiente...

***

Le petit griffon sautillait librement devant Pamphile qui précédait de quelques enjambées ses nouveaux compagnons de route. De temps à autre, le chien, ravi de retrouver une vieille connaissance, venait quémander une caresse que l'antiquaire lui prodiguait généreusement. Ce dernier avait accepté de bon cœur la compagnie de Marie-Ève et du notaire, malgré le fait que le repas se soit légèrement étiré. « Une fois n'est pas coutume. Ce sera pas demain la veille que j'aurai l'occasion de marcher en compagnie d'un notaire! » se disait-il. Les clients pouvaient bien attendre...

L'automne perdurait et renvoyait effrontément les effluves de la terre et du sous-bois humide, comme un doux parfum de femme. Les pimbinas, les cerisiers, les mascos croulaient sous le poids des grappes de fruits mûrs.

— Je vous le dis, mes amis! prophétisa l'antiquaire, en se retournant vers ses compagnons. Prenez-en ma parole de Jeannois! Ça annonce ben du fret, les arbres remplis de même. Les oiseaux vont pas manquer de nourriture cet hiver... pis nous autres on manquera pas de neige!

Jean marchait lentement à côté de Marie-Ève. Il fit un signe de tête à Pamphile pour lui signifier son accord. L'esprit plus calme, il prenait le temps de respirer la vie. De converser, d'échanger. Il se permettait de sourire. Il se permettait de vivre.

— Vous savez, Marie-Ève, le métier que j'exerce me rappelle presque chaque jour la mort. Entre la maladie grave et la mort, il n'y a pas beaucoup de jeu... pas beaucoup d'espace pour exister. Je me rends compte qu'il faudrait vraiment que je fasse un effort pour être avec des gens sains, bien vivants. J'apprécie énormément ces instants. Monsieur Côté est un homme bon et votre complicité est belle à voir. Surprenante, vu la grande différence d'âge, mais très belle.

— Je voulais vous dire, monsieur Huot...

— Appelez-moi Jean, je vous en prie.

— Jean, je n'étais pas au courant... pour votre femme. Je ne veux pas rouvrir le sujet mais simplement vous dire que je suis sincèrement désolée. À part monsieur Pamphile, Valérie et Stéphane, les proprios de L'Escalier, et les collègues de travail, je ne connais pas encore beaucoup de monde ici. Et je ne suis pas du genre... à sortir beaucoup. Si je peux faire quoi que soit pour vous, pour votre femme, je vous en prie, n'hésitez pas. N'importe quoi. Faire des commissions, lui tenir compagnie, lui faire la lecture, je sais pas. Vraiment n'importe quoi, je vous assure. Je vous offre mon aide et mon amitié, en toute sincérité.

— Merci! Merci beaucoup. Je ne l'oublierai pas. Vous m'aviez dit en partant l'autre fois, vous ne vous rappelez peut-être pas : « Demain sera un autre jour. » Je m'étais dit que vous vous trompiez. Peut-être que non après tout. Demain inclut le futur, n'est-ce pas? Cette nuit, je me sentais désespéré, anéanti, si faible. Pour la première fois depuis des mois, je ne suis pas avec Claire, un samedi. Et je ne me sens pas coupable. J'aurais peut-être dû suivre les conseils de tout le monde et prendre un peu de temps pour reprendre mes forces. Je n'en serais peut-être pas arrivé là!

— Ne vous faites pas de reproches. Je crois qu'il faut vraiment, dans votre cas, vivre un jour à la fois. Prendre tout ce qui passe et tout ce qui peut vous aider. Regardez comme il fait beau aujourd'hui, comme l'air est doux et le ciel, sans nuages. Profitez-en... Hé! Trompette! t'es rendu trop loin! Reviens ici! Plus vite que ça! Monsieur Pamphile, appelez-le! Je ne sais pas du tout s'il sait nager, vous comprenez. Avec le marais... on sait jamais!

— Ce n'est pas votre chien? À le voir si obéissant, j'avais cru...

— Oui, il est à moi... mais depuis une semaine seulement. C'était le chien de la Fine, chuchota Marie-Ève à l'oreille du notaire.

— Vous voulez dire, Joséphine? Joséphine Frigon? Alors, comme ça, c'est vous qui avez hérité du secrétaire?

— Chut! pas si fort! Pamphile ne veut pas que ça se sache. En aucune façon, qu'il a dit, sinon tout le monde va venir lui demander des faveurs... Faites semblant de ne pas avoir compris, O.K.? Il n'y a que vous qui êtes au courant pour le testament olographe, il n'en a parlé à personne d'autre... que moi.

— Je suis tenu au secret professionnel, ma chère, ne l'oubliez pas! Comptez sur moi.

Et il se mit à rire. Et ce rire le libéra en même temps qu'il lui faisait retrouver sa jeunesse oubliée. La jeune femme l'accompagna dans son rire non seulement à cause de la situation cocasse, mais surtout parce qu'elle avait besoin d'évacuer une sorte de tension qui la gagnait. Elle se mit, à son tour, à éviter le regard triste du notaire et elle accéléra le pas pour retrouver Pamphile. Jean les rejoignit et marcha juste derrière eux.

— Qu'est-ce que vous aviez à rire de même? Bon, O.K., j'ai compris, c'est pas de mes affaires. Tant que c'est pas de moi...

Arrivés au bord du marais, chacun trouva un petit coin pour s'asseoir. L'eau calme régénéra à merveille leurs esprits. Jean jetait des petites branches à Trompette qui, ne connaissant pas ce jeu, revenait bredouille à chaque fois, l'air penaud et interrogatif. Marie-Ève jetait des petits cailloux qui faisaient des ronds dans l'eau. Pamphile, en fumant sa pipe, jetait des regards pensifs à ses deux compagnons.

— I faut que je vous raconte... Quand chus venu me promener l'autre midi, j'ai ben ri, moi itou. Mais j'ai ri tout seul. Y avait deux énergumènes qui regardaient dans une longue-vue sur des pieds. I étaient drôles à voir. Chacun leur tour, i regardaient, un peu, pas longtemps. Pis là, i prenaient leurs livres, pis i faisaient pareil : un peu, pas longtemps. Pis i retournaient à la longue-vue. Pis à leurs livres.

« Je leur ai demandé poliment ce qu'ils faisaient là. I m'ont répondu qu'ils essayaient d'identifier l'oiseau perché dans l'arbre, l'autre bord du marais. J'avais beau regarder, j'ai encore des bons yeux de loin, vous savez, mais je voyais rien pantoute. I m'ont offert « d'observer » dans la longue-vue. L'oiseau est arrivé juste en face de moi, gros comme un couvercle de poubelle. J'ai quasiment tombé à terre, vingueu! Ils auraient pu me dire AVANT que cet engin-là grossissait l'oiseau... vingt-cinq fois! Quand je me suis remis de mes émotions, je leur ai dit : « Ben! Voyons! dites-moi pas que vous savez pas ce que c'est? »

« Un brin vexés, i ont répondu avec leurs mots du dictionnaire que s'ils le savaient, ils ne seraient pas là à perdre du temps à chercher dans leurs livres! « Vous continuez à soutenir que vous connaissez le nom exact de cet oiseau? » qu'ils m'ont lancé, l'air hautain. Je sais pas si je soutiens quoi que ce soit à ce moment icitte, pas à ma connaissance en tout cas, mais je sais une chose pour sûr, que j'ai répondu, c'est juste un moineau, une femelle de moineau ben ordinaire... comme y en a des centaines par icitte!

« Ils ont regardé à nouveau dans la longue-vue, pis dans leurs livres, pis i sont venus tout rouges. I ont plié bagages pis i sont partis vite, sans dire un mot. J'ai jamais compris pourquoi i sont partis sans dire merci pour le renseignement... Drôles de moineaux, vous trouvez pas? C'est pas tout, ça, vingueu! quelle heure qu'il est, la p'tite?

— Exactement deux heures et quart, monsieur Pamphile, répondit Marie-Ève en riant encore aux éclats.

— Vingueu! i faut que j'y aille tusuite. J'ai coutume d'ouvrir à une heure et demie au plus tard. Chus sûr qu'y en a déjà qui jasent. Mais sentez-vous pas obligés de me suivre.

Le notaire répondit qu'il s'attarderait un peu plus longtemps, en effet, l'endroit étant si reposant. Et, à la surprise de la jeune femme, il lui demanda si elle voulait bien rester un peu.

— Pourquoi pas! Trompette a vraiment besoin de prendre l'air. Il est enfermé toute la semaine... et sa maîtresse aussi!

Marie-Ève se leva pour embrasser Pamphile et lui glisser quelques mots de remerciements pour la bière et le repas. Et ils se retrouvèrent seuls, face au marais. Pendant de longues minutes, ni l'un ni l'autre ne sentit le besoin d'entamer la conversation. Et puis, tout naturellement, ils se mirent à discuter de tout et de rien : leur travail respectif, la nature, la campagne, l'accueil chaleureux des gens du Lac, la vie en région, le bistro L'Escalier, le magasin de Pamphile.

Les antiquités, qui s'avérèrent être une passion commune, prirent une large part de leurs entretiens. Ils se quittèrent tard dans l'après-midi, satisfaits, sachant seulement qu'une belle amitié était née.

***

Jean Huot venait tout juste de quitter Marie-Ève. Une fois installé au volant de sa voiture, en tournant la clef de contact, la découverte du tiroir secret lui revint en mémoire. Sidéré d'avoir pu complètement oublier ce détail, il décida d'aller au bureau sur-le-champ. Le moment était favorable : il n'y aurait personne et il serait à l'aise pour mettre à jour cette étrange découverte. En route, il s'arrêta dans une cabine téléphonique pour appeler chez lui. Madame Gingras lui assura que tout allait bien. Il lui dit qu'il devait simplement passer ramasser quelques papiers au bureau et qu'il serait de retour à la maison pour le souper.

Le notaire se sentait fébrile. Pas anxieux, ni nerveux, seulement agité. Ces quelques heures – il en était conscient – lui avaient fait le plus grand bien. Monsieur Côté gagnait à être connu : un homme sage, poli, bon vivant et très humoristique. Quant à Marie-Ève, sa jeunesse et sa simplicité lui faisaient... plaisir. Ils avaient longuement discuté comme deux vieux amis, assis au bord de l'eau. Deux amis, c'est ce qu'ils étaient devenus en quelques heures, en une journée. « Demain sera un autre jour »... Sans trop savoir pourquoi, Jean décida brusquement de cesser de penser à elle. Il attribua son état de fébrilité et d'agitation au fait des longues heures passées en plein air, des longues heures à parler, lui qui faisait si souvent silence.

Le stationnement désert lui fit une drôle d'impression. Il eut un peu de mal à trouver la serrure de la porte d'entrée à cause de la noirceur qui gagnait du terrain. Jean venait très rarement le soir au bureau. Chaque fois que cela se produisait, il se sentait différent. Un peu comme un intrus. Les lampadaires, qui, à travers les fenêtres, éclairaient la salle d'attente, conféraient à cette dernière une atmosphère insolite, comme celle d'un film d'espionnage. Il alla directement à son bureau et alluma le plafonnier. Il se sentit mieux sous la lumière franche et directe.

Jean poussa le fauteuil pivotant sur le côté et se mit sur le dos, en glissant tête première sous le bureau en chêne. « Je dois avoir l'air d'un mille-pattes plus que d'un notaire. Pamphile trouverait bien le moyen de faire une histoire drôle là-dessus! » Il fut surpris mais content de son humour et, sans qu'il s'y attende, une pensée saugrenue vint se loger dans sa tête. Il songea à une biche aux yeux verts... Marie-Ève s'imposa à son esprit, puis son offre d'amitié, tellement sincère, et la biche disparut aussi vite qu'elle était venue.

Le notaire inséra sa main dans le tiroir et retira les feuilles. Au moment où il allait se sortir de son inconfortable position, il aperçut autre chose au fond du tiroir : un paquet de lettres entouré d'un simple élastique. Il le ramassa et se releva, les mains pleines. Ce furent les lettres qui l'intriguèrent d'abord, car elles étaient numérotées de un à huit. Il n'y avait aucune adresse sur les enveloppes, juste des numéros, parfois agrémentés de dessins et de signes divers. À voir leur état, elles devaient sûrement dater d'une époque lointaine. Jean Huot s'assit à son bureau et ouvrit la première lettre avec un soin infini.

Le 18 octobre de l'an 1920, à Saint-André.

Monsieur Provencher,

D'entrée, je dois être sincère envers vous. Je vous avoue que je n'avais pas l'intention de répondre à votre lettre. Sans me choquer, elle m'a néanmoins mise mal à l'aise. Cependant, quelque chose s'est passé qui a fait que j'ai changé d'avis et vous devez bien savoir de quoi il s'agit. Quand nous nous sommes rencontrés sur le parvis de l'église, dimanche

*matin, il m'était difficile de soutenir votre regard. Non pas
qu'il me gênait, non. Il me faisait atrocement mal. Je vous
écoutais parler avec mes parents et votre douleur était si
grande qu'elle m'a enveloppée. Sachant ce que vous m'aviez
confié dans votre lettre, les mots prenaient un tout autre sens
à mes oreilles. Ils parlaient de désespoir, ils criaient à l'aide.
J'ai écouté et j'ai entendu votre profonde peine et aussi votre
sincérité. Une femme peut arriver sans aucun effort mental à
être sûre d'une chose, d'un sentiment, même d'un être sans
pourtant l'avoir vérifié, ni même l'avoir vécu ni même l'avoir
connu. Il en est ainsi pour moi, en ce qui vous concerne.*

*J'accepte donc, en toute amitié, de correspondre avec vous
de temps à autre. Vous pourrez vous confier en toute sûreté. Je
serai muette comme le prêtre qui reçoit nos confessions. Ainsi,
peut-être, votre très grande solitude et votre profond désarroi
devant l'épreuve que vous traversez seront-ils moins durs à
supporter. Je le souhaite de tout mon cœur.*

*Continuez, comme vous le disiez si bien, à laisser votre
cœur près de votre épouse malade quand vous devez vous
absenter. Car l'absence d'un cœur fidèle et aimant est tout
aussi pénible à supporter que la présence d'un être cher,
ravagé et désespéré.*

*Soyez assuré de ma sincère amitié et de mon écoute
attentive. Que Dieu vous vienne en aide. Sincèrement,*

Joséphine

Jean relut la lettre plusieurs fois. Il ne comprenait
pas bien ce qui se passait. Pourquoi avait-il l'impression
que le message contenu dans cette lettre pouvait tout
aussi bien s'adresser à lui? Quelle étrange coïncidence!

Il était certain de connaître cette écriture. Il se
souvint l'avoir vue tout dernièrement et même qu'il
l'avait trouvée délicate et très soignée. Il se leva d'un
bond et se dirigea vers le classeur. Sans aucune hésitation, son doigt s'arrêta à la lettre F. Le notaire avait

conservé une copie du testament olographe de Joséphine Frigon. Le doute n'était plus possible : cette écriture était bien la sienne. Et une autre évidence s'imposa quant au destinataire : il ne pouvait s'agir que du défunt docteur Provencher, le propriétaire du bureau en chêne qu'il avait acheté l'automne dernier chez l'antiquaire de Saint-Gédéon, Pamphile Côté.

Il retourna à son bureau et examina longuement les enveloppes. Jean décida de les ranger dans le seul tiroir qui fermait à clef et dans lequel il conservait de temps à autre les documents de haute importance. Il garda la première lettre avec lui, dans la poche intérieure de sa veste, près de son cœur. Il se leva, éteignit la lumière et rentra chez lui, étrangement calme mais pressé de retrouver sa femme.

III

Les cheveux enroulés dans un énorme turban rose bonbon et la figure enfarinée, Marie-Ève, plutôt méconnaissable, ne tenait pas en place. Elle allait et venait dans l'appartement, sans arrêt depuis des heures : du panier à linge à la machine à laver, et puis de la sécheuse à la salle de bains, et puis de la chambre au salon où elle jetait à la volée, pêle-mêle, toutes sortes de vêtements dans un gros sac en toile laid et poussiéreux.

C'est ainsi, du moins, que Trompette aurait décrit la situation, s'il avait pu parler. Le chien se demandait quand sa maîtresse retrouverait ses esprits. Il se passait quelque chose qu'il ne comprenait pas. Tout ce branle-bas soudain dans un si petit espace l'effrayait au plus haut point. Étourdi, il renonça à la talonner et, nostalgique, il alla se blottir sous le secrétaire où il trouverait sûrement la paix.

Il allait enfin s'assoupir quand le téléphone sonna. Furieux, Trompette déclara la guerre à cette sonnerie retentissante en aboyant plus fort qu'elle. C'était la première fois de sa vie de chien qu'il perdait son calme. Il suspecta que ce ne serait sûrement pas la dernière.

— Voyons! Trompette, ça suffit! Assez! Qu'est-ce que c'est que ces manières? C'est juste le téléphone! Tu en as de la voix! Tu prends ton nom à la lettre maintenant? Tais-toi, allons. (En le grondant, elle avait décroché le combiné.) Hello? oui, juste un petit instant, je reviens. Bon, si tu ne veux pas te calmer, tu t'en vas dehors. T'as intérêt à pas aboyer comme ça avec Pamphile. Le pauvre! Il ne voudra plus jamais te garder... Oui, je suis là.

— Marie-Ève, c'est vous?

— Qui c'est qui parle?

— C'est moi, Jean. Jean Huot. Je vous dérange? Je peux vous rappeler si vous voulez...

— Jean, le notaire? Oh! je ne vous avais pas reconnu. Non, non, c'est Trompette qui fait des siennes. Bonsoir, Jean, comment ça va? On ne s'est pas vus depuis un bout...

— Je sais, oui. Je vais bien, merci. Écoutez. J'ai vu monsieur Côté cet après-midi quand je suis passé à sa boutique. Quand je lui ai demandé de vos nouvelles, il m'a dit que vous partiez faire un tour à Montréal et que vous preniez l'autobus demain matin... Voilà. (Un long silence se fit qui força Marie-Ève à demander s'il était toujours là.) Oui, oui, je suis là. Je me rends moi-même à Montréal demain matin pour la fin de semaine. Je vais au Salon des antiquités à Place-Bonaventure...

— Il y a un Salon des antiquités... à Montréal? J'en avais jamais entendu parler! C'est vrai que je ne m'intéressais pas à ça avant!

— Oh! oui, j'y vais depuis une bonne douzaine d'années. Je n'ai manqué que celui de l'année dernière. Ma belle-sœur Josée, la sœur de Claire, est arrivée à la maison avant-hier. Elle vient à tous les trois mois environ pour passer quelques jours avec sa sœur. Elles sont très proches, vous savez, et depuis la maladie... Enfin, elle sait que j'adore aller à ce salon et elle a réussi à me convaincre de partir. Je me sens en confiance quand elle est là, vous comprenez... Voilà. (Un autre silence survint, mais, cette fois, Marie-Ève attendit.) Je pensais, je pensais... que je pourrais vous prendre demain matin vers six heures et vous pourriez revenir avec moi, dimanche soir? Si vous avez un peu de temps libre samedi, on pourrait peut-être se rencontrer au salon? Je suis certain que cela vous plairait.

— Ben! pour un hasard, c'est tout un hasard. Je viens juste de parler à ma copine Suzanne. Elle va devoir travailler toute la journée demain et c'était prévu qu'on la passe ensemble, mais elle peut pas trop refuser vu que... Enfin. Je ne voulais pas remettre mon voyage, ça fait des semaines que j'ai le goût de la ville. Surtout depuis que novembre est commencé, il ne fait pas tellement beau, n'est-ce pas? Je me disais que j'irais faire les boutiques en l'attendant. Elle va finir à cinq heures. Ben! savez-vous, je dis pas non, Jean. Je prends l'autobus parce que je n'aime pas traverser le parc toute seule à ce temps-ci de l'année. Je vous avoue que j'aimerais bien plus y aller en auto! Ça doit sûrement être beau, tout un salon plein d'antiquités!

— Bon, alors, c'est entendu? Demain matin six heures? Vous me donnez votre adresse?

Après lui avoir fourni ses coordonnées et dit au revoir, Marie-Ève s'aperçut de l'heure tardive. Elle s'habilla en toute hâte, sécha ses cheveux et enleva son masque de soin pour le visage. Elle prit son imperméable et son parapluie et marcha jusque chez Pamphile avec Trompette qui s'était enfin calmé.

— Je ne sais pas quelle mouche t'a piqué, mais ne recommence pas ça chez monsieur Pamphile, c'est compris, Trompette? Si t'es sage, maîtresse va te ramener un beau petit cadeau de Montréal...

Pamphile avait respecté sa promesse et avait tout de suite accepté de garder le griffon jusqu'au lundi soir. Marie-Ève ne resta que quelques instants à la porte de l'appartement de l'antiquaire, (situé juste au-dessus de son magasin), le temps d'expliquer les rations de nourriture pour le chien. Poliment, elle refusa l'invitation de Pamphile qui lui offrait un café, prétextant qu'elle avait ses bagages à terminer et qu'elle voulait se coucher de bonne heure. Sans trop savoir pourquoi, elle préférait ne pas avoir à dire à l'antiquaire qu'elle allait à Montréal avec le notaire.

Sur le chemin du retour, en pensant à Jean qu'elle verrait le lendemain, elle se sentit toute drôle. Et une envie soudaine de lire la deuxième lettre la prit d'assaut. Elle n'avait plus ressenti ce besoin depuis le mois d'octobre. Pressée, elle courut jusqu'à son logis.

Une fois chez elle, Marie-Ève réalisa que l'appartement paraissait bien vide sans la présence du petit chien. Elle décida d'éteindre toutes les lumières et d'allumer la bougie posée sur le secrétaire. En ouvrant le tiroir numéro deux, son rêve – bien qu'elle ne l'eût plus fait depuis l'acquisition du secrétaire – lui revint en mémoire. Étrangement, Marie-Ève n'arrivait pas à se souvenir de la fin. Il lui semblait pourtant qu'après avoir goûté à l'hydromel, il se passait quelque chose, quelque chose de vraiment important. Qu'est-ce que c'était? S'était-elle évanouie? Était-elle repartie ou... tombée? Rien à faire, cette fois encore, une partie du rêve demeurait dans l'obscurité totale.

« Arrête donc de penser à ça. C'était probablement pas assez important pour que tu t'en rappelles... »

Le 18 novembre 1920

Chère mademoiselle Frigon,

La vie est bien surprenante et surtout riche d'enseignements. Hier, avant-hier et encore avant, j'avançais dans un tunnel noir, sans fin. Depuis votre lettre, une lumière, ou pour le moins une brèche lumineuse, est apparue, venant éclairer cette pénible noirceur.

Il fait nuit au moment où je viens vous écrire ces quelques mots. Je souffre beaucoup d'insomnie. Ces longues heures d'éveil forcé m'obligent à prendre du recul sur ma vie et aussi sur les événements passés et présents. Marie-Jeanne semble bénéficier d'un répit et j'en remercie Dieu. Il semble avoir écouté votre prière. La fièvre et la toux sont moins persistantes. Toutefois, elle continue de maigrir et son extrême fatigue ainsi qu'un essoufflement constant l'obligent à se reposer. Dieu m'est aussi venu en aide en envoyant sa cousine, qui est arrivée de Québec il y a deux jours. Malgré la distance et le long et difficile voyage, elle tenait expressément à venir. Elle me soulage énormément en prenant le relais d'une façon admirable et dévouée, comme les femmes en sont capables.

Je me rends compte que la force féminine ne semble pas avoir de limites. Je parle surtout de la force intérieure, sans laquelle tout espoir de volonté d'être est vain. Encore aujourd'hui, l'exemple m'en a été donné. Je me suis rendu au chevet d'une femme qui avait des difficultés à mettre son enfant au monde. L'enfant se présentait par le siège. Ce phénomène, quoique plutôt rare, n'est pas grave en soi. Seulement, dans le cas qui nous préoccupe, ma patiente était âgée de quarante-huit ans et avait déjà mis onze enfants au monde. Dans ses douleurs, elle trouvait encore le courage de sourire et de me dire :

« Docteur Provencher, ce bébé-là doit venir au monde. C'est lui d'abord, et moi après. On s'entend bien là-dessus... » Telles furent ses dernières paroles.

L'enfant est mort, d'abord, et elle l'a suivi de quelques heures. Le père, nul besoin de vous le dire, était dévasté. Je ne peux que m'agenouiller devant tant d'abnégation et tant de courage. En même temps, ce genre d'expérience humaine est un rappel à l'ordre, un hymne à la vie, même lorsqu'elle nous semble cruelle.

En passant devant l'école du village, je vous ai aperçue hier, dehors, jouant avec les enfants, juste avant la rentrée des classes. Sous la lumière d'automne matinale, vous paraissiez aussi jeune que vos écoliers... Je vous avoue que j'ai eu envie de m'arrêter et de vous parler. De faire quelques pas avec vous. Peut-être aurons-nous l'occasion de nous rencontrer et d'échanger de vive voix? N'y voyez là aucun manège de persuasion. Si nous devons passer quelques heures ensemble, laissons à la vie le soin de nous surprendre.

Votre tout dévoué et ami,

Marc-Aurèle

***

Les nuages lourds et noirs qui flottaient au-dessus des Laurentides n'auguraient rien de bon. La pluie avait cessé au Lac en laissant derrière elle un froid humide et désagréable. Jean le ressentit vivement dès qu'il mit le nez dehors. En regardant les montagnes à l'horizon, il décida, par prudence, de mettre une pelle à neige et autres accessoires d'hiver dans le coffre, au cas où. Car la neige et le parc des Laurentides ne faisaient qu'un; comme un vieux couple, ils n'avaient plus de secret l'un pour l'autre. Le parc aux paysages de rêve pouvait se transformer en cauchemar, surtout en novembre.

Jean éprouva une sensation étrange quand il roula, seul au volant de sa voiture à six heures du matin, en route vers Saint-Gédéon. Il allait chercher Marie-Ève, une amie, pour se rendre avec elle à Montréal. C'était la première fois depuis son mariage qu'il partait avec une autre femme que Claire. Pourquoi avait-il omis d'en parler à sa belle-sœur Josée?

« Les gens sont tellement bizarres, parfois. Ils s'imaginent tout de suite des choses... J'ai bien fait. C'est mieux ainsi. Même de nos jours, les amitiés entre homme et femme sont suspectes! »

Le trajet ne prit qu'une dizaine de minutes. Le notaire n'eut pas à chercher longtemps, car la jeune femme l'attendait sur le trottoir, rue de la Gare. Elle lui fit un signe de la main. Jean s'arrêta, descendit de voiture et, en lui disant bonjour, ouvrit le coffre arrière dans lequel il déposa l'énorme sac à dos.

— On dirait que vous partez pour une semaine! Que c'est lourd! Mais qu'est-ce qu'il y a dedans? Pas Trompette, j'espère?

— Jamais de la vie, voyons! Oh! monsieur le notaire s'amuse à me taquiner. C'est bien parti. Trompette se trouve entre bonnes mains... celles de notre antiquaire. Mais, qu'est-ce que je vois? C'est pas une pelle, un grattoir et une brosse à neige juste là? On va-tu à Montréal ou bien au pôle Nord? J'aurais peut-être dû prendre l'autobus...

Ils rirent de bon cœur. Jean expliqua qu'à cette période de l'année, la traversée du parc pouvait devenir une vraie équipée et qu'il valait mieux mettre toutes les chances de son côté.

— Alors, prête?

— Prête, j'attends juste après le chauffeur... moi!

Marie-Ève s'installa sur le siège du passager. Il faisait déjà bien chaud dans la voiture confortable... et luxueuse! La jeune femme connaissait assez les autos pour faire la différence entre les « p'tites voitures » comme la sienne et les « bagnoles de luxe » comme celle du notaire. La chaîne stéréo s'avérait d'une qualité supérieure et laissait doucement filtrer une musique classique de bon goût. Le trajet allait être des plus agréables. Marie-Ève décida de mettre de côté sa gêne et de profiter au maximum de ce « covoiturage » exceptionnel.

Tout alla bien pour la traversée du « Petit Parc », malgré une bruine fine et constante. La route déserte à cette heure matinale semblait leur appartenir. Jean conduisait bien et prudemment. Marie-Ève se sentit vite en sécurité et, surtout, en vacances. Ils roulèrent à bonne allure jusqu'à l'Étape, la halte des voyageurs située à mi-chemin entre Saint-Gédéon et Québec. D'un commun accord, ils décidèrent de s'y arrêter, histoire de se dégourdir les jambes et de prendre un café.

— Si vous voulez, on peut peut-être manger un petit morceau et puis on file directement sur Montréal... Ça vous dit?

— Avec plaisir! Je n'ai rien pris ce matin, il était bien trop tôt. Je n'ai jamais faim de si bonne heure.

Jean, je peux vous demander quelque chose? J'aimerais ça si... si on pouvait se tutoyer. Oh! juste pour la fin de semaine. Il me semble que ça ferait drôle à Montréal de se dire vous. On n'a pas tellement de différence d'âge après tout. Je comprends qu'au Lac, ce soit différent. Ah! autre chose. Peut-on aller dans la section... fumeurs?

— On doit sûrement être télépathes, Marie-Ève! Je pensais justement la même chose! Tu fumes, toi aussi?

— Juste de temps à autre, jamais dans la voiture, jamais quand je fais du sport... Et puis, Trompette a pas l'air de trop apprécier quand je fume dans le petit appartement. Sa maîtresse ne devait sûrement pas fumer. Au fait, tu devais la connaître un peu, mademoiselle Frigon?

— Un peu, oui. En réalité, pas beaucoup. J'ai dû la rencontrer trois, peut-être quatre fois. Elle est venue à mon bureau pour le testament. Une femme vraiment originale. Assez captivante, intelligente, érudite mais très secrète. Peut-être trop solitaire.

— Pourquoi secrète?

— Je sais pas vraiment. Comme ça. Elle semblait apprécier nos échanges. Elle ne voulait plus partir. J'ai presque dû la mettre à la porte, la dernière fois que je l'ai vue... Ah! maintenant, je comprends pourquoi.

— Pourquoi quoi? Jean, t'arrête pas là, voyons!

— Excuse-moi, Marie-Ève. Je ne peux pas... Le secret professionnel!

— Ah! ça n'a pas l'air très vrai ton truc. On dirait une excuse!

— On en parlera une autre fois, un peu plus tard, je te le promets. Qu'est-ce que tu vas prendre?

Après avoir bien mangé, bien parlé et bien fumé, ils reprirent la route. La neige s'était mise à tomber pendant qu'ils se trouvaient dans le restaurant. La voiture, comme les sapins et les épinettes autour, avait eu le temps de perdre ses couleurs! Pendant que Marie-Ève tentait d'enlever la poudre blanche avec ses gants, Jean arriva derrière elle en lui frôlant légèrement le bras et en exhibant fièrement le balai à neige, à la manière d'un adolescent fier de son coup. Son regard, à la fois séduisant et maladroit, intimida brusquement la jeune femme qui s'engouffra dans la voiture. Était-ce parce qu'il ne portait pas ses lunettes? Les yeux bleus du notaire avaient un éclat qu'elle ne connaissait pas. Était-ce dû au fait que la tristesse avait provisoirement disparu, laissant place à la joie toute simple?

Marie-Ève Saint-Amour venait seulement de prendre conscience du charme particulier du notaire Huot.

Jean roula plus lentement à cause de la chaussée glissante et, une fois passé Québec, la neige cessa. Le soleil tentait une percée timide à travers la couche épaisse de nuages gris. À force de regarder pendant des kilomètres le paysage plat et morne défiler le long de l'autoroute entre Québec et Montréal, Marie-Ève finit par s'assoupir. Par alternance, elle somnolait puis se réveillait, tout en gardant volontairement les yeux fermés. Elle avait besoin de faire le point sur la situation.

La jeune femme avait eu envie de parler des lettres à Jean, surtout quand il lui avait dit que Joséphine était secrète. Mais, au dernier moment, elle s'était retenue, ne sachant trop si elle avait le droit de divulguer les secrets intimes de la Fine. Mais, ce n'était pas la seule raison qui l'avait freinée dans son élan.

En songeant aux lettres, une correspondance extravagante entre le docteur et le notaire avait germé dans son esprit et cette pensée l'avait totalement absorbée. Si son souvenir était bon, il y avait bien eu une demande d'amitié dans la première lettre... N'avait-elle pas – comme Joséphine – offert son amitié au notaire tout de suite après? Et puis, il y avait eu l'appel de Jean hier soir. Suite à quoi, elle avait lu la lettre de Marc-

Aurèle dans laquelle il mentionnait une cousine qui venait aider sa femme malade, son désir de passer quelques heures avec Joséphine...

« C'est trop bizarre. Il y a quelque chose que je ne comprends pas. Qu'est-ce que je suis censée faire? Si au moins j'avais les lettres que Joséphine a écrites. Si quelqu'un les a gardées, c'est le docteur Provencher. Non, il les a probablement brûlées. Il était marié après tout! Il doit sûrement être mort à l'heure qu'il est. Ma foi, j'essaierai d'en parler à monsieur Pamphile. Quelle histoire abracadabrante! Au fait, le notaire aussi, il est marié... »

— Marie-Ève, hou, hou! On arrive.

— Déjà? Je m'excuse, Jean, je n'ai pas été vraiment intéressante. Mais je n'ai presque pas dormi la nuit dernière...

— Je suis bien content que tu aies pu te reposer un peu. Où est-ce que je te dépose?

— Ben! j'irais peut-être bien au Salon avec toi maintenant. Je prendrai le métro vers quatre heures et demie pour aller rejoindre Suzanne. Et puis, on se retrouvera demain, à l'entrée du Salon, à l'heure de fermeture? Ça te va?

— Ça me paraît correct, mademoiselle Saint-Amour. Le Salon ferme à dix-huit heures demain. Il ne faudra pas oublier de se laisser nos coordonnées, au cas où...

Décidément, cet homme avait beaucoup de charme.

***

Jean venait tout juste de laisser Marie-Ève, rue de la Gare. Sa montre indiquait minuit. Il se sentait bien et il n'avait pas sommeil malgré les longues heures de conduite. Comme la première fois, juste en quittant la jeune femme, il eut envie de lire une lettre. Il prit alors conscience qu'un rituel s'installait. Il était convaincu que sa rencontre avec Marie-Ève Saint-Amour comportait un aspect irrationnel, voire magique, mais il ne désira pas s'y attarder davantage pour le moment. Il voulait juste y succomber. Malgré l'heure tardive, il prit la direction du bureau en songeant à ce beau dimanche qui venait de se terminer.

Marie-Ève avait décidé de changer son horaire du jour. Elle était arrivée au Salon vers trois heures, seule, en disant à Jean que c'était trop beau et qu'elle voulait en voir plus, en connaître plus. Ainsi, jusqu'à l'heure de fermeture, ils avaient visité les kiosques que Marie-Ève n'avait pas eu le temps de voir la veille. Le notaire, fin connaisseur en matière d'antiquités, avait bombardé le cerveau de l'informaticienne de « notions de base élémentaires ». D'une voix passionnée, il avait d'abord élaboré sur les différents styles : le style Nouvelle-France avec ses meubles d'esprit français, le style Constitutionnel avec le néoclassique, le style Confédératif avec le mobilier éclectique... Puis, il s'était arrêté sur les essences de bois : le frêne, en général peint, léger et facile à travailler. Le pin et le noyer tendre pour leur solidité, le merisier, le chêne... Finalement, il avait expliqué les différents modes d'assemblage : à tenon et mortaise chevillés, à tourillon, à queues d'aronde, à enfourchement...

Tout ce temps, Marie-Ève avait écouté religieusement, remarquant toutefois que son antiquaire préféré ne semblait pas en connaître autant.

— C'est différent. Monsieur Côté possède un savoir du cœur, du toucher, un savoir du temps. Ce savoir est plus près de la réalité, Marie-Ève, avait observé le notaire avec justesse. Ce que j'ai appris, tout le monde peut l'apprendre dans les livres et sur le terrain. Le père de Pamphile était antiquaire, le savais-tu? Il s'agit donc d'une transmission directe du savoir, ce qui n'a pas de comparatif!

Jean avait déniché pour sa salle d'attente deux magnifiques chaises. La première, au siège et au dossier cannés, en noyer, avait été remise au bois vif et datait bien du XVIIIe siècle. Quant à la seconde, elle appartenait à la fin du XIXe siècle. En merisier, plus rustique et beaucoup moins chère, elle avait un siège en planche. Jean l'avait choisie surtout parce qu'elle avait gardé sa couleur originale.

Marie-Ève s'était alors exclamée :

— Mon Dieu! qu'elles sont belles. Tu vas les mettre dans ta salle d'attente? Sûr? Pourquoi ne les gardes-tu pas chez toi, je sais pas, moi, dans ta cuisine, par exemple? Ma foi, chacun ses goûts, hein? Heureusement que tout est bien trop cher pour moi. Comme ça, je n'ai pas à me casser la tête pour choisir. J'ai juste à me remplir les yeux! Qui sait? un jour peut-être... C'est pas défendu de rêver!

Jean avait remarqué qu'il n'y avait eu aucune envie, aucune tristesse ni même déception dans la voix de la jeune femme. Il avait conclu que Marie-Ève faisait partie des gens qui ne pleurent pas sur ce qu'ils ne possèdent pas, mais qui cherchent plutôt à profiter au maximum de ce qu'ils ont, de ce qu'ils vivent dans l'instant présent. Savait-elle qu'elle était riche?

Vers dix-huit heures, ils avaient cassé la croûte dans un petit bistro non loin de Place-Bonaventure pour ensuite prendre la route jusqu'à l'Étape. Marie-Ève s'était endormie sur la fin du voyage.

Plus le notaire s'approchait du bureau, plus il se sentit anxieux.

— C'est fou! J'ai vraiment l'impression d'aller non pas lire une lettre de Joséphine, mais bien une lettre de Marie-Ève. C'est dingue, complètement dingue!

Le 29 novembre 1920

Bonsoir, Marc-Aurèle,

Après ce qui vient de se passer, je me vois dans l'obligation de nous mettre en garde. Avant tout, il s'agit de votre réputation et de celle de votre chère épouse, non pas de la mienne. Vous ne saviez pas si bien dire quand vous demandiez à la vie de se charger de nous faire des surprises. Ne le demandez plus, s'il vous plaît.

Ce matin, en classe, quand le petit Émanuel est tombé en transes, j'ai cru mourir de peur. Je n'avais jamais fait l'expérience d'un tel cas. J'ai, comme beaucoup de gens, entendu parler de ce « grand mal » dont souffrent certaines personnes. Entendre dire et voir sont deux choses différentes. Ce mal terrible est très étrange et semble dévastateur. L'enfant a soudain perdu sa conscience et il est tombé, sans prévenir. Tout son petit corps est devenu rigide. Puis, il s'est mis à se tordre par terre, les yeux révulsés, la bave coulant de sa bouche. Les autres écoliers, pourtant ses compagnons, se sont éloignés de lui comme s'il avait la peste. À raison, dois-je dire, car Émanuel était méconnaissable. Le curé aurait certainement cru que le diable le possédait. Mais, connaissant cet enfant si doux, jamais je ne pourrais croire une pareille chose. Puis il a repris conscience et il ne se souvenait plus de rien. Ayant pris la décision de raccompagner le petit chez lui, j'ai tout de suite mis fin au cours d'arithmétique.

Arrivé à sa demeure, l'enfant, sans aucun avertissement, a succombé à une autre crise. Dans l'affolement général, je ne me suis pas aperçue qu'on vous avait fait quérir. Quand je vous ai vu apparaître, un grand soulagement s'est emparé de moi.

Vous m'avez offert, tout naturellement, de me raccompagner. J'ai accepté votre invitation, tout aussi naturellement. Cette heure passée en votre compagnie fut des plus agréables et je vous en remercie. Je ne vous savais pas amant de la nature à ce point! Votre passion pour les arbres m'a surprise et, je dois l'avouer, rapprochée de vous. Car je l'ai aussi, cette passion. Comparativement à vous, je suis une néophyte! Je m'intéresse à la nature en général, les fleurs, les oiseaux, les pierres et aussi les arbres...

Quand vous avez mentionné que « le grand tremble » était en fait un peuplier à grandes dents, des larmes sont venues qui m'ont rappelé le grand mal de l'enfant. J'ai ressenti au même moment des frissons qui m'ont fait... trembler! Je ne sais pourquoi... comment vous expliquer? Comment parler d'un pressentiment? Ou s'agissait-il d'un signe, d'un avertissement?

Arrivés au village, à la noirceur, j'ai bien vu des rideaux s'entrouvrir aux fenêtres des maisons. Plus d'un, croyez m'en. Pour cette fois, il n'y aura pas de mal, les élèves m'ayant vue raccompagner le petit Émanuel à pied. Ils auront colporté la nouvelle bien avant nous. Mais je sais qu'une deuxième fois ne saurait être en aucune façon « recevable » ou admissible pour les gens, fût-elle dictée par la même raison! Vous le savez tout aussi bien que moi.

Les « grandes dents » se trouvent partout dans la nature, mais nous devons nous rappeler que certaines sont fort différentes de celles de notre peuplier.

Cela ne veut pas dire que j'ai l'intention de cesser notre correspondance. Loin de moi cette pensée. Au même titre que vous, j'ai besoin de cette amitié et de nos échanges que je considère sains et tout à fait justifiés. Mais, votre réputation et surtout celle de votre épouse malade priment avant toute chose.

Dans l'attente de vous lire bientôt,
Mes amitiés,
Sincèrement,

Joséphine

***

Claire Bouchard-Huot regardait la neige tomber. Les flocons faisaient un rideau si opaque qu'ils l'empêchaient de discerner les collines et la plaine. Le paysage paraissait flou et irréel. Le ciel et la terre ne faisaient qu'un : plus de limite, plus de frontière, rien qu'un grand espace blanc. Tout semblait endormi, paralysé sous la neige blanche : les arbustes, la Belle-Rivière, les maisons. Quelque chose lui ressemblait, enfin!

Un calme étrange l'envahit et la réconforta. Elle entendit que cette blancheur parlait d'hiver : le temps des fêtes devait approcher à grands pas. Les airs de Noël qui résonnaient dans le salon l'aidaient aussi à se situer dans le temps. Ce matin, madame Gingras avait apporté cette belle musique que Claire écoutait maintenant avec ravissement :

« Dans les champs, tout repose en paix... Ô nuit de foi... Ô nuit d'amour... Ô nuit d'espoir... » Ces paroles éveillèrent en elle le besoin de prier. Pour la première fois depuis l'attaque massive, Claire demanda à Dieu de venir.

« Je sais bien que vous viendrez me chercher, un jour. Mais ne tardez plus, Seigneur. Je vous en prie. J'ai terminé mon voyage. Je suis un fardeau pour tous ceux qui m'entourent. Je sais qu'ils m'aiment tous et c'est justement par amour pour eux que je veux partir et les libérer. Je suis prête. Je voudrais tant, moi aussi, reposer en paix et aller rejoindre Sophie. »

Madame Gingras s'affairait derrière elle. Il y avait le bruit de la vaisselle, puis celui du balai sur le sol, celui des armoires que l'on ouvre et que l'on referme. Des gestes quotidiens et simples qui la ramenaient à la vie. Claire ne jouissait plus que de quelques périodes de parfaite lucidité, sans toutefois prendre conscience ni de leur fréquence ni de leur durée, ces dernières pouvant persister deux minutes comme deux jours. La plupart du temps, elle ne gardait aucun souvenir de ce qu'elle avait fait ou de ce qui s'était passé, fût-ce même la veille.

Tous les matins, l'infirmière à la retraite, veuve depuis deux ans, arrivait à huit heures pile. Elle faisait la toilette de la malade et lui prodiguait avec bonté et douceur tous les soins que son état nécessitait : massages thérapeutiques, exercices de rééducation, injections, médicaments... Lorsque Claire se reposait dans la matinée, madame Gingras en profitait pour se rendre au village faire les courses. Elle ne s'absentait jamais plus d'une demi-heure. En plus, l'infirmière avait insisté pour préparer les repas. Jean avait engagé une femme de ménage qui venait deux fois par semaine. Mais cela n'empêchait pas madame Gingras de faire la vaisselle, de balayer et de mettre quelques brassées.

La femme du notaire était, ce que l'on pourrait appeler, une malade « facile » et madame Gingras, une infirmière hors pair qui avait choisi ce métier par vocation. Dès le premier jour, l'entente entre les deux femmes avait été instantanée, au grand soulagement de Jean.

Claire songeait aux propos réconfortants de sa compagne à l'heure du dîner :

— Vous me rappelez tellement mon Serge. C'était un homme indépendant et courageux, comme vous! Il n'a jamais voulu montrer ses souffrances. Pourtant un cancer de l'estomac... Enfin, pas besoin de vous donner les détails. C'est dur de voir souffrir ceux qu'on aime. On voudrait tant prendre leur mal pour les soulager. On se sent impuissant. C'est parfois tellement inhumain pour le malade et ses proches aussi.

« Je vous avoue que c'est plus facile, pour moi, de prendre soin de vous. Serge était trop proche de moi, vous comprenez. J'étais bien trop émotive. J'en perdais mon savoir et même mon sang-froid. C'est pas peu dire! moi qui en ai pourtant vu de toutes les couleurs dans les hôpitaux. Je vois bien aller votre Jean, vous savez. Il fait pareil que moi, il fait pareil que tous ceux qui ont à vivre longtemps avec des grands malades. Il se sent impuissant et malheureux, et tout seul... Comme abandonné. Il doit avoir le sentiment qu'il ne sert pas à grand-chose, comme je l'ai eu, moi aussi.

« Malgré qu'il en fait beaucoup, je suis sûre qu'il voudrait en faire tellement plus. Il a l'air à beaucoup vous aimer! On dirait qu'il est plus calme, moins sur les nerfs ces temps-ci, non? Heureusement pour lui et pour vous aussi. Tout le monde du village me demande toujours de vos nouvelles. Il y a beaucoup de gens qui prient pour vous, madame Claire... »

Madame Gingras avait vu juste. Jean avait changé depuis quelques semaines. Elle le sentait moins désespéré, moins torturé, non pas résigné, mais plus accessible. Il n'avait plus peur de son silence, de son immobilité. Dans ses moments avec elle, il arrivait plus facilement à ne pas penser au passé. Claire était sûre d'un fait : Jean, si fermé, avait réussi à s'ouvrir à quelqu'un. Elle ne savait pas qui, il ne lui en avait pas parlé. Peu importait, de toute façon. Elle était reconnaissante à cette personne de lui avoir ramené son époux, de l'avoir sauvé d'un naufrage certain. Et ce regain de courage et de volonté chez son mari lui apportait un soulagement extraordinaire, un début de lâcher-prise.

En plus des fins de semaine, Jean passait des après-midi entiers en sa compagnie, les mois plus tranquilles de novembre et décembre ayant permis au notaire cet horaire plus souple. Ainsi, hier, en ce lundi de la mi-décembre, Claire avait entendu son mari donner congé à madame Gingras en ces termes enjoués :

« Oui, oui. Vous partez. C'est un ordre, infirmière Gingras! Noël approche et, comme tout le monde, vous avez une famille et sûrement des tas de choses à faire. Vous avez pas des cadeaux à acheter par hasard? Sinon, cela voudrait dire que le père Noël est abonné chez vous, chanceuse! Si j'ai besoin de vous, je vous le promets, je vous appelle... Allez, partez vite et merci encore. À demain! »

Après avoir aidé sa femme à manger, Jean lui avait fait la lecture. Ensuite, ils avaient écouté ensemble un film loué au dépanneur du coin. Son mari l'avait installée confortablement près de lui sur le divan. Il lui avait caressé les cheveux, lui avait tenu la main. Il avait été paisible, présent. Elle s'était assoupie tout contre lui.

Une fois le léger repas du soir terminé, Claire avait montré la chambre du regard. Jean l'avait déshabillée lentement, lui avait donné ses derniers médicaments et l'avait bordée, comme une enfant. Pensant qu'elle s'était endormie, il s'était retiré au salon. Claire avait juste fermé les yeux. Une fois seule, elle avait écouté la musique, leur musique, le corps désespérément engourdi avec juste le cœur qui vibrait, qui dansait avec lui. Dansait-il avec elle? Elle avait pleuré, mais doucement, sans faire de bruit. Ils n'avaient plus dansé, ni fait l'amour depuis longtemps...

En regardant la campagne toute blanche, Claire fut saisie d'effroi. Tout son corps se mit à trembler, imperceptiblement. Elle se demanda soudain pourquoi la neige tombait en plein mois de juillet. Son esprit devint plus flou que le paysage devant ses yeux. Elle oublia la présence de madame Gingras. Cette dernière, qui avait remarqué le changement d'état chez sa patiente, était venue à ses côtés, compatissante, pour lui tenir la main.

Claire Bouchard oublia la danse avec Jean. L'amour avec Jean. Elle oublia sa prière. Elle oublia Sophie. Elle retourna dans un monde où les souvenirs avaient la blancheur des flocons de neige. Dans un monde de maladie. Dans un monde de très grande solitude.

***

Trompette faisait semblant de dormir, roulé en boule sur la douillette bien chaude, au pied du lit de sa jeune maîtresse. Le petit chien ne venait tout près de Marie-Ève que si elle lui faisait un signe de la main en disant d'une voix douce : « Viens donc, qu'est-ce que t'attends, nigaud? » Mais, ce matin, le signe tardait à venir. Le récent changement de propriétaire lui avait enseigné que les êtres humains étaient tous bien différents et surtout d'humeur très inégale. Il attendait donc, patient et perplexe, qu'elle lui dise enfin de venir.

Malgré le fait que Marie-Ève fût bien réveillée, elle demeurait au lit, ne ressentant aucune envie de bouger. N'était-elle pas en vacances après tout? L'entreprise où elle travaillait avait fermé ses portes du 23 décembre jusqu'au 3 janvier, donnant ainsi congé à tout le personnel. La jeune femme avait passé Noël avec sa mère qui habitait Sherbrooke. Avec personne d'autre puisqu'elle était enfant unique et que son père était décédé depuis déjà douze ans. Ce décès brutal, dû à un accident de travail, avait grandement rapproché les deux femmes.

Sa première grande peine d'amour avait été, sans contredit, la mort fulgurante et injuste de ce père attentif, patient, drôle, sportif et surtout *plein de tendresse*. C'est probablement la raison qui avait incité Marie-Ève à confier par la suite toutes ses peines d'amour à sa mère. De plus, le temps n'avait pas eu le loisir de créer une distance infranchissable entre elles, car seulement dix-huit années les séparaient. Francine Saint-Amour, bien malgré elle, était devenue au fil des ans le témoin impuissant des amours impossibles, et souvent tragiques, de sa fille unique. C'est pourquoi, à Noël, elle s'était étonnée de son peu de confidences :

— Alors, ma puce, quoi de neuf dans ta vie? Raconte un peu... Pas d'amoureux? C'est sûr que le choix est peut-être moins grand en région, mais à défaut de quantité, il y a sûrement la qualité! Ça va faire plus d'une année que t'es là-haut et tu vas me dire qu'y a rien, rien pantoute? Personne? Tu me cacherais pas quelque chose par hasard? Tu fais juste me parler de ton vieux monsieur... Pamphile, c'est ça? Il doit bien y en avoir des plus jeunes? Dis-moi pas que tu espères encore après ton Gilles...

Marie-Ève n'avait pas ressenti le besoin de parler du secrétaire, des lettres et encore moins du notaire. Toutefois, elle avait pris soin de rassurer sa mère : elle n'espérait plus « après son Gilles ». Pourtant, juste l'écho de ce nom avait suffi à rouvrir d'anciennes blessures qu'elle avait cru définitivement guéries...

Gilles et elle s'étaient rencontrés à un forum de l'informatique, au Palais des Congrès à Montréal, en septembre 1994. Le coup de foudre avait été instantané et réciproque. L'amour passion. Presque l'amour folie. Elle avait vingt-quatre ans et lui une dizaine d'années de plus. Deux semaines après leur rencontre, ils avaient emménagé ensemble. Les premiers mois furent exceptionnels, savoureux, à la hauteur d'un amour avec un grand A, d'un amour de roman. Gilles avait toutes les qualités recherchées par Marie-Ève : beau, grand, blond, athlétique, intelligent et surtout *plein de tendresse*. Il lui faisait l'amour comme un dieu sorti tout droit de l'Olympe.

Puis, trop rapidement, le dieu grec se mit à tomber de son piédestal. Il commença par s'absenter régulièrement. De plus en plus longtemps, de plus en plus souvent, fournissant toujours la même excuse : son travail. Quand le téléphone sonnait, c'était toujours pour lui, sans parler du répondeur saturé de messages de sa banque, de diverses maisons de crédit, de son travail, de connaissances occultes. Comme le ton était souvent brusque, voire menaçant dans certains cas, Marie-Ève avait conclu que les appels ne provenaient sûrement pas de relations amicales.

La jeune femme fit part de ses doutes et de ses angoisses à son amant qui finit par lui avouer sa passion du jeu. Il parlait de passion... contrôlée; Marie-Ève essaya tant bien que mal de lui faire réaliser qu'il s'agissait d'une dépendance et qu'il avait vraiment besoin d'aide. Rien n'y fit. Gilles perdit son travail en même temps que l'estime de lui-même et il entreprit de lui voler de l'argent. Elle lui pardonna une première fois. Une deuxième fois. Même une troisième fois. Il pleura et promit de ne plus jamais recommencer. Le rythme des querelles et des réconciliations, des départs et des retours, des promesses et des parjures, des petits instants de bonheur et des grandes périodes de déception dura pendant trois longues années.

Contre grands vents et marées dévastatrices, Marie-Ève s'accrochait. Elle espérait toujours qu'il finisse par comprendre, par changer, par revenir. Elle voulait toujours qu'il revienne, à tout prix. Même au prix de sa propre estime. C'en était maladif et elle le savait. Quand elle lui fit part de son transfert en région, Gilles avait semblé enthousiasmé. Oui, ce serait l'occasion rêvée d'être loin de toutes les tentations de la grande ville. Oui, ils repartiraient à zéro, sur un nouveau pied. Oui, c'était formidable!

Le lendemain même de cette annonce, le joueur disparut sans laisser d'adresse, sans jamais lui redonner signe de vie. Il avait laissé sur la table de la cuisine juste un petit mot stupide, même pas signé : « Je ne suis pas un gars pour toi. Tu mérites quelqu'un de bien. Ne t'en fais plus pour moi. Je finirai peut-être par m'en sortir. Bonne chance... » Ne connaissant pas ses parents, ni sa famille, ni ses amis (soi-disant tous dans l'Ouest canadien), elle n'eut aucun moyen de le retracer.

Marie-Ève avait donc pris le chemin de la région toute seule, le cœur brisé, l'âme en complète déroute. Gilles, tout comme son père, avait disparu de sa vie subitement. Même si elle savait que leur relation était bancale, qu'elle ne menait nulle part, elle l'aimait. Si c'était cela la dépendance affective dont lui avait parlé Suzanne, alors elle aussi avait sûrement besoin d'aide. Marie-Ève réalisa qu'elle développait lentement une peur d'aimer ou du moins une peur d'entrer en relation.

« Pourquoi tous les hommes que j'aime meurent ou me quittent brusquement? C'est quoi qui est pas correct avec moi? Je dois porter malheur. Bon! ça suffit pour ce matin les pensées noires. Je ne suis pas revenue plus tôt de chez maman pour pleurer et m'apitoyer sur mon sort... »

— Trompette, viens donc! Qu'est-ce que t'attends, nigaud?

En caressant le chien, elle se mit à s'adresser à lui :

— Tu sais, Trompette, je voulais être de retour pour l'anniversaire de monsieur Pamphile. Il va avoir quatre-vingt-dix ans, tu te rends compte! La fête va avoir lieu à L'Escalier. Stéphane et Valérie ont tout organisé et fait les invitations. Adémar Tremblay sera là, Josépha Bouchard puis la postière, les proprios de l'épicerie, le docteur Thibeault et son épouse... Je me demande c'est qui les autres invités? Une quarantaine de personnes, i paraît! Ce que tu sais pas encore, c'est que je peux t'emmener. Toute une nouvelle, hein? T'es-tu content?

« Faudrait bien que je te mette un beau ruban pour la circonstance. T'allais-tu à des fêtes des fois avec Joséphine? Attends, ne bouge pas, je vais te montrer le beau cadeau que j'ai acheté à Sherbrooke pour Pamphile. Et après ça, je pense que c'est le temps de lire une autre lettre. Ça a l'air que les dépendances, c'est comme les puces, hein? Trompette, c'est plus facile à attraper qu'à éliminer... »

Le 26 décembre 1920

Ma chère Joséphine,

Quel plaisir de venir vous offrir mes meilleurs vœux : je vous souhaite une bonne et très heureuse année. Paix, prospérité, santé... et amour bien sûr! On ne vous connaît pas encore de prétendants... Si je vous confiais que « certaines » personnes s'en inquiètent, que me diriez-vous? (J'imagine votre sourire un peu moqueur.) En ce qui me concerne, je sais que vous n'y échapperez pas, surtout à vingt et un ans, surtout quand la beauté, la délicatesse et l'intelligence s'allient si gracieusement! Il est facile de se rappeler votre âge car, si je ne m'abuse, vous êtes née au début du XXe siècle, avec l'aurore d'un temps nouveau. En me laissant un peu aller, j'oserais écrire que je vous envie. J'espère que vous avez passé un bon Noël en compagnie de vos parents et amis.

Je suis assis à mon bureau et, de la fenêtre de l'officine, je peux voir la neige tomber. J'aime l'hiver, sa lumière et son air pur. Quelle féerie : une belle robe blanche recouvre la terre et les arbres et me ramène l'image douce et virginale d'une jeune épousée... Pourquoi tant de beauté? Elle me fait mal aujourd'hui puisque, étant dans l'impossibilité de la partager, elle semble demeurer stérile, lettre morte.

Que suis-je en train d'écrire? Je fais erreur puisque je partage cette beauté avec vous, en cet instant. Lettre vivante! Merci d'être là.

Il n'y a pas eu de fêtes dans notre demeure. Car la maladie supporte mal les réjouissances. L'état de Marie-Jeanne s'est tellement détérioré depuis la dernière semaine qu'elle est dans l'obligation de garder le lit. Des membres de sa famille viennent chaque jour et m'aident, en demeurant constamment à son chevet. Pendant que moi, je dois parfois courir au chevet des autres... Quel atroce tour du destin! Elle se vide de son sang, elle se vide de sa vie. Je me vide d'espérance. Point de larmes toutefois, puisqu'elle trouve encore le courage de me sourire avec ses yeux. Je me sens tellement impuissant. J'ai toujours voulu devenir médecin et ce, depuis ma plus tendre enfance. Sans vouloir sauver le monde, je désirais néanmoins soulager les souffrances humaines. Et je suis là, aujourd'hui, médecin. Et je suis là, impuissant, à ne pouvoir soulager les souffrances de ma bien-aimée!

Avant de vous quitter, ai-je besoin de vous dire que je suis en parfait accord avec votre « avertissement »? Vous avez raison de tenir compte de vos pressentiments ou encore des signes, j'en fais tout autant, vous savez. Je considère alors que ce n'est pas la raison qui nous guide, mais bien l'âme – notre âme et aussi celle du monde – qui nous souffle la voie à suivre, qui nous joue des airs de vérité, qui nous enseigne des notions de sagesse, tissant un à un les fils de la toile de notre destinée. Refuser obstinément des événements qui arrivent ou faire arriver à tout prix des événements qui normalement nous sont refusés sont aussi néfastes l'un que l'autre. Se laisser guider en aimant et en acceptant aussi que l'on puisse comprendre et apprécier seulement plus tard... Oh là là, dans quoi me suis-je embarqué? Il vaut mieux que j'arrête ici mes élucubrations, sinon cette lettre va devenir un journal. Ce besoin de vous parler ne semble pas connaître de limites, chère Joséphine.

Malgré ces dernières considérations, je me vois dans l'obligation de vous prévenir que nous nous reverrons très bientôt. Rassurez-vous, nous ne serons pas seuls : il ne pourra donc y avoir matière à commérage. En effet, suite à l'incident avec le petit Émanuel, il semble que plusieurs enfants soient traumatisés. Certains parents songent même à retirer leurs enfants de l'école du village. Par conséquent, le directeur, monsieur Girard, que vous connaissez, va convoquer les élèves accompagnés de leurs parents à une rencontre spéciale d'informations. Elle aura lieu à l'école, tôt en soirée, au début du mois de janvier. Monsieur Girard m'a demandé de venir faire un petit exposé sur cette étrange maladie et de rassurer les parents. Ce qui est facile, puisqu'il n'existe absolument aucun danger de contagion. J'ai accepté et tenais à vous en informer afin que vous ne soyez pas... surprise.

Je serai content de vous revoir. Car, le savez-vous, Joséphine, votre présence inspire la lumière, le calme et la beauté, comme cette neige lumineuse qui tombe doucement, sans bruit, enveloppant tout ce qu'elle touche d'un merveilleux manteau de tendresse.

Merci de prier pour nous. J'ai tellement peur, Joséphine. Votre ami sincère,

Marc-Aurèle

Marie-Ève sut qu'elle allait rencontrer Jean à la fête et que l'état de Claire empirait. Elle se demanda si un air de vérité pouvait ressembler à cela. Était-ce de cette étrange manière que l'âme avait choisi de tisser les fils de la toile de sa destinée, en ce moment? La jeune femme ne tenta même pas de répondre à ces questions bizarres. Toutes ces considérations lui semblaient beaucoup trop complexes, même tout à fait irrationnelles.

Toutefois, elle se surprit à retenir une seule chose : elle devait apprendre à prier. Cette décision faisait peut-être partie des notions de sagesse dont parlait le docteur.

***

Pamphile se sentait excité et plutôt nerveux. Il n'arrivait pas à croire qu'il fêtait aujourd'hui ses quatre-vingt-dix hivers. Il demeurait debout, bien droit devant la glace de la vieille commode, à converser allègrement avec son image nonagénaire, en concoctant les questions et réponses à son goût.

« Vingueu! quand on a dans les quatre-vingts, ça fait quand même plus jeune, y a pas à dire! Même à quatre-vingt-neuf, je pouvais toujours répondre vaguement : « J'ai dans les quatre-vingts... » Mais là, ce sera pus pareil!

« Quelle idée que t'as eue, le père, de parler de ta fête à Valérie pis Stéphane? Je m'attendais-ti, moi, à ce qu'ils veuillent m'organiser une fête à tout prix, ces deux-là? Ils disaient que ça ferait tellement une belle réunion pour le monde du village vu que j'étais certainement le plus vieux commerçant de la place. Qu'i fallait pas pantoute rater cette occasion-là. Ce serait un péché, qu'i ont même dit. Je pouvais-ti diviner qu'ils allaient réussir à inviter quasiment une quarantaine de personnes? Bof! Ils vont pas tous venir; les gens ont ben d'autres chats à fouetter à ce temps icitte de l'année que de venir fêter un vieux snoreau comme moi. Fais pas ton hypocrite, le père, ça te fait ben un p'tit velours pareil... »

Comme l'antiquaire n'arrivait pas à arrêter son choix sur les bretelles qu'il devait porter, il tourna en rond pendant une heure dans la chambre en rouspétant et en retenant son pantalon à tout instant. Après avoir jeté un regard attendri sur la photographie de ses noces d'or sur laquelle Antoinette posait fièrement en mariée du troisième âge et lui en jeune retraité – il n'avait que soixante-quinze ans alors! –, Pamphile finit par opter pour des bretelles bleues, les préférées de sa femme. Depuis la mort de la Toinette, il n'avait plus jamais eu envie de fêter quelque anniversaire que ce soit, encore moins le sien.

Toutefois, chaque 29 décembre, ses deux fils ne manquaient jamais de lui téléphoner des « États », comme cela avait été le cas en matinée. Pamphile Côté voyait ses garçons à tous les deux ou trois ans seulement, parfois même plus. Après des vacances en famille en Floride et en hiver, les deux frères étaient revenus enchantés. Enchantés pour toujours. Revenus pas pour longtemps. Six mois après, ils étaient repartis s'établir là-bas, dans le sud du sud, au soleil. Ils avaient acheté un vieux motel délabré pour pas cher, avec bar et restaurant, et tout retapé eux-mêmes.

Pamphile leur en voulait toujours un peu de s'être exilés si loin. Pas spécialement pour lui mais surtout à cause de sa femme qui avait toujours eu du mal à accepter ce départ. Les brus, les petits-enfants... tous partis. Plus de famille.

« C'est ça qui a fini par te faire mourir, ma pauvre vieille. Ça te travaillait tout le temps. Pis quand les p'tits-enfants revenaient, i parlaient quasiment juste anglais, les vlimeux! C'est sûr que Saint-Gédéon, c'est pas Fort Lôdâle! (Au grand désespoir de ses fils, Pamphile n'avait jamais fait le moindre effort pour prononcer correctement Lauderdale.) Pis un lac, c'est pas l'océan. Pis l'hiver, c'est pas l'été! Ils ont toujours haï le fret, comme toi, ma Toinette.

« Quand même, qui sait qui va reprendre la boutique, astheure? Je pourrai jamais vendre ça à personne. Faudrait que j'en glisse un mot au notaire. Coudon, chacun sa vie! Fais-toi-z-en donc pus, ma Toinette : i sont ben là où i sont pis i semblent avoir ben réussi. On peut juste pas vivre la vie de nos enfants à leur place. On a quand même assez de la nôtre, vingueu! Surtout quand elle dure une éternité comme la mienne! Chus sûr que t'aurais aimé la Marie, toi qui as toujours voulu une fille. Ouais! Chus sûr. Je pense que je vas te laisser, ma Toinette. On dirait que c'est l'heure! »

Cela ne prit que quelques minutes à Pamphile pour se retrouver à L'Escalier, le bistro se trouvant juste en face de chez lui. Quand il franchit le seuil de la porte, il fut étonné de voir au moins une trentaine de personnes déjà sur place. Valérie et Stéphane vinrent l'accueillir en l'embrassant chaleureusement. Puis, l'antiquaire fit un tour de piste, histoire de dire bonsoir à tous ceux qui s'étaient déplacés pour lui.

Le couple Chagnon, les propriétaires de l'épicerie, ne parlaient qu'à leurs clients habituels, comme toujours. Ils firent une exception pour Pamphile vu qu'il était, après tout, le « fêté ». La veuve Saucier, postière de son métier, fardée et grimée comme si c'était le carnaval, se plaignait des lenteurs administratives, comme à son habitude. Quand Pamphile s'avança vers elle, elle haussa le ton pour se faire remarquer :

— Regardez donc qui c'est qui est là! Pis sur son trente et un, à part de ça! Monsieur aimerait-ti à se faire attendre des fois? C'est vrai que chus ben patiente, mais la patience a ses limites, Pamphile Côté : ça fait quinze ans que vous êtes pas venu au bureau de poste, très cher! Venez donc que je vous embrasse, pour une fois que j'ai l'occasion...

Pamphile ne resta pas longtemps avec la veuve. Elle lui faisait bien trop peur! Il se dirigea vers son vieux compagnon, Josépha Bouchard, qui lui faisait signe.

— Tu pognes à soir, ma parole! Toute une créature, la Saucier, mais pas à ton goût, on dirait! C'est vrai qu'à quatre-vingt-dix, on commence à savoir plus ce qu'on veut... pus d'une femme! Ah! Ah! Salut, mon Pamphile, chus content de te voir, moi itou. Crains pas, je vas pas te mettre d'autre rouge à lèvres sur les joues, t'en as ben assez comme ça. Pis, ça y est! T'es rendu dans l'âge... comment qu'on dit quand on a quatre-vingt-dix et plus comme nous autres? On a toujours ben dépassé l'âge d'or, me semble?

— Je dirais qu'on est à l'âge avancé de l'est, Josépha. Ben avancé, à part de ça! Ah! Ah! On est arrivés à l'âge vénérable et poussiéreux des antiquités, faut croire. Tant qu'y a la santé, on a pas trop à se plaindre. Regarde la Saucier, elle a à peine soixante-quinze pis des poussières, pis elle a l'air d'une momie. Est pas trop ben greyée, à soir! Mais, regarde donc ça, ça m'a tout l'air qu'Adémar Tremblay, il a un kick sur les momies! C'est vrai qu'en tant que vieux garçon, il a tout à gagner vu qu'il a perdu définitivement celle qu'i voulait le plus. Elle serait ben venue, la Fine... tu penses pas? Elle me manque ben gros. Plus que j'aurais cru... Elle, elle avait de la classe!

Le brouhaha grandissait, ce qui rendait impossible les longues confidences. Chacun venait vers le vieillard, lui souhaitant longue vie et plein d'autres « hivers » à venir. Pamphile reconnut ses voisins, les Savard, les Fortin, les Blackburn. Même le docteur Thibeault et sa « bien portante » épouse étaient de la fête, eux qu'on ne voyait nulle part ailleurs qu'à l'église.

Alors que Pamphile conversait avec Valérie et Stéphane, quelqu'un lui donna une petite tape sur l'épaule. Il se retourna et fut vraiment heureux de reconnaître le notaire.

— Vingueu! Vous êtes venu, vous aussi. Bien le bonsoir, mon cher notaire, ben content que vous ayez eu le temps de venir. Ben! chus un brin gêné par tout ça. Je mérite pas tant de... tant de...

— Allez! ne soyez pas modeste, mon cher Pamphile. Vous êtes l'un des piliers de ce beau village. Un homme de quatre-vingt-dix ans qui tient encore commerce, on voit pas ça tous les jours! Toutes mes félicitations. Quand on vous regarde aller, on a envie de devenir comme vous. Vous êtes un modèle pour nous, villageois. Le réalisez-vous? Est-ce que... Avez-vous vu Marie-Ève?

— Valérie me disait dret-là que la p'tite a ben promis d'essayer de venir. Est allée chez sa mère dans les Cantons-de-l'Est pour Noël, pis avec Trompette, cette fois-là. Est fille unique, le saviez-vous, notaire? Son père est décédé, y a quelques années de ça. Pis elle a eu une grosse peine d'amour y a pas si longtemps. Juste avant d'arriver au Lac en tout cas. C'est malheureux de voir une si bonne fille sans prétendant.

« Quand j'y en parle, pis que je lui dis qu'elle devrait pas perdre son temps avec un vieux bonhomme comme moi, elle se gêne pas pour me dire que je sais pas de quoi je parle! C'est drôle mais elle me répète souvent, pis est sérieuse à part de ça : *Si vous ne voulez pas me faire de peine, monsieur Pamphile, vous avez juste à ne pas mourir.* Pis là, chus ben obligé d'y dire que c'est elle qui radote! Pensez-y, notaire, vu mon âge, vous comprenez, c'est pas une chose à me demander! Ben sûr que je veux jamais y faire de peine, je l'aime ben trop pour ça. D'un autre bord, comme je vas ben mourir un jour pas trop loin... Dur à concilier, hein, notaire?

« Est ben curieuse des fois, la Marie. Excusez. Je voulais dire Marie-Ève. J'arrive pas toujours à la suivre comme que je voudrais. Autant elle peut être délurée sur la Ternette, autant elle peut être perdue juste au coin de la rue. Une chose est sûre, notaire, elle a connu ben des grosses peines déjà. Ben trop grosses pour sa p'tite personne. Coudon. Peut-être qu'elle a changé d'avis, après tout. Une fête de vieux, c'est pas ce qu'y a de plus excitant pour une belle et jeune créature...

— Quoi? Qu'est-ce que j'entends? Une fête de vieux? Moi, je songerais à ne pas venir à votre fête à vous! Vous n'êtes pas sérieux. Je retiens seulement « une belle et jeune... créature » – même si je trouve l'expression plutôt ahurissante – et je vous pardonne le reste. Bonsoir, monsieur Pamphile. Hum! que vous êtes de mon goût ce soir.

Marie-Ève, les joues encore rouges de la froidure d'hiver, Trompette dans un bras, un cadeau dans l'autre, embrassa son vieil ami.

— Et il sent bon à part de ça! Tenez, voilà votre cadeau! Hein? Trompette, qu'on est pas rancuniers.

Bonne fête, mon cher antiquaire et encore bien du bon temps avec nous autres. Bonsoir, Jean, comment vas... comment allez-vous?

— Bonsoir, Marie. Pas très fort en ce moment, je l'avoue.

En s'adressant à Pamphile qui déballait son cadeau, le notaire ajouta :

— Je suis désolé. Je n'ai même pas pensé à vous apporter quelque chose! Quel mauvais invité je fais...

Puis, il se tourna de nouveau vers Marie-Ève. Il frissonnait. À le voir si perturbé et si mal en point, la jeune femme prit conscience de sa très grande fragilité. Il portait, à sa manière, un très long et rigoureux hiver sur ses épaules. « À ce rythme-là, il va finir par mourir de froid au cœur... si ça se peut! C'est la première fois que quelqu'un m'appelle juste Marie. C'est... inattendu, pour le moins, mais pas déplaisant à entendre. Plutôt intime, on dirait », se dit-elle, à la fois flattée et intriguée. Elle ressentit soudain une forte envie de consoler Jean, de lui réchauffer la main, de lui réchauffer le cœur.

— Je ne pourrai rester longtemps. Mais je tenais à être présent une heure ou deux. Claire ne va vraiment pas bien depuis quelques jours. Elle doit garder le lit et le médecin craint une rechute qui pourrait lui être fatale. Ses deux sœurs et sa mère se relaient constamment auprès d'elle. Je vais au bureau seulement deux à trois heures par jour pour régler les dossiers importants.

En baissant la voix, il ajouta lentement à ses oreilles :

— J'ai tellement peur, Marie.

En entendant ces mots, elle frissonna en songeant aux paroles du docteur. Elle eut envie de répondre « moi aussi, Jean », mais se retint.

Après avoir chaleureusement remercié sa protégée pour les magnifiques bretelles tricolores, tout en lui assurant que c'était le plus beau cadeau qu'il ait reçu depuis sa Toinette, Pamphile s'éloigna, sentant qu'il devait laisser le notaire et l'informaticienne en tête-à-tête. Ces deux-là semblaient avoir beaucoup de choses à se dire.

Entre-temps, les propriétaires de L'Escalier avaient invité les convives à passer à table. Se retrouvant les derniers à s'avancer, Jean et Marie-Ève s'assirent donc côte à côte, au bout de la grande tablée. Les hôteliers n'avaient pas lésiné sur le menu : aspic de crevettes aux tomates, avocats au crabe et au céleri, courgettes en beignets d'épices, tourtière du Lac aux cinq viandes, salade de cresson au fromage en grains, gâteau renversé aux bleuets, sans oublier les vins, le champagne, le café... Les convives avaient l'eau à la bouche juste à regarder les plats, savamment préparés, artistiquement présentés. Les félicitations et les bravos, les rires et les applaudissements fusèrent de toutes parts tant en direction du jeune couple restaurateur que de l'antiquaire nonagénaire.

Pamphile, honoré et profondément ému par tant d'attentions et de gentillesse, se retrouva donc au milieu des invités, entouré de son plus vieux compagnon Josépha et de son meilleur ennemi Adémar. En dégustant allègrement ce « festin digne des livres d'Astérix », l'antiquaire vantait très fort les mérites de la « modernité », autant celle qui touchait la « nouvelle cuisine » que celle qui englobait l'informatique. La veuve Saucier se méprit grandement quand elle entendit Pamphile chuchoter à l'oreille de son vieux compagnon :

— Si tu savais, mon Josépha, tout ce qu'on peut faire avec la Ternette... Elle coûte pas cher pour tout ce qu'elle donne. Y a rien ni personne qui lui arrive à la cheville! Y en a pas deux comme elle! Le plus le fun, c'est quand on *tchatte*... Hum! Ouais! Ouais! Je te le dis, crois-moi, même à notre âge, on peut encore en apprendre...

La veuve devint si rouge et si estomaquée qu'on lui vint en aide, croyant qu'elle venait d'avaler de travers.

Toutefois, sans que cela paraisse, l'antiquaire sur-veillait la Marie et Jean du coin de l'œil. Il ne pouvait entendre ce qu'ils se disaient, la musique ambiante étouffant toutes les conversations. Mais il fut en mesure de remarquer que c'était surtout le notaire qui parlait. Il ne mangeait pas. Marie-Ève écoutait attentivement en caressant Trompette, assis sur ses genoux. Menue et gracieuse, elle grignotait des petites bouchées comme un oiseau. Pamphile ne pouvait s'empêcher de les exa-miner en détail. Le vieil homme eut la nette impres-sion qu'ils étaient en dehors de la fête, seuls au monde. Ils étaient bien de leur époque, mais, en même temps, il y avait quelque chose d'étrange, comme une réminis-cence d'antan qui les accompagnait. Comme si un charme agissait, les gardant à part. Et, pour la première fois, Pamphile nota la ressemblance entre Marie-Ève et la Fine.

« Vingueu! comment que ça se fait que j'ai pas remarqué ça avant? C'est pas dans son apparence physi-que comme telle, quoiqu'elle est p'tite pis elle a le teint clair comme Joséphine, c'est plutôt dans ses manières... Surtout juste là, avec Trompette sur ses genoux : elle le tient pis elle le flatte exactement comme faisait José-phine! Pis la façon qu'elle se joue dans les cheveux. Pis aussi qu'elle picore... comme un moineau! Pareil! Le secrétaire, ma foi, i pouvait pas mieux tomber!

« C'est-ti drôle, comme le bureau du docteur Provencher chez le notaire! Pourtant, il devait ben y avoir des affaires secrètes dans ce secrétaire-là. Pour-quoi que la p'tite veut pas m'en parler? Le secrétaire, i a peut-être ben des pouvoirs après tout! Ça s'est déjà vu des affaires de même. C'est même la Marie qui a dit l'autre jour que les vieux meubles gardent *la nergie* de leurs propriétaires. Je vas y voir, pis vite à part ça, parce qu'i faudrait pas qu'elle reste vieille fille, astheure! Ce serait le bout du bout au Lac, vingueu! »

***

Le 17 janvier 1921

Cher Marc-Aurèle,

Je veux bien essayer de... te tutoyer comme tu me l'as demandé lors de notre dernière rencontre à l'école. Pourquoi pas, après tout! Ne sommes-nous pas amis?

Je tenais à t'exprimer ce que j'ai ressenti quand tu as fait ton exposé devant les élèves et parents. Sais-tu que tu dégages un magnétisme, voire un charisme extraordinaire? Tous buvaient avidement tes paroles, comme moi d'ailleurs. Nous étions sous le charme d'un homme qui semble avoir beaucoup de qualités : compassion, courage, bonté, intelligence, savoir-vivre, gentillesse et tendresse aussi... J'arrête ici tant la liste me paraît longue. Je suis sincère. D'ores et déjà, je peux te certifier que, grâce à toi, plusieurs parents ne retireront pas leurs enfants des classes, à mon grand soulagement, et je t'en remercie.

Après ton exposé, dans le brouhaha des conversations et des allées et venues, nous avons pu échanger. Assez longuement même! Tu m'as confié ta peine, tes angoisses, ta solitude, tes aspirations, tes rêves et aussi ta joie d'être avec moi. Je me rends compte que je t'ai écouté, mais ne t'ai pas beaucoup encouragé par des paroles réconfortantes. Il me semblait que les mots, comme l'air, me manquaient.

Comment vous dire... J'avais plutôt envie de vous toucher la main, je ne sais pourquoi. Juste la main. Peut-être pour vous passer un peu de ma force, de mon affection. Votre présence, je dois l'avouer, me bouleverse plus que je n'aurais cru ou certainement voulu. Votre regard pénètre en moi comme un soleil qui brûle. Votre voix me déstabilise et m'en-

voûte. Votre gentillesse et votre délicatesse me charment... J'ai peur de ces sensations.

Quand tu nous as tous quittés, il me semble que la lumière s'est éteinte. Il faisait sombre dans ma tête et même dans mon cœur. Ce n'est pas bon signe, Marc-Aurèle. Comme je n'ai eu que des filles pour amies, je ne sais pas ce que ces états émotifs envers toi représentent vraiment. Je suis confuse. Vraiment. Ai-je le droit même de te confier toutes ces choses, toi qui as déjà un si lourd fardeau à porter en tant qu'homme et en tant que médecin?

Je ne te suis d'aucune aide, j'en ai bien peur. Sauf que je continue et continuerai à prier pour vous deux.

Ma jeunesse est probablement faiblesse devant votre maturité qui s'inscrit en force, en plénitude, mais elle a le loisir de la spontanéité et de la sincérité.

Peut-être, pour un temps, vaudrait-il mieux cesser toute correspondance?

Ton amie fidèle mais inquiète,

Joséphine

Assis à son bureau, Jean relisait la lettre dont l'enveloppe portait le numéro trois. Le chiffre avait été entouré d'arbres et affublé de signes disparates. Étrangement, au-dessus du chiffre, c'est un quartier de lune qui avait été dessiné, non pas un soleil. Jean pensa que ce symbole lunaire représentait non seulement la réaction tourmentée que ces écrits avaient pu provoquer chez le docteur, mais aussi la période sombre qu'il vivait. Ce signe particulier le fascinait parce qu'il s'adaptait également à lui comme un gant d'hiver, comme une double peau. Nul doute que le chiffre trois avait été touché et retouché, gardé et regardé par le docteur.

Jean prit alors conscience d'un fait qui le troubla : de toute évidence, la correspondance n'avait pas cessé puisqu'il était en possession des autres lettres. Il commença sérieusement à s'inquiéter de la tournure des événements. Il venait tout juste de quitter Marie-Ève qui l'avait accompagné jusqu'à sa voiture, stationnée à trois ou quatre cents mètres de L'Escalier, comme s'ils ne voulaient pas se quitter.

« Nous ne voulions pas nous quitter : inutile de me mentir. Quand Marie m'a pris la main, en la serrant très fort, j'ai répondu à son étreinte. Elle avait peur... comme une biche. J'étais nerveux, comme un jeune amoureux. Elle était tellement belle, tellement désirable. Sa peau blanche avait la couleur de la neige. Ses lèvres, sous la pleine lune, dégageaient la beauté d'un fruit mûr, prêt à être cueilli délicatement. Tout ce que je voulais, c'était la prendre dans mes bras, sentir la chaleur de son corps vivant tout contre le mien... Assez! Ça suffit, Jean Huot. Tu ne peux pas aimer deux femmes à la fois. C'est insensé. Toute cette histoire est insensée. Tu la connais à peine! Tu ne dois plus la revoir. Tu ne dois même plus lui parler. »

Il rangea la lettre avec les autres dans le tiroir, très vite, comme si, d'un coup, elle lui brûlait les mains.

IV

Les signes avant-coureurs du printemps ne trompaient personne. Dans l'air pur et frais, le chant de la mésange retentissait partout dans le village. De son *tchic-a-di-di-di* timide et hivernal, l'oiseau était passé au *ti-u-u* sonore et printanier, à la grande joie de tous. Presque tous.

Trompette préférait passer son temps dans la cour qui commençait à sentir bon la terre humide. Il se roulait sur le dos dans des petites portions d'herbe nouvelle qui faisaient timidement leur chemin à travers les derniers bancs de neige grisâtres et défraîchis. Le chien aimait parfois faire écho à l'oiseau, mais, aussitôt, des portes s'ouvraient et des voix caverneuses et hibernales l'enjoignaient promptement de se taire. Désappointé et silencieux, mais d'une patience exemplaire, il se recroquevillait sous la galerie branlante et y demeurait des heures, la mine et la queue bien basses. S'ennuyant à mourir en dedans, il préférait encore s'ennuyer à vivre dehors.

Sa maîtresse n'était plus la même depuis ce fameux soir d'hiver, le soir du ruban. Heureusement pour lui, rien de tel ne s'était reproduit par la suite. Quelle honte! Quel accoutrement ridicule : un ruban tricolore de la couleur des bretelles du vieux Pamphile, noué autour de son cou! Il ne comprenait pas encore bien ce qui avait pu pousser sa maîtresse à offrir le même cadeau à deux êtres si différents. Tout de même, entre un griffon – disons dans la maturité – et un antiquaire presque centenaire, l'écart était de taille. Trompette ne voulut bien admettre qu'un point commun : ils étaient tous les deux des compagnons très proches de Marie-

Ève Saint-Amour. Il se dit alors que, par amour, qui ne serait pas prêt à pardonner une telle fantaisie?

S'il est connu que les chiens tournent parfois en rond, Trompette vint à penser que les humains étaient capables de pire! Sa jeune maîtresse, taciturne et pensive, tournait en rond depuis des mois, sans cause apparente du moins. Le fait est qu'ils n'allaient presque plus faire de promenade et visitaient de moins en moins le vieil antiquaire. Ils n'entraient même plus à L'Escalier, pourtant source de bien des plaisirs, pour eux deux. Conséquence, la belle Valérie ne pouvait plus lui donner d'os à gruger.

Comble de malheur, Marie-Ève ne s'asseyait plus au secrétaire. Jamais. Le griffon ne souhaitait plus qu'une chose : ne plus voir le vieux sac en toile laid et poussiéreux sur le fauteuil du salon. Car cela signifierait que sa maîtresse partirait mais, cette fois, qui sait – dans l'état où elle se trouvait – si elle reviendrait? Il ne pouvait qu'espérer que le chant de la mésange atteigne le cœur attristé de sa jeune et extravagante maîtresse.

Marie-Ève, penchée sur le rebord de la fenêtre, cherchait le griffon. Elle vit le bout de sa queue dépasser des vieilles planches de la galerie. Pourtant, elle n'eut pas envie de l'appeler. Rassurée, elle laissa la fenêtre entrouverte et retourna s'asseoir au salon. Elle devait prendre une décision. Une décision importante qui, elle le sentait, aurait un grand impact sur toute sa vie à venir. De plus, elle devait prendre cette décision seule, sans l'aide de personne et le temps faisait défaut : on attendait sa réponse le surlendemain, soit lundi.

Cela devait faire plus d'une semaine que Marie-Ève avait vu Pamphile pour la dernière fois. À son grand étonnement, il était encore revenu sur le contenu du secrétaire. En fait, depuis son anniversaire, il revenait sans cesse sur le sujet. Et, inlassablement, elle lui répondait la même chose : le secrétaire ne contenait rien de spécial. Pamphile disait s'inquiéter de « la nergie » qui pouvait se dégager du vieux meuble.

— On sait jamais, fillon, on sait jamais, tu l'as dit toi-même l'autre fois. C'est pas que la Fine était une mauvaise personne, mais était toute seule depuis tellement de temps pis elle avait la mauvaise manie de jongler ben gros... Comme t'as pas trop l'air dans ton assiette, toi itou...

Ne voyant pas très bien où il voulait en venir, Marie-Ève avait préféré ne rien dévoiler. Pourtant, les remarques fort justes et assez proches de la vérité du vieil homme l'avaient ébranlée. De toute évidence, le vieillard gagnait en perspicacité et en sagesse avec les années.

Elle avait quand même osé lui demander s'il avait connu le docteur Marc-Aurèle Provencher.

— Pourquoi que tu me demandes ça, la p'tite?

— Oh! par simple curiosité. J'ai entendu quelqu'un parler de lui, l'autre fois, à votre anniversaire, avait-elle inventé, prise de court.

— Je l'ai pas tant connu que ça. Mon père l'aurait plus connu. Quand il est arrivé à Saint-André, je devais avoir une dizaine d'années, un peu moins peut-être... Si ma mémoire est bonne, je me rappelle juste que sa femme a été ben malade, la tuberculose, je pense bien, pis elle est morte jeune. Peu de temps après qu'elle est morte, le docteur a disparu.

— Disparu? Que voulez-vous dire?

— Je veux dire : DISPARU. Comme ceusses qu'on voit la photo dans les journaux pis sur les pintes de lait! Du jour au lendemain, apparence qu'on l'a pus revu. Jamais. Il a pas laissé de mot ni à son pauvre père ni à sa pauvre mère. I serait-ti allé aux États ou ben donc retourné dans la grand'ville ou même...

— Même quoi? avait questionné Marie-Ève, à la fois curieuse et inquiète.

— Ben! i se serait dit que peut-être bien qu'il aurait décidé... de mettre fin à ses jours. Malheureux pis brisé comme il était, ça reste toujours une possibilité. Mais c'est pas correct de juger sans savoir... Hein? Ce qui est assuré, c'est que pus personne au Lac a eu de ses nouvelles. Ça a toujours demeuré un mystère total au village, pis un mystère jamais résolu. C'est tout ce que je peux te dire, fillon.

Marie-Ève avait été extrêmement bouleversée par cette révélation et l'était encore. Depuis l'anniversaire de Pamphile, elle ne cessait de penser au docteur et, par ricochet, au notaire. Après avoir quitté Jean, ce soir de décembre, elle avait espéré de ne plus avoir à le revoir. Le destin avait répondu à son attente : ils ne s'étaient plus parlé ni même rencontrés depuis la fête. Ces trois mois n'avaient malheureusement rien changé à ses états d'âme : la jeune femme se languissait de le rencontrer à chaque coin de rue, elle pensait à lui nuit et jour, elle ne sortait presque plus de peur de manquer un appel.

Se faisant des reproches, elle se trouvait ridicule et surtout émotionnellement immature. Elle ne cessait de se répéter que Jean Huot était marié à une femme qui se mourait. Pourtant, d'une manière dérangeante, Jean avait répondu à son étreinte ce soir de pleine lune. Sa main chaude et moite, malgré le grand froid, avait témoigné de son agitation. Son regard pénétrant, telle une flèche brûlante, l'avait traversée de part en part. Il l'avait troublée, complètement déstabilisée. Quand il l'avait quittée, l'hiver avait aussi pris possession de son cœur à elle...

Parfois, Pamphile lui donnait des nouvelles, sans même qu'elle en demande. Claire était tombée dans un profond coma en janvier. Elle ne pouvait plus respirer seule et avait dû être placée sous respirateur artificiel. Depuis, comme les arbres, comme le lac qu'elle chérissait, l'épouse de Jean dormait. Et Jean, disait Pamphile, Jean espérait, Jean croyait que le printemps la ferait revivre. Que les rayons du soleil qui feraient fondre l'épaisse couche de glace sur le lac arriveraient aussi à dissiper les brumes épaisses dans lesquelles était perdue sa Claire. Que la sève de la vie remonterait jusqu'à son cœur à elle, jusqu'à son cœur à lui. Jean passait de la rage à l'espoir, de l'acceptation à la révolte. Jean passait beaucoup de ses jours en dormance à côté de sa femme. Jean, disait encore Pamphile, faisait tellement pitié à voir qu'on ne pouvait s'empêcher de pleurer après son départ.

Depuis les confidences de l'antiquaire, Marie-Ève pleurait Jean et sa peine, elle pleurait Claire et sa souffrance. Heureusement, elle avait eu beaucoup de temps pour apprendre à prier.

Un seul élément l'avait réconfortée pendant ces longues semaines de solitude : toute cette situation équivoque prendrait fin très bientôt, son contrat se terminant au début de l'été. Ainsi, elle partirait et retournerait à la ville, loin de cet homme qui lui faisait perdre la raison. Elle laisserait le secrétaire et son histoire, le docteur et Joséphine loin, très loin derrière elle.

Mais voilà que le destin venait de lui faire une étrange proposition : on lui offrait la possibilité de rester au Lac !

La veille, Pierre-Paul Simard l'avait convoquée à son bureau et lui avait fait une offre alléchante, difficile à refuser. La personne désignée pour venir la remplacer en juin avait eu un grave accident de la route et ne pourrait reprendre le travail avant au moins une année, peut-être même plus. Comme Marie-Ève était maintenant rodée aux divers dossiers et que la direction était plus que satisfaite de son rendement – et aussi de son grand potentiel créatif – elle avait songé à prolonger son contrat d'une autre année. Les compensations financières qui accompagnaient l'offre n'étaient certes pas à dédaigner; on lui proposait tout bonnement de payer son loyer – ce qui représentait trois cent cinquante dollars par mois – ainsi que tous ses frais de chauffage et de déplacements, incluant deux voyages à Montréal par avion.

En ce samedi printanier, Marie-Ève faisait donc le bilan.

« Un. Hors de tout doute, j'aime beaucoup mon travail à Alma. Deux. Je m'entends très bien avec mes collègues. Trois. J'ai pas envie de m'éloigner de monsieur Pamphile, pas tout de suite en tout cas, et quatre, la ville ne me manque pas particulièrement. C'est vrai que la campagne jeannoise est devenue une compagne familière et attentive dans laquelle je me sens renaître et évoluer. Cinq. Quant à l'aspect purement financier de l'offre, il me permettrait de me mettre pas mal d'argent de côté, chose qui, jusqu'ici, a toujours été impossible! »

Elle avait donc toutes les raisons d'accepter cette offre inouïe. Mais il y avait le notaire.

« D'un coup, sans m'y attendre, je suis tombée follement amoureuse de lui. Point final. Et cet amour, exactement comme celui de Joséphine, est interdit ou pour le moins pas correct. C'est pas le bon temps. Et je n'ai pas envie d'un amour tragique, d'un amour impossible. Si je décide de rester, comment vais-je faire? Je me connais, je suis sûre que je vais désirer le revoir... Il faut que j'arrive à me décider! »

Les pensées de la jeune femme tournaient en rond, lui renvoyant des images invraisemblables qui apparaissaient et disparaissaient aussi vite dans sa tête. C'est alors que son rêve du rendez-vous lui revint brusquement en mémoire.

« Après que j'ai bu l'hydromel, j'ai su que je tomberais... en amour! Ça alors! »

Sur-le-champ, déterminée, elle se leva et se dirigea vers le secrétaire : seul le docteur pourrait l'aider à prendre une sage décision. En passant devant la fenêtre entrouverte, elle entendit le chant de la mésange, et ce chant inhabituel la réjouit et la réconforta. Trompette, l'oreille aux aguets, se rappela à son bon souvenir en aboyant. Elle le fit entrer. Quand le chien vit sa maîtresse s'asseoir au secrétaire, il se dit que les oiseaux, contrairement à lui, devaient vraiment savoir comment s'y prendre avec les hommes...

Le 15 avril 1921

Ma très chère et douce amie,

Pardonne-moi, je n'y tiens plus. Dans ta dernière lettre, tu exprimais le besoin de ne plus correspondre, pour un certain temps. Tant bien que mal, j'ai tenu à respecter ton désir. Trois mois se sont écoulés. Trois longs et pénibles mois sans pouvoir t'écrire. Ni te revoir.

Tu dois désormais être au courant des derniers développements. Marie-Jeanne, suite à une vilaine chute dans l'escalier, est tombée dans une sorte de torpeur. Elle ne fait plus rien d'elle-même, non pas qu'elle ne soit plus apte à faire certaines petites choses mais elle a carrément abdiqué devant les épreuves. Nous nous relayons à son chevet jour et nuit. Je le vois bien, elle veut mourir. Pire, elle m'a fait une requête qui dépasse l'entendement. Et il me faut confier ce lourd secret. À qui d'autre que vous, ma douce et tendre amie?

Marie-Jeanne m'a imploré de mettre fin à ses jours. Elle a dit qu'un médecin doit soulager les souffrances et que ses souffrances sont intolérables. Je lui ai répondu qu'un médecin doit avant tout protéger la vie. Elle m'a rétorqué ce qui suit : « Mon ami, on ne pense pas à ces choses tant que la mort est derrière nous. Si elle passe devant et qu'elle nous annonce sa venue imminente, le temps n'a plus ce parfum d'éternité qui, en temps normal, nous fait espérer et avancer. Quand les derniers instants de vie deviennent une lente agonie, seuls dans un désert sans fin, devenus impuissants et inutiles, c'est nous qui l'implorons de ne plus tarder. Je le fais, chaque jour, mais elle ne m'écoute pas, elle ne m'entend pas. Je me suis même jetée du haut du grand escalier sans qu'elle daigne même me regarder. Toi, si tu lui parles et que tu l'aides un peu, alors je sais qu'elle viendra. »

Nous ne pouvons donc plus la laisser seule. Jamais je n'accéderai à une telle requête. Jamais. Je ne peux que prier Dieu de nous venir en aide.

Dans ta dernière lettre, j'ai compris ton inquiétude, car elle est devenue mienne. Moi aussi, ta présence me trouble. Moi aussi, j'ai envie de te toucher la main et de caresser tes cheveux. Il fait de plus en plus nuit sans tes lettres de lumière. Tu écris que tous ces états d'âme ne sont pas bon signe. Tu te trompes. Si je ne t'avais pas en pensée, Dieu sait si je serais en mesure de passer ces douloureuses épreuves ou même d'aider mon épouse souffrante ou encore les pauvres malades qui ont aussi besoin de moi, chaque jour.

Je suis au bord du gouffre, Joséphine. Toi seule me retiens. Car tu m'aides simplement en étant là, en étant ce que tu es, spontanée et sincère, vivante et belle. Tu m'aides tant en écrivant ces paroles qui touchent mon âme, en lui redonnant espoir et volonté. Toi seule me soulages de mes maux.

Ai-je forcé le destin en t'écrivant la première fois? Je ne crois pas. Je n'éprouve aucun sentiment de culpabilité puisque j'avais alors besoin d'une présence et que tu as répondu à cet appel dans la nuit. Que notre amitié se transforme en un sentiment... différent, nous ne pouvions le prévoir. Pouvons-nous l'empêcher? Le devons-nous vraiment? Laissons couler l'eau de la rivière de la vie, car elle sait son chemin. Je préfère, vu les conjonctures du moment, voguer avec elle que me débattre contre elle. Je suis si fatigué de lutter, Joséphine! Ce sentiment nouveau que nous semblons partager est beau et surtout bénéfique malgré les circonstances douloureuses *qui l'entourent. Il est noble, Joséphine. Il ne peut en être autrement.*

Je t'en prie, ne m'abandonne pas maintenant. Plus tard peut-être, mais pas maintenant.

Je suis et demeurerai toujours ton ami, avant et à travers tout autre chose.

Marc-Aurèle

Marie-Ève regarda Trompette à ses pieds. Son regard évasif alla bien au-delà de l'animal docile. Il fouillait l'âme du monde en cherchant celle de Joséphine, celle du docteur, celle de Jean. Elle ne put que prendre la décision qui s'imposa à son cœur : elle resterait. Au moins une année encore.

***

C'est dans le mois de mai, en montant la rivière... C'est dans le mois de mai, que les filles sont belles... Vêtue d'une jolie robe longue en coton fleuri, les cheveux détachés et flottant au vent, Marie-Ève chantait en marchant d'un bon pas le long du rang des Apis. Infatigable, Trompette sautillait, gambadait, faisant mille et un allers-retours sans reprendre son souffle. Bref, il était le plus heureux des chiens que la terre ait jamais portés : ne revenait-il pas enfin à ses amours? Sa maîtresse, de bien bonne humeur depuis quelques jours, avait eu une idée de génie en se réveillant ce matin.

Comme il était plus que temps d'annoncer la grande nouvelle à monsieur Pamphile qui, justement hier, s'était de nouveau inquiété de son départ, la jeune femme avait pensé entourer cette annonce d'un cérémonial qui lui porterait chance. C'est pourquoi, comme la température s'y prêtait à merveille en ce beau samedi printanier, elle avait décidé de faire le trajet à pied de

Saint-André à Saint-Gédéon. Elle s'était donc rendue en voiture jusque chez la Fine dont la maison – à son grand étonnement – n'avait pas encore de propriétaire ni même de panneau « À vendre ». Elle y avait stationné son auto pour partir à pied, avec Trompette, jusque chez l'antiquaire.

Marie-Ève n'avait plus aucun doute quant à la décision qu'elle avait prise. Même que, depuis ce jour de mars, elle pensait beaucoup moins à Jean. Elle était moins torturée et croyait sincèrement que tout rentrerait dans l'ordre. Pour l'heure, elle était tout excitée à l'idée de voir l'effet que cette nouvelle aurait sur monsieur Pamphile. Déjà hier, après les confidences de son vieil ami, elle avait dû faire beaucoup d'efforts pour se retenir de dévoiler son secret.

— Tu sais, la p'tite, avait-il confié, ma Toinette t'aurait tellement aimée. On a jamais eu de fille, le savais-tu? Mes gars sont ben loin, pis des gars, c'est pas tout à fait pareil... Le bon Dieu est ben bon. Après toutes ces années de solitude, i t'a fait rentrer dans ma boutique pis dans mon cœur par la même occasion! Mais il est pas assez long, le temps de ses bontés! Il te fait repartir ben vite! Je sais ben, comme tu m'as déjà dit, on se parlera souvent par la Ternette, mais c'est quand même pas pareil! Quand c'est que tu pars exactement? C'est juste que je pense à te faire un p'tit cadeau d'adieu... Pis non, j'aime mieux pas y penser, vingueu! Je me sens mal des fois juste à penser que tu seras pus là, avec tes beaux grands yeux verts pis tes p'tites taches de rousseur. T'es comme une p'tite-fille pour moi...

Et Pamphile s'était retourné brusquement pour aller, soi-disant, aux toilettes. À son retour, Marie-Ève avait bien vu qu'il avait pleuré. Elle revoyait encore ses yeux rouges et son visage si pâle. Il était plus que temps de passer aux aveux!

La campagne chantait avec elle sous un soleil radieux. Marie-Ève avait commencé à s'intéresser aux fleurs le printemps dernier. Elle s'arrêtait souvent, cherchant à reconnaître certaines d'entre elles dans les fossés, le long du chemin. Étonnée, elle fut en mesure de découvrir plein d'herbe de sainte-barbe, des myosotis en fleurs et aussi quelques délicates bermudiennes aux fleurs violettes.

« Mon Dieu! qu'elles sont belles. Comment ça se fait que j'avais jamais remarqué toutes ces beautés avant? C'est sûr que les bermudiennes et les trottoirs de béton, ça va pas vraiment ensemble! La campagne nous force à la regarder, à l'admirer. Elle a bien raison, elle est tellement belle! Ah! que la vie vaut la peine d'être vécue, surtout une journée pareille. J'ai tellement bien fait d'accepter... Bon! il faudrait peut-être que j'avance un peu plus vite si je veux avoir le temps de dîner avec mon cher Pamphile... »

Accélérant le pas, elle monta en toute hâte la dernière côte qui débouchait sur la rue Principale de Saint-Gédéon. Un peu essoufflée et assez fatiguée, elle fut soulagée de voir enfin la boutique de l'antiquaire. Sa montre indiquait midi et demi. Pourtant, l'écriteau « Fermé » n'était pas visible sur la porte du magasin.

« Étrange... Pamphile n'oublie jamais! Ma foi, à cette heure, il se trouve sûrement à L'Escalier! »

— Viens, Trompette, fais attention, on va traverser la rue et aller directement chez Valérie.

Juste l'écho de ce nom familier fit venir l'eau à la bouche du griffon, plus qu'assoiffé et exténué par la longue promenade. C'est que, en voiture, n'importe qui se gâte vite! Prudent et obéissant, il se rangea tout à côté de sa charmante maîtresse qu'il ne voulait contrarier pour aucune considération.

Avant même qu'elle ait une chance d'entrer au bistro, la porte du magasin de l'antiquaire s'ouvrit en grand, comme poussée par un vent mauvais. Valérie, qui semblait complètement perturbée, lui faisait des signes de la main.

« Qu'est-ce qu'elle fait chez Pamphile à cette heure-là? Mon Dieu! elle a vraiment pas l'air dans son assiette », songea Marie-Ève, inquiète, en voyant le visage tourmenté de Valérie.

— Qu'est-ce qui se passe? Valérie! Où est Pamphile? Qu'est-ce qui est arrivé à monsieur Pamphile? Réponds-moi!

— Ah! enfin, tu es là. J'essaie de t'appeler depuis une demi-heure... Tout à l'heure, juste un peu avant midi, je regardais par la fenêtre du bistro. Et là, là...

Valérie se mit à pleurer, incapable d'en dire plus.

— Valérie! Reprends-toi. Dis-moi ce qui s'est passé! Je t'en prie!

— Il est tombé, réussit-elle à dire à travers ses sanglots. Monsieur Pamphile s'est effondré sur le trottoir, devant sa porte, juste sous mes yeux! J'ai accouru tout de suite et il ne bougeait plus! J'ai vu qu'il respirait encore mais très faiblement. J'ai essayé de lui parler, mais il a pas répondu, Marie-Ève! Stéphane a appelé l'ambulance. Ils viennent juste de l'emmener à l'hôpital de Roberval. Ils pensent que ça peut être un infarctus, mais ils ne voulaient pas en dire plus. Oh! Marie-Ève, Marie-Ève, il avait vraiment pas l'air bien. Je voulais fermer son magasin, mais je ne sais pas où il range le double de ses clefs. Je voulais pas trop fouiller, tu comprends. Sais-tu où il les met d'habitude?

Marie-Ève savait où se trouvaient les clefs de Pamphile. En les ramassant, elle chercha aussi le carnet d'adresses de l'antiquaire qu'elle trouva et mit dans son sac. Il faudrait peut-être appeler ses fils un peu plus tard. Elles fermèrent le magasin et retournèrent ensemble à L'Escalier. La clientèle régulière, inquiète, réclamait à grands cris les dernières nouvelles. Valérie, encore sous le choc, répondait tant bien que mal pendant que Marie-Ève buvait un grand verre d'eau glacée. Elle demanda à ses amis de garder Trompette jusqu'au lendemain. Elle devait se rendre à l'hôpital, sans attendre. Elle devait à tout prix aller le retrouver. Il fallait qu'elle voie monsieur Pamphile.

Le couple accepta de s'occuper du chien et Marie-Ève prit le chemin de son appartement en courant. Dans l'excitation, elle n'avait pas songé un instant à emprunter leur auto, oubliant qu'elle était venue à pied de Saint-André. Ce n'est qu'arrivée sur place qu'elle se rendit compte que sa voiture se trouvait à quatre ou cinq kilomètres de chez elle! Sur le coup de l'adrénaline, sans réfléchir, elle prit la direction de Saint-André. Elle se mit à courir. Elle courait à perdre haleine, les larmes inondant son visage et lui brouillant la vue. Une boule d'acier lui serrait la gorge et ses sandales lui blessaient les pieds. Elle ne perdrait pas son ami. On ne le lui enlèverait pas. Elle ne pouvait pas le perdre. Pas maintenant!

« Tout ça est de ma faute! J'aurais dû lui annoncer la bonne nouvelle, hier. C'est de ma faute... de ma faute... » ne cessait-elle de se répéter lamentablement.

***

Jean Huot venait de traverser le village de Saint-Gédéon et, en passant devant la boutique de l'antiquaire, il avait vu l'écriteau « Fermé ». Inutile de s'arrêter. Une autre fois peut-être. Pendant un instant, il avait songé à s'arrêter au bistro L'Escalier mais avait craint d'y rencontrer Marie-Ève. Il ne l'avait plus vue depuis des mois, depuis l'hiver, depuis la lune pleine... Il pensait encore à elle, souvent. Trop souvent. Chaque fois qu'il traversait le village de Saint-Gédéon, il ne pouvait s'empêcher de revivre ce soir de décembre. Jean décida de prendre la direction de son bureau. Il eut soudain envie, après tous ces mois, de lire la quatrième lettre. Après tout, il fallait peut-être briser le rituel et lire une lettre sans avoir vu Marie-Ève.

C'est alors qu'il aperçut une femme échevelée, frénétique, comme portée par un vent de folie, qui courait sur le bas-côté. Semblant être dans un état second, elle empiétait dangereusement sur la chaussée dans sa course folle. On aurait dit qu'elle flottait tellement elle semblait légère...

« Ce n'est pas possible! Elle doit avoir bu ou elle est droguée... Mais, mais, c'est Marie! Qu'est-ce qu'elle fait là à courir au bord de la route, à cette heure? Il y a quelque chose de pas normal... »

Il freina sec à sa hauteur et sortit en trombe de la voiture.

— Marie, Marie! Arrête! Attends-moi! Marie!

— Jean, Jean! C'est toi! Dieu soit loué! C'est Pamphile, il a eu une attaque. Ils l'ont transporté d'urgence en ambulance. Mon Dieu! faites qu'il ne soit pas trop tard.

— Viens, monte, je vais t'accompagner. Dans quel hôpital l'ont-ils transporté? Marie, réponds. Calme-toi, viens, monte dans la voiture.

Comme elle ne bougeait pas, Jean alla vers elle. Elle s'était arrêtée et demeurait inerte, comme une statue, au bord de la route. Dans cette attitude de complète absence mentale, elle lui parut fragile, désespérée et abattue. Son visage inondé de larmes, ses yeux suppliants lui firent mal. Arrivé à sa hauteur, il lui prit la main et la dirigea doucement vers la voiture. Elle s'assit comme un automate.

— Est-ce que tu sais où ils l'ont transporté? questionna doucement le notaire.

— Valérie a parlé de... Roberval. Oui, c'est ça. L'hôpital de Roberval. On peut y aller, Jean? Il faut que j'y aille tout de suite! cria-t-elle, désespérée.

— On y va. Ça va aller, Marie. Il faut espérer. Je suis certain qu'il va passer au travers. Il est résistant... avec tous les hivers qu'il a traversés, c'est pas un début d'été qui va lui faire peur! Qu'est-ce qui est arrivé au juste?

Et Marie-Ève, calmée par les paroles encourageantes de Jean, raconta le peu qu'elle savait. Ensuite, ils firent silence jusqu'à Roberval. Au bout d'une trentaine de minutes, ils arrivèrent à l'hôpital. Marie-Ève, n'y tenant plus, insista pour descendre immédiatement et elle se mit à courir vers la porte d'entrée. Jean la laissa aller et s'occupa de stationner son véhicule. Il la retrouverait bien.

La jeune femme alla tout droit à l'accueil pour se renseigner. On lui confirma l'étage où se trouvait l'antiquaire : les soins intensifs.

— Je suis désolée, mademoiselle, vous ne pourrez pas le voir, ni lui ni son médecin. Seuls sont autorisés les membres de sa famille...

— Mais ses garçons sont en Floride! Il n'a personne d'autre! Je suis, je suis... comme sa petite-fille. Il faut que je le voie, vous m'entendez. Vous ne comprenez pas! JE DOIS LE VOIR!

Elle avait crié. Et Jean avait entendu son cri. Il accourut et tenta de la calmer. Elle pleurait tant que les larmes mouillaient sa robe. Jean n'avait jamais vu personne pleurer de cette manière. C'était comme si un ouragan de douleur avait foncé sur elle, la laissant complètement à la merci d'un immense et intarissable chagrin. Le notaire expliqua la situation à l'infirmière qui consentit à téléphoner au médecin traitant. Après quelques minutes, qui parurent interminables à Marie-Ève, on leur permit de se rendre au chevet du malade, cinq minutes par heure. Pas une minute de plus. Le docteur Giguère les attendait au neuvième étage. Dans l'ascenseur, Marie-Ève tenta de reprendre ses esprits.

— Merci, Jean. Heureusement que tu étais là. Ils ne

m'auraient jamais permis de le voir. J'ai peur. J'ai peur. Il ne faut pas qu'il meure. Je ne veux pas qu'il meure...

— Mais non. Il ne mourra pas. Écoute, on ne sait même pas encore ce qui lui est arrivé. Comme Pamphile te dirait : « *I faut pas mettre la charrue de devant les bœufs, fillon...* » Non?

Il avait réussi à la faire sourire à travers ses larmes. D'un geste amical, il l'attira vers lui. Elle se laissa aller contre son épaule pendant quelques secondes. La porte de l'ascenseur s'ouvrit sur un petit salon aux murs blancs comme neige. Un peu plus loin, les infirmiers et infirmières qui partaient d'un centre de contrôle allaient et venaient, organisés tels des fourmis, dans un silence total. Cette activité intense, mais silencieuse, se déroulait dans une seule grande pièce avec cinq lits de chaque côté, lesquels étaient tous occupés. Marie-Ève chercha Pamphile du regard mais n'arriva pas à le trouver. Le docteur Giguère, un homme dans la jeune quarantaine, s'avança vers eux.

— Bonjour, Jean, comment vas-tu? Je fais une exception parce que je te connais... Vous êtes mademoiselle Saint-Amour? Bon! je vais essayer de vous expliquer la situation en quelques mots. Mais vous devez m'assurer que l'un d'entre vous contactera ses garçons le plus tôt possible. On est bien d'accord?

— Tu peux compter sur nous, Robert, et merci encore. Alors?

— La situation est critique quoique stable et sous contrôle pour le moment. Monsieur Côté a été victime d'un infarctus du myocarde. Il est vrai que son état de santé en général est bon, mais, étant donné son grand âge, nous ne pouvons rien confirmer pour l'instant. Nous devons attendre. S'il passe la nuit, il s'en sortira. Il reçoit présentement de l'héparine sous perfusion pour détruire le caillot et aussi de la trinitrine, qui aide à diminuer le travail du cœur. Vous pouvez le voir cinq minutes par heure, pas plus. Ne vous inquiétez pas, il est entre bonnes mains. Laissez vos coordonnées à l'infirmière en chef qui vous contactera s'il y a quelque changement que ce soit dans la nuit. Quant à moi, je vous verrai demain matin, vers huit heures trente, si cela vous convient. Nous ferons le point.

— Nous serons ici demain matin. Merci, Robert, merci pour tout et à demain.

Marie-Ève avait entendu. Pamphile n'était pas mort, Dieu soit loué! Son état était critique, mais stable.

— Pouvons-nous le voir... maintenant, docteur?

— Oui, bien sûr, répondit-il en se retournant vers eux. C'est le lit numéro quatre.

Ils s'avancèrent vers le lit désigné. En voyant son vieil ami fagoté dans cette vilaine robe d'hôpital, sans ses illustres bretelles, les yeux fermés, branché de toutes parts, Marie-Ève se remit à pleurer, mais cette fois très doucement. Sans bruit. Rien ne fut dit. Au bout de cinq minutes, l'infirmière les pria de laisser le malade. Marie-Ève se pencha vers Pamphile et lui murmura :

— Je ne pars pas, monsieur Pamphile. Je ne pars plus. Mon contrat est allongé d'une année. Je reste avec vous, ici, au Lac. Je vous le jure, c'est vrai. Promesse sur mon cœur. Guérissez, je vous en prie! Ne mourez pas. Je vous aime tant.

***

Jean feuilletait les revues qui traînaient ici et là sur les tables. De temps à autre, il jetait un œil sur Marie-Ève qui n'arrêtait pas de se tortiller les mains. Elle avait cessé de pleurer. Elle semblait faible et blême sous la lumière blafarde des néons. La jeune femme regardait sans cesse sa montre et, dès que l'heure arrivait, elle se levait sans un mot. À plusieurs reprises, Jean l'avait laissée aller seule voir Pamphile. Cette fois, quand elle revint, juste au moment de s'asseoir, Marie-Ève faillit tomber et se retint de justesse à l'accoudoir de sa chaise.

— Marie, ça ne va pas?

— Je n'ai rien avalé de la journée, en plus d'avoir marché et couru des kilomètres. Et toutes ces émotions! Je ne me sens vraiment pas bien, Jean, comme étourdie.

— Tu as vu l'heure, il est huit heures dix! Viens, il faut que tu manges et que tu reprennes des forces. Pendant que tu étais avec Pamphile, j'ai donné nos coordonnées à l'infirmière. S'il y a le moindre changement, ils vont nous appeler. J'ai aussi téléphoné à Valérie. Trompette va bien et ils vont le garder tant que c'est nécessaire. Nous pouvons partir maintenant et nous reviendrons tôt, demain matin. On ne peut rien faire de plus pour le moment. Il doit se reposer. Viens, viens, Marie.

Ils sortirent de l'hôpital, envahi par les visiteurs du soir. Marie-Ève marchait comme une somnambule. Jean remarqua un restaurant, en face de l'hôpital : Au Rendez-vous. Sans même demander l'avis de la jeune femme, il décida de l'y emmener. Sous les lumières tamisées et dans une ambiance feutrée, ils prirent place à une petite table et Jean réclama poliment le menu. Une fois qu'ils eurent mangé, Marie-Ève, beaucoup plus calme, se confia. Elle parla de la mort de son père, de sa rupture difficile avec Gilles. Elle fit part à Jean de sa peur et de sa hantise de voir ceux qu'elle aimait partir subitement ou mourir. Elle révéla aussi ce sentiment étrange qui lui faisait penser qu'elle portait peut-être malheur... Enfin, la jeune femme relata l'histoire de l'offre, les raisons qui l'avaient incitée à rester.

— Je savais pas trop si je devais accepter... au début. J'étais pas sûre de... Mais il y a eu cette... Enfin! il y avait Pamphile. Je voulais vraiment rester auprès de lui. Et je venais justement pour le lui annoncer ce matin.

Hier, encore hier... il m'a demandé quand je partais. Mais j'ai pas voulu lui dire. Je voulais lui faire la surprise ce matin, tu comprends? J'aurais dû parce qu'il avait pleuré. C'est de ma faute, Jean. J'aurais dû lui dire hier!

— Qu'est-ce que tu vas chercher là, Marie? Tu ne pouvais pas prévoir. Et, de toute façon, il n'est plus très jeune. Tous ces hivers... Il boit sa petite bière, il fume sa pipe régulièrement. Tu n'as rien à voir dans tout ça. Arrête de te culpabiliser. Mais dis-moi comment tu t'es retrouvée à courir sur la route de Saint-André? Et ta voiture?

— C'est que... J'avais envie... Savais-tu que Joséphine promenait son chien tous les samedis matin de Saint-André à Saint-Gédéon? Eh bien! je me disais que cela ferait du bien à Trompette de revivre cela. Il faisait si beau et je croyais bêtement que cela me porterait chance. Je me suis vraiment mis un doigt dans l'œil! En fait, j'allais chercher ma voiture qui était restée stationnée devant la maison de la Fine. Tu pourras me raccompagner là-bas?

— Bien sûr. Mais j'aimerais te suivre jusqu'à ton appartement. Avec toutes les émotions que tu viens de vivre, j'aime mieux mettre toutes les chances de ton côté. Viens, il est temps de rentrer. Tu dois aller te reposer.

— Sincèrement, Jean, tu crois qu'il va s'en sortir?

— J'en suis certain. Crois-moi. Il en a vu d'autres, ce cher Pamphile!

Ils reprirent le chemin de Saint-André. Le silence de la nuit, le ciel étoilé, la campagne endormie firent du bien à Marie-Ève. Au rang des Apis, la jeune femme retrouva sa voiture. Une fois au volant, elle réalisa que ses mains tremblaient et elle avait froid. Un froid au cœur qui ne la lâchait pas. Un froid du dedans, bien plus pénible à supporter que tous les hivers du Lac. Elle conduisit lentement et fut reconnaissante à Jean de la suivre de près. Marie-Ève remerciait Dieu de l'avoir mis sur sa route aujourd'hui.

Arrivée rue de la Gare, elle arrêta le moteur et n'eut plus envie de sortir de sa voiture. Elle avait peur de se retrouver seule. La présence de Jean lui procurait un grand réconfort.

— Marie, Marie! Descends. Viens. Il faut aller te reposer.

— Jean, j'ai peur! Je ne veux pas être seule dans l'appartement. Est-ce que tu peux entrer un peu, juste prendre un café?

Le notaire ne put lui refuser cette requête. Elle pleurait à nouveau dans un silence trop lourd à supporter. Ils entrèrent et Marie-Ève alla directement à la cuisine pour préparer du café. Pendant ce temps, Jean faisait le tour de l'appartement, s'attardant à caresser tous les meubles, tous les objets. Il faisait des gestes familiers dans l'intimité de Marie-Ève Saint-Amour... Non seulement ces gestes lui révélèrent-ils son émoi, mais ils lui confirmèrent d'autant plus... qu'il ferait mieux de partir! Quand Marie-Ève revint avec le café, Jean se tenait près du secrétaire et il allait poser sa main dessus.

— Non! cria-t-elle. J'aimerais mieux que tu ne le touches pas! Excuse-moi. Je ne peux pas t'expliquer. C'est juste que, que... Mon Dieu! il vaudrait peut-être mieux que tu partes! Il est tard... Ça va aller, tu sais. Je me sens mieux maintenant, beaucoup mieux.

En réalité, Marie-Ève avait le sentiment que s'il touchait le secrétaire, c'était comme s'il la touchait, elle. Le sourire qu'elle essayait tant bien que mal de composer ne voulut pas suivre ses efforts. Se laissant tomber sur le divan, éperdue, fatiguée, elle abdiqua.

— Il faut que tu partes, Jean. Nous sommes ensemble depuis des heures et j'étais tellement dans un état second que je me suis à peine rendu compte que c'était toi, toi...

— Marie, Marie...

Jean s'approcha et vint s'asseoir près d'elle. Il se mit à lui caresser les cheveux. Elle appuya sa tête au creux de son épaule et s'abandonna.

— J'avais cinq raisons valables pour rester, Jean Huot. Mais une seule vraie bonne raison pour partir. UNE raison, murmura-t-elle en sanglotant.

— Je sais, je sais...

— C'est pas correct. Je ne voulais pas tomber amoureuse de toi, admit-elle, désespérée. J'ai jamais cherché à tomber amoureuse de toi. Je le jure sur Pamphile. Je serais pour ainsi dire partie à l'heure qu'il est... Mon Dieu! pourquoi que ça arrive comme ça? Tu dois t'en aller, Jean.

Jean ne faisait aucun geste pour partir. Il prit tendrement le visage de la jeune femme et le tourna vers lui. En se rapprochant d'elle, il prit ses lèvres, comme un voleur. Ensuite, sauvagement, frénétiquement, il prit sa bouche. La prendre... la prendre tout entière : tel était le désir de Jean en cet instant précis. C'était un baiser fou, un long baiser dans lequel tous les deux eurent le sentiment de faire l'amour. Leurs bouches, depuis des mois, avaient soif l'une de l'autre. Leurs bouches, depuis la lune pleine, avaient faim de leurs corps.

La chaleur des mains brûlantes de l'homme traversait impunément la robe légère. Ils se cherchaient effrontément, abusivement. Plus rien n'existait que ces gestes d'amour fou, de désir farouche. Lui ne pouvait plus s'arrêter de la goûter comme une eau de vie. Elle voulait se nourrir de lui, se noyer en lui.

Juste avant d'être emportée dans la tempête, Marie-Ève, une seconde, eut la vision du docteur qui implorait Joséphine de ne pas l'abandonner...

***

Le 17 mai 1921

Mon tendre et merveilleux Marc,

Quand j'ai reçu ta lettre par ce jour d'avril frisquet, mon cœur n'a fait qu'un bond. J'ai réalisé alors que je ne vivais plus que pour ce moment. En te demandant d'espacer notre correspondance, je ne croyais pas qu'un jour me paraîtrait une éternité.

Alors, suite à tes écrits si bouleversants, je n'ai pu freiner cette envie impétueuse et probablement très irréfléchie de te voir. J'ai donc pris ce rendez-vous et suis allée dans ton cabinet. Ce qui s'est passé entre nous ne peut pas se dire, ni s'écrire dans des mots. Ces expériences ne peuvent que se traduire par des gestes. Des gestes d'amour infini.

Je sens encore l'odeur de ta peau, la chaleur de ton corps, le désir jusque dans nos yeux, dans nos mains et nos bouches. Je suis en manque de toi. J'ai la tête en folie. J'ai le cœur en amour. J'ai le corps en déroute. Comment ne pas aimer l'amour? Tu es et seras le seul homme de ma vie, Marc. J'aimerais tant partager ce grand bonheur qui m'habite avec ceux qui m'entourent...

Mais je ne dois pas penser à ma petite personne, c'est surtout à toi que je pense, à toi et à ton épouse. Un mot de toi et je m'effacerai de ta route à tout jamais. Que tu ne veuilles plus me voir ni m'écrire serait sensé et sûrement la meilleure décision à prendre. Ta décision sera la mienne. Je la respecterai, même si je devais y perdre l'espoir, et toute raison de vivre. Je me dis que je n'aurais pas dû aller te voir, te chercher. Malgré cela, au fond de moi, je n'ai pas honte de ma démarche. N'aie crainte, cependant, je ne recommencerai pas. Désormais, nous devons porter ces souvenirs communs. En toute sincérité, comment pourrais-je les porter comme une croix quand ils sont grâce dans mon cœur? Nous ne pouvons, hélas, revenir en arrière.

Maintenant, il me faudra apprendre à vivre avec ce secret en moi, avec mes parents, avec Dieu aussi. Je ne suis pas encore arrivée à me confesser; c'est dire à quel point je me sens fautive... Ce que je trouve de plus incompréhensible et de plus inhumain est de se sentir coupable d'amour... Jamais je n'aurais cru cela possible! Dieu peut-il vraiment maudire et honnir ceux qui aiment en dehors des lois? Peut-être... Le Seigneur m'a-t-il punie en touchant mon père de cette douloureuse épreuve, juste maintenant?

« Son cœur est très vieux et fatigué », as-tu diagnostiqué quand tu es accouru à son chevet. Comme il ne pourra plus s'occuper de la ferme avec ma mère, pour un certain temps, il a été convenu entre nous que je ne retournerai pas enseigner l'automne prochain. Pour une année au moins, le temps de voir venir. Ma mère espère que nous pourrons peut-être engager, mais cela est loin d'être certain. Les classes seront terminées dans trois semaines et je travaille parfois jusqu'à la nuit tombante. Je me sens très fatiguée, car je me lève vers quatre heures pour faire le train. Et je me réveille en sursaut, très souvent, la nuit, en pensant à toi. Je me sens surtout très seule. Seule avec ce secret qui, à la fois, me hante et me fascine.

Je suis impuissante devant ce sentiment qui m'habite. Il prend tout l'espace de ma vie, toute la place de ma volonté. Qu'y puis-je? Je souhaite qu'il me dépasse, qu'il m'emporte au-delà des jours, bien au-delà des nuits et des saisons. Je voudrais mourir d'amour pour toi. Je serais prête, ici, tout de suite, à donner ma vie pour que tu trouves la paix et le bonheur.

Le Seigneur écoutera-t-il encore mes prières? Je le souhaite de tout mon cœur.

Je t'attendrai, docteur Provencher. Toute ma vie, s'il le faut.

Joséphine

V

Encore et encore, le vieux Pamphile se berçait. Il trouvait le temps long et, pour la première fois de sa vie, comme la Fine, il « jonglait ». Pour combattre l'ennui, il regardait par la fenêtre. L'activité de la rue Principale lui tenait compagnie depuis deux longues semaines. Tous les matins, vers onze heures quarante-cinq, Valérie sortait, levait la tête et regardait de son côté. Elle lui faisait un signe et lui envoyait un baiser en soufflant avec sa main, comme une enfant. Cette attention lui faisait venir les larmes aux yeux.

À côté de lui, Jeanne-Mance, sa bru, s'affairait.

« C'est pas un bec qu'elle m'envoye, elle, songeait-il, c'est de la poussière en pleine face... »

Elle ne s'arrêterait donc jamais! Elle astiquait, lavait, balayait, brossait, sortait les tapis tous les jours, enlevant même des poussières imaginaires, frottant des taches invisibles. Pour le plus grand malheur de Pamphile, sa belle-fille insistait pour faire à manger. Mieux eût-il valu qu'elle ne sache pas du tout cuisiner, car, pour le vieil homme qui avait goûté aux délices de L'Escalier, les repas étaient devenus un supplice journalier.

Son fils Fernand tournait en rond comme un prisonnier dans sa cellule.

— Quand c'est que vous prenez l'avion au juste? demanda Pamphile.

— Dimanche, le père. Je te l'ai dit dix fois depuis hier, répondit Fernand, impatient.

— Pas besoin de monter sur tes grands chevaux, vingueu! C'est toujours ben pas moi qui vous ai demandé à venir...

— On avait pas ben le choix, tu sauras. Quand c'est rendu que c'est un notaire qui appelle, on est pas tellement placé pour refuser! Le père, i faut qu'on parle!

En disant ces mots, Fernand, l'air soumis, avait lorgné du côté de son épouse attentive en lui faisant un clin d'œil. Il vint s'asseoir sur le vieux sofa près de son père.

— I va ben falloir que tu fasses quelque chose. Pis vite. Astheure, amanché comme t'es là, tu pourras pus t'occuper de ces vieilleries...

— C'est pas des vieilleries, tu sauras, on appelle ça des antiquités.

— Admettons, concéda le fils contre son gré. Tu pourras pus t'occuper du magasin astheure avec ton cœur... I faut que tu te débarrasses, enfin disons, que tu vendes ton business. Pour ce qu'i doit rapporter de toute façon! On te prendrait ben avec nous autres, hein? ma femme, mais on a pas ben de place, comme tu sais.

Il y eut un silence lourd de non-dits. Pamphile voulut répondre qu'il n'en savait rien puisqu'il n'était jamais allé à « Fort Lôdâle ». Il aurait aimé ajouter qu'il ne croyait pas un mot de ce que Fernand avançait, mais il préféra se taire. Le père se contenta de regarder intensément son aîné. Ce dernier n'était pas un mauvais bougre... « Juste trop faible pis ben mal greyé de femme », songea l'antiquaire, attristé.

— Tu viendrais pas pareil, le père, répondit Fernand à l'interrogation muette exprimée dans le regard intense de Pamphile. Je te connais. T'es attaché à ton Lac comme un fœtus après sa mère pis je te comprends, tu sais...

Pendant un bref instant, le fils avait eu beaucoup de douceur et dans son regard et dans sa voix. Rappelé à l'ordre par un raclement de gorge autoritaire de sa femme, qui ne perdait pas un mot de la conversation, Fernand baissa la tête. Le ton froid et distant reprit le dessus.

— Revenons à ce que je disais. Imagine-toi une seconde si t'étais... parti. Essaye de penser à tout le trouble qu'on aurait eu, René pis moi! I faut que tu comprennes que c'est dur pour nous autres de quitter notre gros motel, pis le restaurant, pis tout. On fait pas ça en criant lapin, le père! T'as pas d'idée comme c'est demandant un gros business comme celui-là, hein? ma femme. J'ai parlé à René hier au soir pis il me disait qu'i était grand temps qu'on rentre. Y a des tuyaux qui ont pété...

Pamphile ne l'écoutait plus. Néanmoins, il continuait de le regarder en hochant parfois la tête. Il s'aperçut que son fils aîné, Fernand Côté, ne prenait pas de mieux avec l'âge. Il devait bien avoir dans les soixante-cinq ans, mais il en faisait bien plus. L'air de la Floride ne semblait pas lui réussir. Il était maigre comme un clou, vert comme un poivron, étiré comme un élastique. Un pantalon usé et défraîchi, noir à faire peur, tombait en accordéon sur d'abominables espadrilles. Ces chaussures gardaient jalousement les marques de peinture de toutes les couleurs fades des chambres du si prestigieux motel. Une espèce de barbichette malingre, poivre et sel, lui donnait l'air de la chèvre à Séguin. Pamphile se dit qu'elle devait être là pour compenser la chevelure quasi inexistante. En effet, quelques poils hirsutes poussaient de-ci de-là comme des mauvaises herbes dans un champ abandonné. C'est vrai qu'il faisait plus sec en Floride qu'au Lac... Décidément, son fils n'avait rien d'un homme d'affaires qui dirigeait, à l'entendre, « un si gros business ».

Lorsque Pamphile, un peu avant, lui avait demandé quand il prendrait sa retraite, Fernand avait changé d'air. Gêné, il avait regardé sa femme puis baissé la tête, comme à son habitude. Tout bonnement, son fils, tel un escrimeur habile, avait esquivé la question.

« Pourtant, songea Pamphile, il dit qu'i roule sur l'or à l'entendre! I devrait être sur le bord de prendre sa retraite? Coudon, c'est à lui de voir. Quand les enfants partent de la maison, i peuvent quasiment pus revenir... pour longtemps, en tout cas. René pis lui, i étaient jamais revenus aussi longtemps. Même pas pour l'enterrement de leur mère... Chus chez nous icitte, pis c'est ben tannant que la bru, elle fouille dans toutes mes affaires comme une pie. On s'entend même pus penser, vingueu! »

Il coupa sec la parole à son fils, encore coincé dans la tuyauterie capricieuse du motel, pour s'adresser à Jeanne-Mance :

— T'as-ti fini, la bru, de gigoter comme une vieille poule! Le docteur a ben dit que j'avais besoin de calme pis t'arrêtes pas de faire tempête! J'ai pas besoin que tu fasses le grand barda du printemps astheure! Vingueu, que c'est tannant!

— Fernand, dis quelque chose ou je ne réponds plus de moi!

Malgré cet ordre, jamais le mari n'aurait osé répondre : il s'agissait pour elle d'une simple entrée en matière.

— Me faire traiter de vieille poule pis de tannante... La reconnaissance pis vous, ça fait deux! Après tout ce qu'on fait pour vous. René pis sa femme sont venus toute une semaine, pis nous autres tusuite après pour pas vous laisser tout seul. On vous a fait à manger, on vous a lavé votre vaisselle branlante pis votre vieux linge sale, on a nettoyé de peine et de misère cette espèce de... capharnaüm poussiéreux, on a pris soin de vous comme la prunelle de nos yeux pis c'est tout ce que vous trouvez à dire!

Se tournant vers son mari, elle ajouta, frustrée et hors d'elle :

— Moi, c'est ben de valeur, Fernand Côté, mais je continuerai pas à me faire insulter par un vieux... un vieux *pepére* sur son lit de mort! Je remettrai pus jamais les pieds icitte. Ta retraite au Lac, tu peux te la mettre où je pense, monsieur Côté fils! Pis je m'en vas dret-là si j'ai pas des excuses tusuite!

Fernand se leva et essaya de calmer sa femme. Pamphile devint triste. Il comprit que son aîné caressait des rêves que ne partageait en aucune façon sa dominante épouse. Le vieillard n'entendait pas ce qu'ils se disaient mais cela n'avait aucune importance.

Voir son fils ramper comme un ver de terre devant cette mégère lui donnait mal au cœur. Il dut admettre, avec résignation, qu'ils faisaient une bien mauvaise paire, mais une paire tout de même : elle était dure et carrée comme un marteau, rouge comme une tomate et courte comme un ballon de football. Elle menait et Fernand, en bon mouton, suivait. Elle parlait, il se taisait. Elle dépensait, il travaillait. Elle sortait, il restait à la maison. Elle insultait son beau-père, il la consolait. Il voulait revenir au Lac... mais elle saurait l'en empêcher!

Pamphile Côté n'avait aucune intention de s'excuser. Il n'avait dit que la vérité, peut-être pas bonne à prendre, mais la vérité tout de même. Une semaine d'été qu'ils avaient donnée pour quatre-vingt-dix hivers : pas vraiment de quoi se plaindre, à son avis. Il se tourna vers la fenêtre et se renferma dans un mutisme éloquent, espérant que sa bru aille au bout de ses paroles.

« I ont juste à sacrer leur camp, vingueu! Chus tanné! Patience, le père, attention à ton cœur. Pas d'émotions fortes. Après-demain, tu seras enfin chez toi comme avant... Dire que la p'tite vient même pus de peur d'être de trop. Je la comprends, avec deux énergumènes du sud comme eux autres, je ferais ben pareil, si je pouvais. À l'hôpital, elle venait tous les jours pis le notaire i venait souvent itou. Elle avait les yeux ben pétillants, la Marie... Elle serait-ti tombée en amour, coudon? I faudrait fouiner dans cette histoire-là au plus tôt, hein, le père? Ce sera toujours ben plus intéressant que de supporter la Jeanne-Mance! »

Après le repas qui s'était déroulé dans un silence amer, Pamphile leur dit que le médecin devait venir vers deux heures.

— Si i me trouve diguidou, vous avez juste à checker si vous pouvez avancer votre départ, non? Vous en avez déjà assez fait de même pis les affaires vous appellent. (Pamphile nota avec tristesse le regard de connivence échangé subtilement par le couple.) La Valérie du restaurant en face pourra m'apporter à dîner tous les jours, pis la p'tite Saint-Amour va venir m'aider et me tenir compagnie. Le notaire...

— Parlons-en de VOTRE notaire! coupa Jeanne-Mance, en furie. S'il est si fin que ça, dites-y donc de vendre votre boutique au plus sacrant, hein? I se rendrait ben plus utile que de nous faire venir de Floride pour RIEN! On veut pas être pris avec ça en héritage, nous autres, c'est-ti compris? Je parle au nom de René pis de tout le monde concerné, hein, mon Fernand? C'est de l'argent qu'on veut avoir en héritage, pas des vieilles cochonneries! C'est-ti assez clair, *pepére?*

Il n'y avait plus rien d'autre à dire. Il ne pouvait y avoir ultimatum plus clair. Pamphile se retira et alla s'étendre sur son lit. Il sanglota. Il avait horreur que sa bru l'appelle vulgairement « *pepére* ». Dans sa bouche acide, la connotation était on ne peut plus péjorative. Il pleurait parce qu'il ne comprenait pas qu'il puisse ne pas se sentir bien avec ses propres enfants, la chair de sa chair. Il ne pouvait s'empêcher de comparer sa relation avec ses fils et celle avec Marie-Ève et le notaire. Quelqu'un lui avait dit un jour une phrase que, sans l'avoir comprise sur le coup, il n'avait jamais oubliée et elle lui revenait en mémoire : « *Les amis, on les choisit. La famille, on la subit.* » Il ne la comprenait vraiment qu'aujourd'hui. C'était trop désolant, mais qu'y pouvait-il?

« Loin des yeux, loin du cœur, comme disait souvent ma Toinette. À force, la grande distance nous a sûrement éloignés les uns des autres. Encore plus dans le cœur que pour le reste. Chus sûr que c'est la dernière fois qu'on se voit. Pis c'est pas plus mal. Par contre, pour ce qui est de l'argent, je serais moins sûr qu'eux autres d'avoir juste ça en héritage... *Pepére* a pas dit son dernier mot! Une p'tite antiquité avec ça, madame Jeanne-Mance? »

Il sécha ses larmes et se leva. Il enfila une belle chemise blanche toute propre et sortit le cadeau de la Marie de son emballage. C'était l'occasion ou jamais de porter les bretelles tricolores! Il attendit le docteur en sifflotant. Son cœur, tout léger, s'était remis à battre comme celui d'un adolescent.

***

Les vitres grandes ouvertes, Marie-Ève roulait à vive allure. La fin de semaine s'avérait prometteuse. On annonçait un temps clément, sans pluie. Elle pourrait peut-être aller pique-niquer avec Trompette sur le bord du lac. Elle se sentait mieux depuis que monsieur Pamphile était définitivement tiré d'affaire.

À part son vieil ami, elle n'avait que Jean en tête, mais c'était bien ainsi. Elle préférait, pour le moment, l'avoir plus dans la tête que dans le corps. Ils ne s'étaient plus vus depuis l'attaque de Pamphile, hormis une brève rencontre à l'hôpital. Cela aussi était bien ainsi. Elle s'était promis de ne pas le déranger et d'attendre. Elle patienterait le temps qu'il faudrait. Comme Joséphine...

Ce soir de mai, la jeune femme avait agi drôlement. Après l'amour, elle avait fait semblant de s'endormir. C'est qu'elle ne savait plus. Impossible de parler d'eux sans penser à Claire. Sans inclure Claire. Comme elle n'avait aucune habitude de ce genre de liaison, n'ayant jamais participé à un triangle amoureux, elle ne savait pas si elle devait se sentir coupable ou innocente, amante ou amie, engagée ou libre, courageuse ou carrément lâche. Jean s'était habillé sans bruit, l'avait recouverte et embrassée sur le front. Il était parti sur la pointe des pieds.

Le lendemain matin, il avait téléphoné pour lui dire qu'il ne pouvait se rendre à l'hôpital comme prévu. Mais, si elle le désirait, il téléphonerait de son bureau aux fils de Pamphile, en Floride. Il n'avait fait aucune mention de la veille. Pas un mot doux. Mais une infinie douceur dans sa voix trahissait son émoi. Et cette grande tendresse avait amplement suffi à Marie-Ève. Elle n'en demandait pas plus.

Arrivée aux abords du village, elle aperçut un taxi stationné devant la boutique de l'antiquaire. Pendant un instant, elle eut peur. Très vite, elle se rendit compte que le fils de Pamphile descendait l'escalier avec des bagages à la main. Sa femme le suivait, l'air maussade et boudeur, en souliers à talons hauts, un chapeau informe sur la tête. Cette femme acariâtre, avait-elle pu remarquer, semblait vouloir se grandir à tout prix, par le bas comme par le haut! En soupirant, Marie-Ève se demanda si elle s'occuperait un jour du centre, là où le cœur prend place...

Le couple s'engouffra dans le taxi comme s'il se sauvait, sans un regard en arrière. Marie-Ève ne fit ni une ni deux. Elle stationna sa voiture devant le magasin et, à toute vitesse, monta les marches qui menaient à l'appartement de son ami.

— Ah! monsieur Pamphile. Je viens d'apercevoir

Fernand et sa femme qui partaient en taxi. Je vous retrouve enfin! Vous avez l'air vraiment bien. Mais... vous portez mon cadeau! En quel honneur, s'il vous plaît?

— En l'honneur de ma libération conditionnelle, ma p'tite! (Ils rirent de bon cœur à cette remarque.) Ouf! tu m'as ben manqué pis les bons p'tits plats de Stéphane itou!

— Attention! Rappelez-vous ce qu'a dit le médecin...

— Écoute ben, Marie-Ève. Si le docteur avait dû manger ce que la Jeanne-Mance concocte, i serait mort pis i pourrait même pus donner des conseils à personne. Tu veux-ti me faire un gros plaisir? Tu pourrais demander à Stéphane de nous cuisiner un bon p'tit souper pis on le prendrait icitte, en tête-à-tête! Pas de vin, c'est promis. Si t'as pas de rendez-vous galant... ben entendu?

— J'ai pas de rendez-vous... voyons donc! Qu'est-ce que vous allez chercher là? Où voulez-vous en venir avec votre air fouineur?

— Ça fait une escousse que je trouve que t'as les yeux ben pétillants. Depuis mon attaque, pour dire le vrai. I brillent tout le temps, vingueu, même astheure! Tu te vois pas ou quoi? T'as-ti besoin que je te vende un miroir antique... qui te donnerait l'heure juste, coudon? T'es pus tout à fait comme avant. T'aurais-ti un beau prétendant, ma p'tite fille? Je serais tellement content pour toi. Quand est-ce que tu vas me le présenter? À moins que je soye trop « *pepére* » comme dit la Jeanne-Mance...

Prise de court, Marie-Ève ne sut que répondre. Jamais elle n'avait songé que sa physionomie parlait autant pour elle! Elle prit le bras de Pamphile et ils allèrent s'asseoir au salon. Elle réconforta le vieil homme qui, semblait-il, avait souffert des flèches acides lancées par sa bru en talons aiguilles. Puis, ne voulant d'aucune manière être la cause d'une autre défaillance de son ami, elle ajouta pour le satisfaire :

— Je n'ai pas de prétendant comme vous dites... Enfin, rien d'officiel. C'est vrai, je suis amoureuse mais... mais je ne peux pas vous en dire plus pour tout de suite. C'est pas l'envie qui me manque, vous êtes mon meilleur ami, monsieur Pamphile.

Sur ce, sans qu'elle s'y attende, elle se mit à sangloter et se cacha le visage avec ses mains comme si elle tentait de cacher un secret.

Tout à coup, Pamphile se revit sur le lit d'hôpital. Une fois, se souvint-il, le notaire et Marie-Ève étaient arrivés presque en même temps. Et Pamphile avait trouvé qu'il se passait quelque chose d'étrange entre eux. « Un courant électrique. » C'est exactement l'image qu'il avait eue alors. Et le soir de son anniversaire, n'y avait-il pas eu une atmosphère particulière autour d'eux, les gardant dans un cocon lumineux, à part des autres?

— Vingueu! je comprends pourquoi que tu pleures! C'est le notaire, c'est lui : Jean, Jean Huot! (Marie-Ève se mit à pleurer plus fort, lui confirmant ainsi qu'il avait vu juste.) Ma p'tite Marie, on pleure pas quand on est amoureuse! Que c'est que je peux te dire pour te consoler? Avez-vous, avez-vous...? Pis non, réponds-moi pas, c'est pas de mes affaires, pantoute. Ma belle enfant, pleure pas de même!

« Écoute-moi plutôt. J'ai jamais eu à vivre un amour... Enfin, j'ai jamais eu à aimer quelqu'un d'autre que ma Toinette, de son vivant, je veux dire. Mais je te juge pas pantoute parce que l'amour, je le sais ben, ça se commande pas. Tu sais quoi? Je pense que j'ai ben plus de plaisir à me trouver avec toi qu'avec mes gars. Je voudrais pas ça pour rien au monde, mais c'est de même, pis pas autrement. Je peux pas me sentir coupable de ça quand même!

« Tu sais, je peux comprendre Jean Huot. Il a tout donné, il a tout fait ce qu'il a pu pour sa Claire. Ça, personne peut en douter une seconde. On l'a tous ben vu. Mais elle est à l'hôpital, endormie depuis des mois, quasiment partie. C'est un homme, pis un homme dans la force de l'âge, un homme... charmant, c'est comme ça qu'on dit, non? Pis, de ton bord, t'es pas mal belle pis fine pis libre à part de ça... Depuis trois ans qu'il a pour ainsi dire pus eu de vie, pus de relations... Coudon. »

Quelque peu mal à l'aise par les images que son propos suggérait – et qui défilaient effrontément dans sa tête –, Pamphile toussa légèrement et prit quelques secondes avant de continuer.

— Aie pas peur, Marie-Ève, j'en soufflerai mot à personne, je te le jure sur ma Toinette. Mais fais ben attention, tout de même. Parce que Claire, c'est la p'tite-fille de Josépha Bouchard. Pis si le monde s'est mis à aller chez le notaire Huot, au début en tout cas, c'est uniquement parce qu'il est de la famille à Josépha, qui, lui, est ben respecté au Lac. Ben respecté!

« Ça prendrait pas grand-chose pour tout faire tomber sa clientèle à terre. Ce serait ben de valeur parce qu'il a trimé dur, le p'tit notaire. Je te dis ça, comme ça, pour lui, tu me comprends? Chus là pour t'aider pis pour te réconforter du mieux que je peux. T'écouter aussi quand t'as besoin de parler. Si t'avais pas été là, à l'hôpital, je crois ben que je me serais laissé partir... Coudon, t'as pas faim? Ça fait qu'on peut-ti souper ensemble, ma belle?

— Bien sûr que oui, répondit Marie-Ève en séchant ses larmes. Ah! que je vous aime donc. Je vais de ce pas commander le repas et, si vous permettez, je vais passer chez moi me rafraîchir et chercher Trompette. Je pense qu'il a très hâte de vous voir. Ça va me prendre une petite heure, pas plus, O.K.?

Le cœur léger d'avoir partagé son secret, Marie-Ève descendit les marches deux à deux. Elle se rendit à L'Escalier pour passer la commande. Le jeune couple semblait en grande forme et insista pour offrir le repas. Valérie demanda à Marie-Ève de dire à l'antiquaire qu'il leur manquait beaucoup et que, sans lui, L'Escalier avait bien perdu de son prestige. Stéphane, quant à lui, espérait voir son client le plus fidèle dès demain, à midi pile!

La jeune femme les laissa quelques instants, le temps d'aller prendre une douche et chercher Trompette. Heureuse et soulagée, l'esprit à la réjouissance, elle fit toute une fête à son petit chien. Ne se posant plus de questions existentielles sur les humeurs des hommes, Trompette, en bon philosophe, accepta volontiers toutes ces extravagantes marques d'affection. Elles devraient mener, si son jugement était bon, vers quelque chose d'intéressant.

En sortant de la douche, contre toute attente, sa maîtresse vint directement s'asseoir au secrétaire. Elle ouvrit le tiroir portant le numéro cinq. Trompette, aux anges, vint se blottir à ses pieds.

Le 15 juin 1921

Ma tendre amie,

Plus que tout, et avant tout, notre amitié sera toujours le lien le plus puissant et le plus important à mes yeux. Car, vois-tu, ma douce et belle Joséphine, c'est d'abord ce sentiment entre nous qui m'a sauvé du désespoir, éclairant ma route. L'amitié, rien d'autre. Et cela, quiconque ne pourra jamais le savoir autant que moi, à moins de l'avoir vécu lui-même. C'est pourquoi j'aimerais arriver à enlever de ton cœur ce sentiment de culpabilité. Évidemment, le jugement des hommes envers notre liaison serait tranchant, méprisant et intrai-

table. Je pense sincèrement que celui de Dieu – qui sait tout – est différent.

Tu me disais que tu aimerais tant partager ce sentiment que tu éprouves avec ceux qui t'entourent. Je te comprends. Mais ai-je besoin de te dire que si cela devait arriver, ta confiance envers celui ou celle qui recevrait tes confidences doit être infaillible?

Marie-Jeanne est très malade depuis longtemps et mourante à ce jour. Je ne cherche pas, en disant cela, à me disculper. C'est un fait incontournable. Toute longue et grave maladie affecte non seulement le malade mais aussi tous ceux qui l'entourent. Il me semble être bien placé pour le savoir. J'ai aimé et aimerai toujours mon épouse. Incontestablement, cet amour s'est transformé au fil des dernières années. Il est devenu respect, dévouement, compassion, abnégation.

Le sentiment que j'éprouve pour toi s'apparente plus à l'amour partage, l'amour passion, l'amour vie. Celui qui fait avancer et qui élève ensemble vers la lumière. Celui-là se conjugue au temps présent. On ne peut comparer ces deux états qui ne sont, à mes yeux, pas incompatibles. D'ailleurs, rien ne se compare, tout étant unique.

Il faut être réaliste. Au début, pendant longtemps, chacun me demandait de ses nouvelles, pratiquement tous les jours. Puis, ce fut réduit à quelques fois. Maintenant, presque plus personne ne s'enquiert de son état. S'il en est, c'est plus souvent par politesse envers moi que par compassion envers elle. Même sa famille, qui vient la voir pourtant régulièrement, est beaucoup moins affectée qu'au début. L'homme est ainsi fait, ce qui dure trop longtemps finit par le désintéresser, même la très lente agonie d'un autre. Pour lui dont la vie est mouvement, cette réaction est humaine et compréhensible. Seule la mort, ou la très grande maladie qui la précède, est interruption. C'est pourquoi l'homme debout finit par s'éloigner de ce sentier inconnu. Par peur? Par impuissance? Par lâcheté? Par affaiblissement? Qu'importe.

Dans le cœur de plusieurs gens, ma femme est partie. Elle l'est d'une certaine manière, seule dans un monde où nul ne peut la rejoindre. On dit que le temps arrange tout mais il fait aussi oublier, même ce qui est parfois encore bien présent...

Je te reverrai. Telle n'est pas ma décision, c'est une certitude. Tu me manques trop. En même temps, je m'inquiète pour toi. On dirait que tu ne tiens aucun compte de ta personne dans cette histoire. Je ne peux, en aucune façon, te promettre quoi que ce soit. Tu es jeune et belle et je suis en train de compromettre tout ton avenir pour passer quelques instants avec toi. Je ne peux, hélas, que t'offrir ces lettres et, peut-être, de brèves rencontres interdites et dangereuses.

Dans la fougue de ta pétillante jeunesse, tu ne sembles pas prendre conscience de l'impact que cette liaison peut avoir sur ta vie à venir. Ou refuserais-tu d'y réfléchir? Évalue bien le poids de cette situation contraignante et toutes les conséquences qui pourraient en découler. Le jour où tu décideras de mettre fin à notre... notre correspondance, cette fois, je m'y plierai, sans retour.

Ton bien-aimé Marc

Quand Marie-Ève ressortit de chez elle, Trompette à ses trousses, juste au moment de traverser la rue et de monter la côte qui menait au bistro, elle remarqua la voiture de Jean qui ralentissait. Il s'arrêta juste à sa hauteur.

— Bonjour, Marie. Tu as l'air en forme! Où cours-tu comme ça? Rien de grave cette fois? dit-il en plaisantant. J'espère bien!

Elle lui expliqua brièvement son rendez-vous galant avec... monsieur Pamphile.

À ces mots, Jean sourit. Il y avait tellement de tendresse dans ce sourire que Marie-Ève se sentit fondre. Avant toute chose, elle aimait la tendresse chez cet homme.

— Son fils ne devait pas partir que dimanche?

— Le docteur l'a trouvé assez bien pour qu'il reste seul. Et je crois que c'était pas tous les jours rose avec son fils, mais surtout avec la Jeanne-Mance, comme il dit si bien. Valérie et Stéphane sont tout près et je ne suis pas bien loin non plus...

— Marie, dis, j'ai... tu... Je dois me rendre à la maison de Joséphine Frigon demain après-midi...

— Tiens, justement, excuse-moi de te couper, on a pas eu l'occasion d'en parler. Il n'y avait même pas de panneau « À vendre » l'autre fois, tu sais le mois dernier et cela m'a étonnée. Elle n'est pas encore vendue, sa maison?

— Non, je ne l'ai pas encore mise en vente. Pamphile n'a pas réussi à se débarrasser de tous les meubles. Il y en avait trop, de la cave au grenier, paraît-il! L'automne dernier, il m'avait demandé d'attendre jusqu'au printemps vu qu'il n'avait pas de place pour tout mettre dans sa boutique. Il avait l'intention de vendre les meubles à l'encan en mai. Avec ce qui lui est arrivé, j'ai tout simplement remis la vente de la maison à plus tard.

« Pamphile m'a dit que si je voulais aller voir au cas où je trouverais quelque chose d'intéressant, il fallait pas hésiter. Je n'avais qu'à prendre ce qui m'intéresse et on s'arrangerait plus tard. Veux-tu... venir avec moi, Marie? Peut-être que, toi aussi, tu trouverais des objets ou même des meubles...

— Je sais pas trop... Jean. Laisse-moi y penser. Quoi qu'il en soit, si je décide de venir, je peux te rejoindre là-bas, non? Dans l'après-midi, c'est ça? O.K. Excuse-moi mais je dois vraiment y aller. Le repas doit être prêt et Pamphile avait déjà faim il y a une heure. Je te laisse. Alors... à bientôt, peut-être.

— À demain, j'espère. Bonsoir, Marie.

Et il repartit. Il n'y avait que lui pour prononcer son nom de cette manière. Le fait de le revoir et de lui parler la chavira. Elle se sentit dans un bateau pris au creux d'une tourmente. Juste à penser à ce qui pourrait se passer entre eux, elle se mit à frissonner.

« Peut-être serait-il plus prudent et surtout plus sage de ne pas y aller? Mais, peut-être aussi que je trouverais des réponses à mes questions. Si Jean savait pour les lettres... je ne sais pas ce qu'il en penserait! »

Marie-Ève ramassa vite les repas et remercia les hôteliers pour leur gentillesse. Malgré son insistance, ils refusèrent de se faire payer.

— Ah! te voilà. Je pensais que t'avais viré ton capot de bord, fillon. Pis je me suis dit à moi-même : « C'est pas possible, le père : elle avait pas de capot! » lança Pamphile en riant de bon cœur. Vingueu! que ça sent bon. On va se régaler.

Et, bien sûr, ils se régalèrent. Après le repas – sans vin ni café – Marie-Ève eut soudain envie de parler du contenu du secrétaire à Pamphile. Puisqu'il était au courant de sa liaison avec le notaire, mieux valait qu'il soit au courant de tout le reste. Lentement, elle lui parla des lettres, mentionnant qu'elle ne les avait pas encore toutes lues. Elle lui fit part aussi des coïncidences troublantes qui entouraient chaque fois la lecture des missives et ses rencontres avec Jean. Puis, elle confia son inquiétude quand Pamphile lui avait dit que le docteur Provencher avait disparu. Toutes ces confidences la libérèrent plus qu'elle n'aurait pu imaginer!

— Ben! pour une histoire, c'est toute une histoire, fillon! Si je t'ai demandé souvent ce qu'il y avait dans le secrétaire, c'est que j'avais vraiment peur de la nergie, tu sais celle dont tu m'as parlé une fois, au magasin. Comme la Fine était restée vieille fille, je voulais pas que ça t'arrive à toi itou.

« Jamais je me suis douté une minute que Joséphine avait eu une liaison avec le docteur Provencher! Elle m'en a jamais soufflé mot pendant toutes ces années! Tiens, maintenant que je me rappelle, elle m'a dit une fois que, quelque temps avant la mort de son pauvre père, elle était allée passer une année chez sa tante maternelle, dans le bas du fleuve : la Zoé, qu'elle s'appelait. C'était la seule fois de sa vie qu'elle a quitté son cher Lac. Elle devait avoir dans les vingt-deux, vingt-trois ans... Était allée pour aider sa tante à se remonter de ses couches, qu'elle m'a dit.

« Penses-tu que ça a un rapport? Elle a dû vouloir s'éloigner un brin. Dans ce temps-là, tu sais, c'était pas comme de nos jours. Si quelqu'un avait su, elle était perdue, la pauvre enfant, pis carrément bannie, c'est moi qui te le dis. Le docteur, i devait ben avoir une quinzaine d'années de plus qu'elle? Ça alors! En effet, tu seras peut-être bien la seule au monde à connaître la fin de son histoire...

« Coudon, toi, t'as les lettres que le docteur a écrites à la Fine, c'est ben ça, hein? Mais les autres, celles de Joséphine, où c'est ben qu'elles pourraient être?

— Je n'en sais rien, monsieur Pamphile. Sûrement disparues avec le docteur...

Ces paroles définitives eurent pour effet de neutraliser la mémoire de l'antiquaire. La vente du « mastodonte » demeura dans l'oubli.

***

En sueur, Jean Huot s'activait au grenier. Dans les combles de la vieille maison de Joséphine Frigon, l'été battait son plein. La chaleur, plutôt suffocante, devait atteindre les trente degrés. Le notaire tentait tant bien que mal de se frayer un chemin à travers les centaines de toiles d'araignée. Les vieilles planches craquaient lamentablement sous ses pieds, le forçant à se demander constamment s'il était en sécurité. Il enleva sa chemise trempée et décida, malgré la faiblesse apparente du plancher, de continuer l'inventaire.

Le notaire était loin de chercher les lettres du docteur Provencher. Dans son esprit, une évidence s'était imposée dès le début : Joséphine Frigon les avait détruites. Jean en était venu à cette conclusion étant donné l'âge et la situation familiale de Joséphine : elle n'avait que vingt ans, elle vivait avec ses parents. Étant donné les contraintes religieuses de l'époque, la jeune femme ne pouvait absolument pas se permettre que ces lettres se retrouvent dans des mains étrangères.

Jamais il ne vint à l'idée de Jean Huot que Joséphine eût pu, contre toute attente, conserver ces lettres compromettantes. Encore moins dans le secrétaire qui appartenait maintenant à Marie-Ève Saint-Amour! Jamais cette possibilité n'eut la moindre chance de lui effleurer l'esprit, surtout préoccupé par Claire depuis des mois et bien trop absorbé par Marie aujourd'hui. Non, Jean Huot, en bon connaisseur, cherchait tout simplement l'objet rare, le meuble exceptionnel.

Le grenier contenait surtout des malles remplies de vieux vêtements. Il y avait aussi des poupées anciennes en porcelaine d'une très grande beauté, des couvertures, des courtepointes, des batteries et ustensiles de cuisine. Quelques chaises branlantes, un banc de table en pin, une huche à pain rustique, un banc à seaux, un dévidoir et un rouet s'entassaient pêle-mêle dans un coin. Des cadres, surtout religieux, tous de guingois, pendaient bizarrement sur les murs défraîchis. « Pamphile n'aura certainement pas assez d'une seule autre vente pour libérer la maison de ses biens. Il faudra songer à entreposer les meubles et les objets divers pour un temps... » songea-t-il.

Jean, qui demeurait aux aguets, en attente d'elle, entendit une voiture se garer dans la cour arrière. Marie-Ève était venue. Comme un adolescent, son cœur se mit à battre la chamade. Sa tête commença à bourdonner et ses lunettes s'embuèrent de telle sorte qu'il n'entendit ni ne vit plus rien pendant plusieurs secondes. Quand il eut nettoyé ses verres et les eut replacés sur son nez, elle était là, devant lui. Belle à mourir d'amour.

Le notaire était persuadé que Marie-Ève n'était pas consciente de sa très grande beauté. Ce n'était pas une beauté plastique du genre couverture de revues de mode. Il ne s'agissait pas non plus d'une beauté fatale du style des actrices de cinéma. Encore moins d'une beauté fabriquée de toutes pièces par le maquillage. Rien à voir avec tout cela.

Marie-Ève Saint-Amour possédait franchement la beauté des fleurs sauvages, exhalant innocemment leur parfum, annonçant timidement leur plein épanouissement. Elle était belle d'amour, belle de nuit, belle de jour. Belle des saisons. Elle était tout simplement belle... d'elle.

Sans même savoir comment, ils se retrouvèrent enlacés et prisonniers l'un de l'autre, étendus sur les vieilles planches râpeuses. La jeune femme lécha avidement le sel que dégageait le corps svelte de son amant fou. Ses ongles pénétraient doucement la chair... sans faire mal, juste pour prendre, pour posséder, pour aimer. D'une main experte, Jean déshabilla lentement sa divine maîtresse comme s'il effeuillait une marguerite, laissant l'autre main libre de parcourir les courbes excitantes et voluptueuses de son corps blanc et pur.

La saison des amours battit son plein tout là-haut, dans la chaleur écrasante du grenier poussiéreux et endormi. Leur extase fut sans frontière, leur orgasme sans pudeur. Une heure d'amour qui deviendrait un souvenir de vie pour l'éternité.

— Je pensais que tu ne viendrais peut-être pas...

— Je ne voulais pas au début. Ensuite, j'ai hésité, car j'ai pensé que ce n'était pas... correct. Et puis, comme l'autre fois, tu sais quand je devais décider de rester ou non au Lac, j'ai... Jean, c'est le temps de parler de quelque chose d'important!

Le notaire se méprit et crut que Marie-Ève voulait parler de leur liaison et aussi de Claire. Il répondit :

– Pas tout de suite, je t'en prie. J'ai juste envie d'être avec toi, maintenant. On parlera tout à l'heure. Je te le promets. Si tu veux, on ira manger un morceau au restaurant...

— Mais tu n'y penses pas! s'exclama Marie-Ève, ahurie. Mais Jean, tu ne te rends pas compte, tout le monde nous connaît au village. Tout le monde s'apercevrait... (Elle songea brièvement que, si l'antiquaire avait été en mesure de lire en elle, d'autres aussi pouvaient fort bien y arriver...) Quand un homme et une femme viennent de faire l'amour, il y a comme une aura qui les entoure. Leurs regards, l'odeur de leurs corps, leurs gestes intimes, le courant qui passe entre eux. Tout parle d'amour sans même qu'ils aient à ouvrir la bouche!

— On ira ailleurs, à Roberval!

— Mais là aussi, les gens te connaissent. Et le docteur qui a soigné monsieur Pamphile? Vous vous connaissiez bien, il me semble.

— Chez toi? Pourquoi pas?

— Ma parole, t'es pas conscient! Je vois d'ici la voiture du notaire stationnée devant l'appartement de l'informaticienne. Et j'entends les placotages et les ragots malveillants. Il faut penser à toi et à Claire. Moi, je n'ai pas de réputation à protéger. Malgré que, honnêtement, je n'ai pas envie de passer pour une voleuse de mari ou une pas bonne. Je n'ai pas pris la décision de rester au Lac pour faire des vagues, Jean. Jean! Tu m'écoutes?

— Évidemment que je t'écoute. Tu as raison. Prenons un jour à la fois, Marie, un jour à la fois. « *Demain sera un autre jour* »... non? Je n'ai jamais fui devant mes responsabilités. Si on allait visiter le reste de la maison de Joséphine? Peut-être qu'on pourra en découvrir un peu plus sur elle et sur...

— Pourquoi veux-tu découvrir quelque chose sur Joséphine Frigon? demanda Marie-Ève en lui coupant la parole, surprise.

— Ben... pour toi, voyons! C'est bien toi qui m'as posé des questions à son sujet quand on est allés à Montréal, non? C'est toi qui as hérité du secrétaire.

— C'est vrai, tu as raison. T'as trouvé quelque chose d'intéressant dans le grenier, cher notaire ?

— Oh oui! Que si... Toi, ma fleur sauvage!

Était-ce l'ambiance feutrée du grenier, la chaleur excessive, l'excitation de se retrouver nus l'un devant l'autre qui les soudèrent ensemble à nouveau? Était-ce dû au fait que tous les deux étaient en manque depuis des mois? Était-ce à cause de leur état émotif perturbé et précaire? Les deux amants se laissèrent emporter par un torrent de volupté, de jouissance et d'amour, leur sensualité à fleur de peau, à fleur de vie. Par cette exaltation et cette fougue amoureuse, ils avaient trouvé un moyen de conjurer l'impuissance et aussi l'incertitude qui habitaient leurs deux cœurs.

Ensuite, une fois leurs corps assouvis, ils se rhabillèrent et décidèrent qu'il était temps de faire le tour de la maison. La demeure avait changé d'aspect depuis la fois où Marie-Ève était venue avec Pamphile. La plupart des meubles avaient disparu, dont les chaises berçantes et le magnifique buffet à deux corps, laissant les pièces impudiquement dévêtues. Marie-Ève remarqua, pêle-mêle sur le comptoir, les pots de miel, timides survivants des enchères passées. Elle demanda à Jean si elle pouvait les prendre. Il lui répondit que Pamphile n'y verrait certainement pas d'objection. Elle ramassa aussi un cadre de Joséphine.

Mais, ce qu'elle cherchait, elle ne le trouva point. Le médaillon restait introuvable. Jean descendit à la cave mais remonta aussitôt. Il n'y avait repéré que des outils et des vêtements de jardinage, des vases en terre cuite, des pots de confiture et plusieurs conserves. Il se dirigea alors vers la chambre de Joséphine dont la porte était encore fermée. Une fois à l'intérieur, il pria Marie-Ève de venir immédiatement.

— Regarde! Rien n'a été vendu ici! Tout semble être resté tel que Joséphine l'avait laissé... Ça, c'est Pamphile. Il n'aura pas voulu pénétrer son intimité. Quel homme délicat et respectueux! Mon Dieu! Marie! Regarde l'armoire! Elle est splendide. J'ai rarement vu une telle pièce...

L'imposante armoire avait deux vantaux et huit caissons chantournés. Le corps était d'un beau gris bleu pendant que les bâtis de porte, ainsi que la corniche, affichaient un beige crème ancien. Un magnifique brun rouille conférait aux caissons chantournés de ce meuble de maison rurale du XVIIIe siècle une touche unique. Marie-Ève était en mesure d'apprécier la pièce. En effet, le meuble était exceptionnel.

— Penses-tu que monsieur Pamphile veuille le vendre? Peut-être désire-t-il le garder pour lui...

— On verra bien. Je ne peux que lui demander. Mais je n'insisterai pas le moins du monde si je sens une quelconque hésitation. Dis, Marie, j'ai mon téléphone cellulaire dans la voiture. Si j'appelais et qu'on se faisait livrer un petit quelque chose à manger? Il n'y a pas de voisins aux alentours et ton auto est stationnée derrière. On pourrait rester tranquillement ici et parler à cœur ouvert. Il me semble que c'est l'endroit idéal.

Une fois Jean sorti de la chambre, Marie-Ève en fit le tour et ouvrit les tiroirs de l'unique commode et des tables de chevet. Une odeur particulière et insistante s'en dégageait. Dans chacun, la Fine avait déposé des brins séchés de mélilot blanc. La jeune femme en prit un. Point de médaillon.

Mais, une agréable surprise l'attendait. Coincé entre la table de chevet et le mur, reposaient le gramophone de Joséphine ainsi que de vieux disques. Il était clair que l'antiquaire n'avait pu se résoudre à vendre l'objet précieux qui avait si bien tenu compagnie à son amie, au fil de ces longues années. En fredonnant « *n'oublie jamais le jour où l'on s'est connus...* », Marie-Ève retourna rejoindre Jean qui l'attendait au salon. Il avait allumé une cigarette dont le bout incandescent brillait dans la pénombre naissante. Il paraissait très calme.

C'est lui qui se mit à parler en premier. Étrangement, aux oreilles de Marie-Ève, les mots qu'il prononçait lui étaient familiers. Les préoccupations et les sentiments aussi. Il n'y avait que les noms et les circonstances qui changeaient.

Claire était endormie et personne ne pouvait dire quand, comment et si elle se réveillerait. Claire, tout comme Marie-Jeanne l'avait été, commençait à être oubliée des hommes debout. La jeune femme amoureuse ne put mettre en doute la sincérité et le désarroi de son amant. Il ne pouvait lui faire aucune promesse. Il accompagnerait son épouse jusqu'à la fin avec respect, dévouement et abnégation. Elle songea que l'âme du monde se retrouvait partout, habitant même ce lieu désert et secret.

Les amants échangèrent jusqu'à la nuit tombante. Main dans la main. Marie-Ève, totalement absorbée par le temps présent, oublia de parler des lettres du passé.

VI

Pamphile Côté avait besoin de conseils : qui de mieux que le notaire Huot pour lui venir en aide! En homme du monde, le vieux Pamphile était capable de passer outre certaines considérations, d'autant plus que, normalement, il ne devait pas être au courant de la vie privée de Jean Huot. Dès demain, il prendrait rendez-vous.

Le temps était lourd d'un calme avant tempête. Un orage allait éclater d'un instant à l'autre. De gros éclairs sillonnaient le ciel de plus en plus noir. Pamphile remarqua qu'il y avait non pas une mais deux masses nuageuses distinctes, la première venant du sud, l'autre du nord. Ce phénomène était plutôt rare. Habituellement, la chaîne des Laurentides était en mesure de contenir les grandes poussées tempêtueuses qui arrivaient du sud. La région du Lac avait toujours appartenu au seul temps de l'ouest et du nord. À son avis, ce nouveau mariage n'augurait rien de bon.

L'antiquaire, s'ennuyant à l'appartement, avait ressenti le besoin de descendre au magasin. Dans un geste familier, il avait retourné l'écriteau sur la porte. « Ouvert. » Ce simple mot avait suffi à le remettre de bonne humeur.

Après toutes ces semaines d'ennui, quelle ne fut pas sa surprise – et sa joie – d'entendre la clochette tinter! Le notaire Huot entra en coup de vent, les lunettes à la main, les cheveux en broussaille. Des grêlons, gros comme des balles de golf, s'étaient mis à tomber d'un ciel en folie.

— Bonjour, monsieur Côté! Ça fait plaisir de vous voir en forme. Quand j'ai vu votre écriteau « Ouvert », j'ai pensé qu'il valait mieux m'arrêter. Le vent souffle si fort que j'avais du mal à contrôler ma voiture. Regardez-moi ce temps! Incroyable, où est-ce qu'on s'en va? En plein juillet, ce n'est pas possible.

— Bonjour, notaire! Vous avez bien fait de vous arrêter. Vous avez ben raison. Moi, j'ai jamais vu ça de mon jeune temps. Voilà que c'est la pluie astheure. Pis elle tombe, vingueu! C'est pus de la pluie, c'est un déluge! On serait peut-être mieux de monter à l'appartement en haut. Ça vous dirait-ti de prendre un p'tit café avec moi, notaire? J'en profiterais pour vous demander conseil. Je pensais justement à prendre rendez-vous, mais comme je peux pas encore trop me déplacer, pis que le hasard vous a fait rentrer dans ma boutique!

— Avec plaisir, Pamphile. Avec grand plaisir!

Le temps de monter l'escalier, les deux hommes se retrouvèrent complètement trempés. Pamphile alla chercher des serviettes et ils purent se sécher un peu. Ensuite, l'antiquaire mit la cafetière en marche. Quelques instants après, le café chaud les réconforta.

— Alors, monsieur Côté, que puis-je faire pour vous?

— Ben! c'est un peu compliqué mon affaire. I faut que... je vende ma boutique!

— Vendre votre commerce! s'exclama le notaire, ahuri, qui n'en croyait pas ses oreilles. Vous n'y pensez pas! C'est une affaire de famille... votre père, votre grand-père! Ce serait... vraiment dommage. Excusez-moi. Je n'aurais pas dû. Cela ne me regarde pas...

— Non, non, vous excusez pas, notaire. Vous avez raison. C'est pas que je veux vendre, vous comprenez, mais vu mon état astheure, chus pus ben capable de tenir boutique toute la journée. Pis... j'ai pas trop le choix. Mes garçons... non, c'est plutôt la bru, la Jeanne-Mance. Elle m'a ben fait comprendre que c'est de l'argent qu'i veulent en héritage, pas des vieilles co-chonneries : c'est exactement ses paroles, notaire.

— Monsieur Côté, tout ce que je peux dire est que je vois ces situations douloureuses à longueur de jour-née. Ne vous sentez pas dans l'obligation de répondre à toutes leurs attentes. Vous avez travaillé toute votre vie et mis toutes vos énergies dans cette entreprise fami-liale. Vous l'avez sauvegardée contre vents et marées. Tout seul. Vous devez prendre votre décision sans être influencé par quiconque. Pour le moment, en prenant le temps d'y réfléchir, il y a une chose que vous pouvez faire. Pourquoi ne pas ouvrir seulement les après-midi? J'imagine que les matins sont calmes. Vous pourriez vous reposer, aller faire une marche, manger à L'Esca-lier... et vous ouvrez, disons, de deux à six heures? Je suis certain que quatre heures par jour dans votre bou-tique ne peuvent vous faire de mal. Au contraire! Vous seriez en... préretraite, en quelque sorte.

— Vingueu! Comment ça se fait que j'avais jamais pensé à ça. Chus tellement habitué depuis soixante ans dans la même routine. C'est une saprée de bonne idée. Je vas suivre votre conseil pour astheure pis je vas réfléchir entre-temps, comme vous dites. Y a autre chose...

— Oui. Je vous écoute.

— C'est au sujet de la maison à... Joséphine Frigon. Je veux m'en porter acquéreur.

— Ma foi! c'est la journée des revirements. Et puis-je vous demander pourquoi, à votre âge, vous voulez acheter cette vieille maison? Sa valeur actuelle n'est pas élevée mais, la connaissant bien, vous devez savoir qu'elle aura besoin de beaucoup de réparations et d'entretien. Ce sont de gros frais en perspective. Y avez-vous bien songé, monsieur Côté?

— C'est pas pour moi! Je vas faire faire les travaux à la couverture pour pas qu'il y ait de l'eau qui rentre.

Ça, c'est le plus pressé, d'après ce que j'ai pu voir. Le reste pourra attendre... sa future propriétaire. Je veux acheter la maison pis la mettre sur mon testament. Est pour... la p'tite.

— La petite... Vous parlez de... Marie-Ève Saint-Amour?

— En plein ça, notaire! Le bon Dieu me l'a envoyée pour la fille qu'on a pas eue, ma Toinette pis moi. Si vous saviez tout ce que cette enfant-là a fait pour moi. Sa gentillesse pis sa délicatesse envers moi ont pas de limite. Si vous saviez aussi sa patience quand je vogue sur la Ternette. Ses bons soins quand j'ai été malade... Ses visites régulières à l'hôpital pis icitte... Sans vouloir me jeter des fleurs, je crois ben qu'elle m'aime comme un père, ben! un grand-père, disons...

Pamphile, ému et troublé, se racla la gorge et essuya furtivement une larme qui perçait au coin de l'œil. Jean comprit à quel point le vieillard était attaché à Marie-Ève Saint-Amour. Il était sûrement le mieux placé pour en comprendre les raisons... Le notaire attendit patiemment que l'antiquaire poursuive son explication.

— Pis, tout ça doit être récompensé à sa juste valeur. Si elle en veut pas, elle aura juste à la vendre. La maison, en tant qu'antiquité, aura peut-être ben pris de la valeur d'icitte à ce temps-là...

« Le seul problème, voyez-vous, notaire, c'est la bru, la Jeanne-Mance. Elle me fait ben peur. Elle a tout un caractère du diable pis j'ai crainte que la p'tite, elle ait ben du trouble avec ça. L'autre va y faire ben des misères, ben des misères, pis je veux pas ça pantoute. Quand on fait un testament, y a-ti des manières à ce qu'un legs reste... secret en quelque sorte? Vous voyez-ti ce que je veux dire, notaire?

— Pas que je sache, monsieur Côté. En cas de décès, tous les héritiers sont officiellement convoqués pour la lecture du testament. Cette maison sera enregistrée à votre nom et devra apparaître dans vos biens. Vous êtes en droit, Pamphile, de léguer vos biens à qui vous voulez. C'est certain que, dans le cas qui nous préoccupe ici, cela pourrait amener de grandes... controverses étant donné que mademoiselle Saint-Amour n'a pas de lien filial avec vous. On pourrait avancer et même alléguer qu'elle s'est arrangée pour profiter de vous, vous manipuler pour se faire coucher sur votre testament. Cela s'est déjà vu, malheureusement. Nous savons fort bien, tous les deux, que ce n'est pas le cas ici.

« Vous pouvez acheter la maison, comme vous le souhaitez, au prix du marché évidemment. Pour le moment, vous n'avez qu'à l'offrir en location à Marie-Ève. Je sais qu'elle commence à trouver son appartement bien petit... Enfin, si je me souviens bien, c'est ce qu'elle m'a laissé entendre quand nous conversions le soir de votre anniversaire. Et, la seule chose à faire serait de lui vendre de votre vivant, au prix que vous jugerez bon. Ainsi, à votre décès, cette maison n'apparaîtrait plus comme faisant partie de vos biens. Malgré tout, c'est une somme importante à débourser et vos fils pourraient avoir des doutes sur le manque...

— Jamais de la vie! s'écria Pamphile en coupant la parole au notaire. I ont aucune idée de ce que j'ai pu accumuler au fil des hivers. Par chance d'ailleurs, si la Jeanne-Mance savait ça, elle se serait arrangée pour que j'aie une autre infractus pendant qu'i étaient là. Je vous le jure sur ma Toinette! Est ben gros à l'argent... Dans quelques années, le trou va ben assez se remplir, inquiétez-vous pas, notaire.

« Heureusement pour moi, voyez-vous, i s'intéressent pas aux antiquités! Pour eux autres, c'est des vieilleries sans valeur. I sont pris avec leur motel à Lôdâle depuis des années pis i connaissent rien, rien pantoute. Pour eux autres, je vous le répète, notaire, tout ce qu'il y a de valable, c'est l'immeuble icitte. I veulent que je le vide de ses vieilleries avant de mourir. Pis chus inclus là-dedans, i va sans dire...

« Ben! au fil des hivers qui me restent, c'est à ça que je vas m'occuper. Je vas pus courir les nouveaux arrivages, je vas baisser l'inventaire tout doucement en travaillant juste les après-midi. Justement, notaire, de l'argent, je veux pas qu'i en reste... trop! Rien que ce vieux bâtiment, avec quand même une ou deux « vieilleries » dedans, ce sera ben de reste! C'est ça qu'i attendent après, c'est ça qu'i vont avoir. Ça fait que tout le monde serait content!

« Pis, ça réglerait en même temps le problème de tout vider la maison de la Fine, notaire. La p'tite aurait juste à sortir ce qu'elle aurait pas de besoin... Vingueu! s'exclama l'antiquaire en sursaut, comme piqué par une abeille. C'était quoi ce bruit-là? Le tonnerre?

— On dirait qu'il est tombé tout près! (En se levant, Jean regarda par la fenêtre.) Pamphile, venez voir ça! C'est une rivière qui coule dans la rue! Et il pleut toujours à torrents. On pourrait écouter la radio ou la télévision pour voir les prédictions. Qu'en dites-vous?

La météo prévoyait que cette pluie diluvienne durerait douze heures, peut-être plus. On priait la population de se tenir en alerte d'évacuation, car certaines municipalités autour du lac signalaient déjà de fortes inondations.

— La Marie! Vingueu! Elle reste dans un creux près de la gare. Je m'en vas l'appeler dret-là pour savoir comment qu'elle s'en tire.

Pendant que Pamphile cherchait le numéro, Jean eut le réflexe de le lui donner de vive voix. Il s'était retenu à temps. La conversation fut brève. Marie-Ève paniquait. L'eau arrivait dangereusement à sa porte. Elle voulait bien venir chez l'antiquaire, mais avant, elle devait à tout prix mettre le secrétaire en sûreté. Il lui fallait le placer en hauteur mais elle ne savait pas trop comment s'y prendre. Il était trop lourd! Pamphile lui dit que Jean se trouvait chez lui. Le vieil homme demanda l'accord du notaire pour aller donner un coup de main à Marie-Ève et ce dernier lui répondit par l'affirmative.

— Elle habite rue de la Gare, juste à trois rues d'icitte. Numéro dix, appartement deux, dit Pamphile à Jean. Moi, je peux juste pas y aller. Je vas vous attendre icitte, pis on verra ensemble la suite des événements.

Jean Huot n'avait pas vu Marie-Ève depuis le mois de juin. Ils se parlaient rarement au téléphone et ne se donnaient pas de rendez-vous, attendant plutôt que la vie elle-même se charge de les réunir. Cette façon d'agir, tout en modérant leurs ardeurs, enlevait certes un peu de leur sentiment de culpabilité. Mais elle accentuait surtout cette impression de fatalité qui enveloppait leur liaison. Même s'ils ne cherchaient pas, ils finissaient par se trouver quand même.

Vivement, Jean enfila un vieil imperméable et des bottes que Pamphile lui remettait. L'inquiétude qui le gagnait devait transparaître, car l'antiquaire le réconforta :

— C'est correct. Chus sûr que ça va aller. Inquiétez-vous pas, notaire, est pas du genre à se noyer dans un verre d'eau! I faut quand même prendre la situation au sérieux. On sait pus avec ce temps à écorner les bœufs! Pendant que vous allez la chercher, je m'en vas téléphoner à L'Escalier, voir si tout est O.K. Allez-y pis faites ben attention, hein? Oubliez pas Trompette, itou. Pis, pas un mot de ce qu'on vient de jaser surtout...

Jean le rassura en lui donnant sa parole et en insistant sur le « secret professionnel » auquel il était tenu. Il franchit en peu de temps la distance entre les deux logis. L'eau montait à vue d'œil. Elle dévalait en torrents vers la rue de la Gare qui se trouvait en contrebas de la rue Principale, créant ainsi une sorte de lac artificiel. Quand il arriva à l'appartement, Marie-Ève, les pieds dans l'eau, essayait tant bien que mal de palier à la situation.

— Ah! tu es là. Dieu merci! On dirait que tu es toujours là quand j'ai besoin d'aide... Salut, cher notaire! dit-elle, enjouée.

Il s'approcha et lui donna un baiser timide sur la joue. Elle lui fit un clin d'œil complice et ils se mirent à la tâche.

— Il faut absolument mettre le secrétaire en sécurité. Le reste, je m'en fous. Ce ne sont que des vieux meubles récupérés ici et là. J'ai pas d'assurance mais c'est pas grave. Le proprio doit en avoir pour son immeuble, j'imagine. On pourrait essayer de le hisser sur la table de la cuisine?

« À deux, les choses sont tellement plus simples. C'est à trois que ça devient compliqué », songea brusquement Marie-Ève, avec tristesse.

Une fois posé sur la table de la cuisine, elle-même placée sur quatre chaises, le secrétaire paraissait imposant. Sa position, peut-être incongrue, était néanmoins sécuritaire.

— Ah! je suis contente et soulagée. Tu comprends, Jean, c'est le plus beau cadeau que j'ai reçu de toute ma vie. Il compte tellement pour moi. Bon! on peut partir. Trompette, viens, mon toutou. Trompette? Mais où est-il passé? Jean, l'as-tu vu quand t'es arrivé?

— Je ne peux pas dire, Marie. J'ai vraiment pas fait attention... Je ne crois pas l'avoir vu pourtant. Il ne doit pas être loin. On va le chercher...

Ils cherchèrent. Point de Trompette dans l'appartement. L'eau montait toujours, atteignant leurs chevilles. Marie-Ève commençait à s'inquiéter sérieusement quand on frappa sèchement à la porte.

— Hello? Hello? Vous chercheriez pas votre petit

chien par hasard? demanda une voix grincheuse et mielleuse à la fois, une voix à la langue vorace que le notaire reconnut aussitôt. Il est sur le top de votre petit char, mademoiselle... Je sais pas pantoute comment qu'il est arrivé là. Quelqu'un a dû l'y mettre... pour pas qu'il se noye, faut croire! Heureusement qu'il y a des âmes charitables dans le bout, hein?

La femme, sans gêne, poussa légèrement Marie-Ève et étira son cou à le rompre pour mieux voir.

— Oh! c'est-ti pas vous, notaire Huot! Je m'attendais pas à vous trouver icitte par une tempête pareille. Vous me reconnaissez-ti? C'est moi, madame Gagnon, vous savez, *Pölète* pis Chantale... Justement, tiens, une fois où on s'est vus, y a pas ben longtemps de ça, la petite mademoiselle itou se trouvait à votre étude. Était votre dernière cliente pis elle passait juste après moi! Le monde est ben petit... hein? Vous rappelez-vous, notaire?

— Bonjour, madame Gagnon, répondit Jean d'un ton qu'il voulut sec et froid. Je reconnais toujours tous mes clients. Je me trouvais chez mon ami, monsieur Pamphile Côté, quand ce dernier m'a demandé de rendre service à mademoiselle Saint-Amour. Entre amis, dans des circonstances pareilles, il faut s'entraider, n'est-ce pas? Vous n'habitez pas Saint-André?

— Oui, oui, bien sûr... Je me trouvais chez ma sœur, appartement numéro quatre, juste en haut, pis j'ai vu le petit chien sortir. La porte était ouverte... Puis-je vous demander des nouvelles de votre chère dame? Paraît qu'elle dort tout le temps? La pauvre malheureuse...

— Vous allez devoir nous excuser mais il nous faut rejoindre monsieur Côté de toute urgence. Il a quatre-vingt-dix ans, il est malade du cœur et seul à son logis. Vous ne voudriez pas qu'il lui arrive quelque chose... n'est-ce pas, madame Gagnon?

— Non. Bien sûr que non... Ben! c'est ça. À un de ces jours!

Marie-Ève, qui n'avait pas dit un mot, la regarda partir. Estomaquée, elle s'écria :

— Mais d'où est-ce qu'elle sort celle-là? Comme si on avait besoin d'une tornade dans une tempête! C'est elle qui a mis Trompette sur ma voiture, j'en suis sûre! Qui d'autre? Maintenant que j'y pense, c'est bien elle qui était sortie de ton bureau quand je suis allée te porter l'enveloppe...

« Mon Dieu! sa sœur. Elle a dû te voir arriver au petit matin quand nous sommes partis pour Montréal! Dire que nous étions juste des amis à ce moment-là. Et quand tu es revenu me reconduire après l'attaque de Pamphile... Tu es reparti en pleine nuit! Je suis sûre qu'elle se doute de quelque chose. Jean, qu'est-ce que nous allons faire? demanda la jeune femme inquiète, se rappelant les avertissements de Pamphile.

— Calme-toi, Marie. Nous n'allons rien faire pour l'instant. Elle ne nous a pas surpris dans une situation compromettante tout de même. Elle m'a vu arriver et elle est venue fouiner. Il faudra être prudents, c'est tout. Ne t'en fais pas. C'est pas important. Tu sais, sans vouloir être mesquin, elle est quand même reconnue pour la pire des chipies de Saint-André! Alors, ce qu'elle dit... Elle n'a que des doutes, rien de plus. Aucune preuve. Viens, Pamphile va s'inquiéter. Un déluge nous tombe sur la tête, ma parole!

— Une calamité, tu veux dire!

Ils se mirent à rire nerveusement. Toutefois, la vue de Trompette qui tremblait sur le toit de la voiture leur changea les idées. Le griffon avait l'air abandonné, laissé pour compte. Jean prit le petit chien avec douceur, ne voulant pas l'effrayer davantage. Même mouillé, il ne pesait pas bien lourd.

Marie-Ève se mit à courir devant eux. Choquée par la visite inattendue, elle en avait oublié de prendre son imperméable et même son parapluie. Sa robe légère lui collait à la peau. Jean put détailler les courbes de son jeune corps, son corps de biche. Il la désira très fort. Les éclairs blancs transpercèrent les nuages noirs et, quelques secondes après, le tonnerre qui tomba sur les grands arbres d'un boisé à proximité fit un bruit d'enfer. Le son se répercuta dans la colline, faisant trembler les pierres calcaires. Dans ce paysage apocalyptique, Jean aurait voulu pouvoir la prendre et ainsi défier l'univers. Dans cette pluie diluvienne, au cœur de la tourmente, il eut envie d'elle comme jamais auparavant. Ce désir sauvage et fulgurant produisit un éclatement brutal qui se répercuta dans tout son être. Comme si le miroir de sa vie se cassait en mille morceaux.

Jean eut très mal et soudain très peur. Marie-Ève viendrait peut-être vivre à Saint-André. Madame Gagnon aussi vivait à Saint-André... Il avait volontairement omis de dire à sa maîtresse que cette femme, en plus d'être chipie, était d'une méchanceté incroyable, bien pire que toutes les Jeanne-Mance de la terre! Jean sentit que la situation lui échappait. Pour Claire, il devait se reprendre, reprendre sa vie et son cœur en main. Il devait protéger l'honneur de son épouse et par ricochet de sa famille. Descendante d'une lignée de défricheurs et de bâtisseurs, d'hommes et de femmes reconnus pour leur droiture et leur grand courage, Claire Bouchard ne pouvait souffrir le moindre ombrage à sa réputation.

Cet orage au dehors agissait comme une représentation de son état intérieur : des éclairs de désir fou traversaient de part en part le fond noir de sa désespérance, le maintenant en vie. Il s'accrochait à Marie comme un naufragé à sa bouée. Ce n'était pas juste pour elle. Il ne la verrait plus même s'il devait en mourir. Il souhaita qu'un éclair le frappe et que tout s'arrête ici, juste derrière elle, juste en désir d'elle.

Quand la jeune femme se retourna et lui sourit

tendrement, il lui rendit son sourire mais se sentit très lâche.

Arrivé chez l'antiquaire, Jean déposa Trompette sur les marches de l'escalier. La tête baissée, il pria Marie-Ève de l'excuser auprès de Pamphile. Il ne monterait pas. Il était appelé... ailleurs.

***

Jean mit presque deux heures pour faire le trajet entre Saint-Gédéon et la clinique privée de Chambord, Eau soleil levant. Ce trajet prenait trente minutes en temps normal.

Quoi de mieux pour accueillir les grands malades que cette demeure ancestrale de prestige, sise au bord du magnifique lac Saint-Jean. Toujours bien entretenue, l'imposante maison avait jadis appartenu à un notable de la place. Sa nouvelle vocation de centre de repos pour les malades en phase terminale enchantait et soulageait toute la population des alentours. Le directeur général, le docteur Charles Pronovost, un ami intime de la famille de Josépha Bouchard, avait accepté de prendre l'épouse du notaire Huot, Claire Bouchard.

Même si la pluie semblait tomber plus doucement, les vents violents faisaient encore rage. Un silence de mort régnait dans la clinique récemment ouverte aux murs peints couleur de crépuscule. Le contraste entre la quiétude intérieure et le vacarme extérieur fit peur à Jean. Derrière les lourdes portes, la mort silencieuse se promenait en toute liberté, telle une compagne familière. Les chambres étroites et intimes aux portes closes étaient remplies d'elle. Ici, comme nulle part ailleurs, la mort était bienvenue.

Étonné de ne rencontrer personne dans les corridors, Jean, perdu dans le temps, regarda l'heure. Sa montre indiquait vingt heures. Évidemment, avec la tempête qui sévissait dehors, les malades ne recevraient pas beaucoup de visiteurs ce soir.

L'infirmière de service, madame Gauthier, assise à son bureau, reconnut le notaire et lui fit un petit signe de tête en guise de bonsoir. Il lui sourit mais ne s'arrêta pas et continua en direction de la chambre de Claire. Malgré qu'il eût fait ce parcours des centaines de fois, une boule de feu lui étrangla la gorge. Ses mains devinrent moites, tandis que son corps ressentit un grand froid. Comme toutes les autres fois, il se mit à avoir la nausée. Ce soir, peut-être, était-elle accentuée par le souvenir de cette harpie qui s'amusait à juger sa vie – leur vie – sans même avoir essayé de vivre décemment la sienne...

Quand Jean aperçut sa femme dans le lit blanc, quand il vit ses yeux toujours fermés et son corps rigide, il se mit à pleurer. Il tira un fauteuil plus près du lit et prit sa main. Il se mit à lui parler doucement. Suivant l'exemple des nuages noirs qui avaient déversé abondamment leur pluie, Jean se vida le cœur de ses secrets, sans aucune retenue. Il parla à Claire de sa rencontre avec Marie-Ève, du fait que cette amitié entre eux l'avait tant réconforté, qu'elle l'avait aidé à tenir le coup. Puis, difficilement, il raconta comment ce sentiment amical s'était transformé.

— Claire, je ne sais pas si tu m'entends. Dieu veuille que oui! Je te demande pardon. Je n'ai aucune excuse, sinon ma grande faiblesse et ma profonde solitude. Tu sais, quand on forme un couple, on marche d'un même pas. Si l'un ralentit, l'autre aussi ralentit pour l'attendre. C'est normal de partager ensemble les hauts et les bas. Mais que fait-on quand l'un s'arrête complètement?

« Je vis, je ne suis pas malade. J'ai donc continué à avancer. Seul. Et voilà où je me suis rendu : je me suis perdu dans une tempête. J'ai souhaité, tout à l'heure, qu'un éclair m'anéantisse à tout jamais. M'arrête. Ainsi, je pourrais être à tes côtés. Si au moins Sophie était restée. J'aurais une raison de vivre. Tu sais que je t'ai toujours aimée et que la question de ma fidélité envers toi ne se posait même pas. Je suis tellement désolé. Je me sens coupable et rempli de honte. Perdu.

« On ne peut, hélas, empêcher la vie de couple d'exiger des projets, des réveils, des partages, des sourires, des échanges, des passions communes, des jours et des nuits d'amour... Nous n'avons plus cette vie depuis si longtemps. Claire, Claire... Quand te réveilleras-tu? »

On frappa doucement à la porte. C'était le docteur Pronovost qui faisait sa ronde du soir. Il s'aperçut très vite de la détresse de Jean.

— Monsieur Huot, je ne veux pas être indiscret. Mais, vous paraissez... très mal en point. Puis-je faire quelque chose pour vous?

— Non. Ça peut aller. Est-ce la peine de vous demander...

— Je suis navré. Ce n'est pas la peine, hélas. Il n'y a toujours pas de changement. Si je peux me permettre d'insister... laissez-moi vous aider. J'aimerais vous prescrire un tranquillisant. Cela vous aiderait à...

— M'aider à quoi? cria Jean, soudain envahi par une colère incontrôlable.

Le docteur Pronovost n'essaya pas de le calmer. Au contraire. Il savait que la colère faisait partie du long processus d'acceptation et qu'elle pouvait même s'avérer salvatrice. Il le laissa exploser.

— M'aider à accepter l'inacceptable? M'aider à la trouver encore belle et désirable? On dirait ma mère, c'est terrible. C'est ma femme! Elle est maigre, décharnée, muette et paralysée. Ses beaux cheveux sont devenus blancs et cassés! Vous pouvez m'aider à vivre comme si Claire était morte? Elle n'est pas morte! Elle est là, regardez, elle dort! Elle dort et moi, moi je suis réveillé, docteur!

« Réveillé par des désirs fous qui me hantent, réveillé par les odeurs enivrantes des nuits d'été, par des rages de vivre. Je suis réveillé par l'enfer du silence de ma maison vide. C'est terrible, docteur, d'être réveillé par le silence. C'est terrible... C'est trop! Je veux dormir, dormir... comme elle. Ah! docteur, je n'en peux plus. Quand tout cela va-t-il finir?

Le docteur sortit quelques instants et revint avec un verre d'eau et un cachet. Il avait aussi préparé une prescription pour Jean. Il était inquiet de le savoir dans cet état. Cet homme, sans aucun doute, était au bord d'une grave dépression. Il avait même déjà un pied dedans.

— Maintenant, vous allez me promettre de prendre un cachet par jour, le soir après souper. Vous dormirez, Jean, vous dormirez calmement et cela vous fera le plus grand bien, mon ami. Tout ce que vous ressentez est normal. Vous devez laisser exploser votre colère, exprimer votre révolte. Ne vous sentez pas coupable de ne pas être malade et surtout de vivre! Vous devez continuer à rester debout, malgré l'adversité.

« Faites de votre mieux, vivez un jour à la fois. La perfection n'est pas de ce monde, on ne peut qu'essayer, en toute humilité, de l'atteindre. Vous devriez vous confier plus souvent... Confiez-vous à un ami, Jean, le plus souvent possible. Je dois vous laisser. Promettez-moi de m'appeler si... si vous vous sentez insomniaque. Vous devez absolument vous reposer.

— C'est bon, je vous le promets. Je vous remercie... Merci beaucoup.

Quand Jean Huot quitta la clinique, les vents soufflaient moins fort et la pluie avait cessé. Arrivé chez lui, il alluma frénétiquement toutes les lumières. Il alla directement à sa chambre. Dans le tiroir de sa table de chevet, il avait déposé les lettres. Il prit la cinquième et revint à la cuisine.

Il se sentait plus calme, probablement en réponse au médicament pris à la clinique. Il alluma une cigarette et lut :

Le 30 juillet 1921

Mon amour,

Voilà, si je ne peux le dire, permets-moi de l'écrire. Ne serait-ce qu'une fois.

Nous nous sommes revus, comme tu l'avais prédit, sans même nous être donné rendez-vous. Mais le danger devient de plus en plus grand, je le ressens au fond de mon cœur.

Quand nous nous sommes quittés, j'ai bien senti cet autre désespoir t'envahir. Celui de devoir me quitter et en même temps celui d'être avec moi, n'est-ce pas, mon ami? Je suis bien jeune, c'est vrai, mais pas aveugle. Je lis dans ton cœur les mots que tu ne prononces pas. C'est toi qui m'as appris à te lire, t'en souviens-tu?

Sache seulement que je comprends ton désarroi et la difficile et pénible situation qui est tienne. Restons-en à ta première requête. Celle où tu cherchais une amie, une confidente.

Marie-Jeanne a besoin de toi, de ton cœur présent.

Quant à moi, je vis de toi. Je vis de savoir que tu existes. Je vis d'être devenue une lumière dans ta nuit. Je t'aime et ne pourrai plus jamais enlever ce sentiment de mon cœur.

Prends soin de toi, docteur Provencher.

Dans l'attente de te lire. Seulement te lire, mon ami.

Joséphine

VII

La région du Lac était habillée aux couleurs d'octobre. Sous un soleil d'équinoxe, les feuilles des bouleaux et des trembles brillaient d'un or satiné, contrastant merveilleusement avec le rouge et l'orangé des mascos et des érables à Giguère. Pendant que les aiguilles molles et courtes des mélèzes affichaient encore fièrement leur vert d'été, les noisetiers ployaient sous le poids de leurs fruits bien protégées dans leur enveloppe épineuse. Les aubépines aux petites pommettes globuleuses, les sureaux du Canada aux grosses baies noires, les pimbinas et leurs drupes rouge vif s'offraient librement au premier venu. La campagne, en grande mutation, frétillait de plaisir : ne portait-elle pas l'une de ses plus belles robes?

La tempête de juillet avait laissé des séquelles un peu partout autour du lac. Mais elle avait aussi éclairci le temps pour des semaines à venir. Aucune goutte d'eau ne s'était montrée depuis ce jour. Un grand voile de sérénité avait enveloppé le lac pour la fin de l'été.

Il avait fallu, dans certains cas, plusieurs semaines pour tout remettre en ordre. Saint-André, sur le plateau, avait été épargné. Quant à Saint-Gédéon, seul le bas du village avait souffert des grandes eaux torrentielles.

Marie-Ève avait réussi à sauver quelques effets personnels, surtout des vêtements, des disques et des livres placés en hauteur sur les étagères. Ce coup du sort ne l'avait pas trop affectée. N'avait-elle pas réussi à sauvegarder les deux plus importantes choses : le secrétaire et Trompette?

L'appartement devant être complètement refait, les

175

aubergistes l'avaient accueillie chez eux. Mais, au fur et à mesure des travaux qui devaient ne durer que deux ou trois semaines, on découvrit des crevasses importantes au niveau de la charpente et du sous-sol. La municipalité avait refusé la réintégration des locataires du rez-de-chaussée et même expulsé ceux des étages jusqu'à ce que le vieil immeuble soit à nouveau conforme. Dès lors, vu les coûts exorbitants à débourser et devant l'ampleur de la tâche à accomplir – qui prendrait des mois –, le propriétaire fit parvenir une lettre à chaque occupant leur demandant de se chercher un nouvel appartement.

Marie-Ève ne s'était pas précipitée. La raison était bien simple : elle se sentait à l'aise à l'auberge et, honnêtement, elle ne savait trop où aller. Valérie et Stéphane lui assurèrent qu'elle ne dérangeait en aucune façon. L'informaticienne, tout en leur payant une pension hebdomadaire pour la chambre et les repas, leur donnait un coup de main, dans ses temps libres. Trompette avait la cour arrière du restaurant pour lui tout seul.

Elle avait ainsi passé le mois d'août et une partie de septembre à chercher un appartement après ses heures de travail, mais les recherches étaient demeurées stériles. Elle cherchait, sans vraiment s'impliquer, se demandant si L'Escalier ne représentait pas la solution à son problème. Car, pour se loger à nouveau, il lui fallait racheter des meubles : fauteuils, divan et matelas déjà passablement usés n'avaient supporté ni de ne pas être assurés ni d'être inondés. Ce qui signifiait beaucoup de dépenses en perspective. Conséquence : les économies prévues fondraient à vue d'œil. Elle aurait accepté ce contrat pour rien! Louer un meublé était impensable.

Pourtant, elle devait trouver une solution car, se connaissant, elle savait qu'à la longue, elle se lasserait de vivre dans une petite chambre. L'indécision et la remise en question la tiraillaient donc de toutes parts.

La raison profonde de son incertitude avait un visage : celui de Jean. Elle ne l'avait plus vu depuis la tempête, comme si cette dernière avait aussi emporté ce qui les unissait. Elle ressentait de la peine mais surtout une grande amertume. Après tout, c'était elle qui avait décidé de rester une année de plus. Elle devait assumer les conséquences de ses décisions. Il lui manquait.

Sa réaction n'avait rien de comparable avec ce qui avait suivi le départ de Gilles. Dans le fond de son être, elle savait qu'elle n'avait pas et n'aurait pas été heureuse avec son « dieu grec ». Ce qui était loin d'être le cas pour Jean Huot. La certitude du bonheur portait son nom. Jamais, depuis son père, elle n'avait rencontré un être si *plein de tendresse*. Sans doute l'aimait-il aussi, mais il paraissait évident que cet amour devenait torture. La coupe des épreuves de la vie du notaire était pleine à ras bord; ainsi il ne pouvait rien ajouter au drame qu'il vivait déjà. L'homme accablé n'avait certes pas besoin d'un débordement. De cela, Marie-Ève était fort consciente. Malgré tout, devait-elle l'attendre? Pour combien de temps?

Les semaines passaient tant bien que mal. Marie-Ève, impuissante et en attente, se répétait le conseil qu'elle avait prodigué au notaire : « Demain sera un autre jour... » Puis, vint pour elle un de ces « autres jours ». Un samedi de début octobre.

Assise à la table devant la fenêtre du bistro, la jeune femme attendait monsieur Pamphile pour dîner. Marie-Ève se disait qu'elle entamait sa troisième année au Lac. Et, qui l'eût prédit, elle en était malgré tout heureuse et satisfaite, se demandant ce que cette année pouvait bien lui réserver.

L'antiquaire arriva et Trompette, le seul chien qui avait droit d'asile sous les marches de L'Escalier, vint lui faire la fête.

Les deux amis sirotaient tranquillement une bière quand Pamphile annonça tout bonnement :

— C'est aujourd'hui, ma belle, que tu te trouves un logement convenable!

— Que voulez-vous dire? Je suis bien ici pour le moment. Je sais bien que je vais me tanner un jour. Et puis, vous le savez, je vous l'ai déjà dit, monsieur Pamphile. Pas question de prendre un meublé, c'est trop cher. Quant à me racheter des meubles...

— Tut, tut, tut. Chus capable de me souvenir de ce que t'as dit, fillon. C'est justement pour ça que je te répète : c'est après-midi que je t'emmène voir un... logement, mam'selle Saint-Amour.

— N'oubliez pas, monsieur Pamphile, que j'ai un chien. C'est presque plus facile de gagner à la loterie que de trouver un endroit où ils acceptent les gens avec des chiens, même minuscules comme Trompette!

Le griffon crut que sa maîtresse l'appelait. Il accourut et elle lui sourit en lui caressant le museau. En se cachant un peu des autres convives, Marie-Ève lui refila les maigres restes d'une côtelette d'agneau relevée à la menthe. Trompette se glissa sous la table avec son festin, sachant pertinemment qu'il ne pouvait se balader dans le bistro, une côtelette dans la gueule. Le cuisinier, même s'il semblait affectionner la gent canine, n'apprécierait certainement pas ce genre de manifestation dans son restaurant.

— Chus pas encore alzheimer, la p'tite. Tu m'as répété ça cent fois itou... Tout, je dis bien TOUT, a été pris en considération par monsieur icitte. Mangeons pendant que c'est ben chaud. Pis après, dans ton p'tit char, oh! excuse, ton char, on ira voir ça de plus près. O.K.?

Après le repas, ils sortirent du bistro et se dirigèrent vers la voiture. Pamphile, silencieux, monta à côté de Marie-Ève. Intriguée, elle lui demanda poliment la direction.

— File vers Saint-André...

— Saint-André? Quelle drôle d'idée. Pourquoi pas! C'est vrai que c'est bien beau. Mais je serais un peu loin de vous, non?

— L'idée, c'est pas que tu soyes proche de moi, Marie-Ève, c'est que tu trouves à te loger. Est-ti drôle des fois! Tourne icitte, vingueu! On a failli passer tout dret!

— Mais, c'est le rang des Apis, monsieur Pamphile! Oh! je comprends, vous avez déniché une maison à louer. C'est vrai que, vous, vous connaissez tout le monde ici. Vous avez, comme qui dirait, des « contacts intéressants ». C'est peut-être pas mal comme idée... Alors, c'est quel numéro? Non... Inutile. Y a pas de numéro aux portes ici!

— Icitte. Arrête, Marie-Ève. C'est juste icitte!

— Mais, qu'est-ce que c'est que cette histoire? C'est la maison de Joséphine Frigon!

— Pus astheure, fillon.

Pamphile toussa légèrement et il fit claquer ses bretelles pour annoncer fièrement :

— C'est la mienne!

— Comment ça, la vôtre? Quoi? Vous l'avez achetée? C'est vrai? Regardez-moi un peu. Monsieur Pamphile... mais, qu'est-ce que ça veut dire?

— Ça veut dire que chus l'heureux propriétaire de cette maison-là pis que ça s'adonne qu'est justement à louer. Coudon. On débarque-ti? On va pas rester assis coincés... je veux dire... Rien pantoute. Viens, on va aller visiter les lieux.

Marie-Ève était sidérée : la surprise l'empêchait de dire mot. Elle écoutait Pamphile lui expliquer qu'il devait faire un investissement, question de rentabiliser ses « maigres » économies. Alors, l'idée d'investir dans l'immobilier lui était venue. L'informaticienne avait bien l'impression que quelque chose clochait – il avait quand même quatre-vingt-dix ans, pas tout à fait l'âge des investissements – mais les explications tenaient. Il était même assez convaincant.

— J'aimais encore mieux la maison de la Fine qu'un immeuble à logements. Regarde le tien. Tous les troubles que ça crée au propriétaire. T'admettras que j'ai pas besoin de ça. Pis y a encore tout ce qu'elle m'a légué. C'est presque tout en dedans, tu verras. Payer pour stocker ça m'aurait coûté ben cher vu qu'y a pas d'entrepôt à Saint-Gédéon... Ça fait que chus l'heureux propriétaire depuis le mois de sectembre.

— Septembre, monsieur Pamphile. Avec un P pas un C! Laissons... Si ce n'est pas trop indiscret, quel est le montant du loyer que vous comptez demander?

— Cent piastres à peu près...

— Ben, voyons! Cent dollars pour une maison. Vous vous moquez de moi ou alors... Ah non! Pas question! Je vous vois venir. Il n'est pas question que vous me fassiez une telle faveur et encore moins la charité. J'ai mon honneur, monsieur Pamphile, tout comme vous. J'avais pas pris d'assurance, ça c'était mon choix. Si je loue cette maison, et il faut bien que j'y pense à deux fois avec le chauffage d'hiver, je vous paierai le prix normal d'un loyer demandé pour une maison...

Trompette, qui tentait de s'intéresser à la conversation, en perdit vite le fil. Un chat aurait peut-être fait mieux mais, las de se comparer aux autres espèces, le chien abdiqua. Les échanges allaient et venaient très rapidement, lui donnant le tournis. Il entendait « oui, non, oui, peut-être, on verra » mais il ne se fit pas de bile pour autant. Sa maîtresse disait souvent la même chose quand elle parlait au téléphone. Le griffon n'en revenait pas : reviendrait-il chez lui après tous ces mois d'errance? Que fallait-il qu'il fasse pour qu'une chose aussi exceptionnelle arrive? Il aurait bien voulu chanter comme la mésange, mais cela lui était impossible.

Malgré les odeurs délectables qui l'appelaient effrontément, le chien décida de suivre sa maîtresse pas à pas, prenant un air soumis et quémandeur.

— Trompette, arrête de me suivre comme ça partout! Qu'est-ce que t'as tout d'un coup?

— Tu vois ben, fillon! I veut revenir icitte, lui. C'est clair. Pauvre petit... I fait quasiment pitié. On dirait qu'i te le demande. Coudon. Chus paré à monter jusqu'à cent cinquante piastres, mais pas plus. Est vieille la maison, la p'tite. Pus personne veut rester dans des vieilles baraques de même! Toi, je sais que t'aimes les antiquités pis que tu prendrais ben soin des affaires de la Fine jusqu'à ce que je réussisse à les vendre. Pis, t'es comme liée en quelque sorte avec la propriétaire de la maison... non?

« Surtout, surtout que l'idée, dans tout ça, c'est qu'il y ait quelqu'un qui reste dedans. Ça, c'est ce qui compte pour moi. On peut juste pas laisser une maison de même sans personne dedans. Jusqu'à ce que je la revende un jour, i faut ben un locataire! Même si... oui, je l'admets, je te fais une p'tite faveur, c'est comme récirpoque, tu vois ben, vingueu!

— N'exagérons rien. D'abord, cherchez pas des bébites où y en a pas avec Trompette. Ensuite, on dit réciproque, monsieur Pamphile. RÉCIPROQUE! Ah! Chus toute mêlée astheure! Où en étions-nous?

« Oui. Je pourrais prendre du bois de chauffage sur la terre à bois derrière. Ce serait à mes frais de le faire débiter et couper. O.K. Ensuite, vous avez dit que le coût moyen d'électricité est d'environ cent dollars mensuellement... Je pourrais payer deux cents cinquante de loyer, ce qui reviendrait à ce que je paie actuellement, ce que je payais du moins. Cela ne me crée pas de frais supplémentaires en essence, c'est juste trois ou quatre kilomètres de plus. Bon, deux cent cinquante, PAS UN SOU DE MOINS. À prendre ou à laisser.

Sur ces mots, l'informaticienne, un sourire narquois aux lèvres, les sourcils légèrement relevés, la tête penchée de côté, fit volte-face à la manière d'une ballerine et se dirigea gracieusement vers le salon, signifiant ainsi que sa réplique était finale. Pas question pour « Pamphile Côté, antiquaire » de lâcher prise. Il ne se laisserait pas amadouer par son sourire, ses beaux yeux et ses taches de rousseur. Plus que jamais était venu le temps de mettre à profit ses soixante années passées en affaires!

« Vingueu! chus plus habitué à ce qu'un client me dise : *pas un sou de plus, monsieur l'antiquaire!* Pis là, j'ai juste à descendre... un p'tit brin pour faire plaisir. Là, i faut que je monte mon prix! Comment ça se fait que le monde est à l'envers avec la Marie? Elle peut rien faire comme les autres, on dirait. Si elle savait que je voulais même pas y demander une cenne... Par chance que j'ai changé d'idée à la dernière minute, elle aurait retourné de bord dret-là!

« Ouf! Comment que je vas faire pour y donner, un jour? Ce sera pas facile de dealer avec elle. Elle tient son bout mordicus. C'est correct d'avoir du caractère. J'aime ça de même. Mais, pour tusuite, comment arriver à y faire entendre raison... »

Pendant que l'antiquaire réfléchissait, Marie-Ève s'assit au salon dans l'un des deux fauteuils d'esprit français, heureusement dédaignés par les acheteurs. Les accotoirs, le dossier droit et le siège étaient fortement rembourrés. Le fauteuil dans lequel elle prit place, très confortable, faisait face à son jumeau, désormais orphelin du gramophone. « Il devait s'agir du préféré de Joséphine, car l'usure le distingue de celui-ci qui est, ma foi, presque à l'état neuf. Ce qui signifie qu'elle ne recevait pas beaucoup de visite, on dirait... »

Le regard de la jeune femme, concentré sur les détails du vieux fauteuil de la Fine, fut attiré par quelque chose qui brillait juste au fond du siège usé et défraîchi. Elle se leva et se rapprocha. C'est seulement alors que Marie-Ève put constater qu'il s'agissait d'un bout de chaîne. Elle s'assit et, sans que cela paraisse, elle enfouit sa main entre l'accotoir et le siège. Ses doigts, en cherchant au hasard, effleurèrent un bijou.

Aucun doute n'était possible : la forme ovale et bombée et le fermoir témoignaient en faveur du médaillon tant recherché.

« Le médaillon! Le médaillon! Peut-être a-t-il glissé de sa main juste au moment... Mon Dieu! est-ce un signe pour que je reste ici? Quelque temps du moins? »

— Monsieur Côté, dit-elle nerveusement et d'une manière précipitée qui ne lui ressemblait pas, écoutez, si on s'entendait pour deux cents tout ronds!

— Vendu! Je veux dire, loué, ma belle! Chus pas encore habitué, vois-tu... Eh ben! chus content qu'on a fini par s'entendre. Chus sûr que tu vas pas le regretter. Regarde Trompette, i se bouge la queue. Il le sait qu'i est revenu à ses amours, le p'tit snoreau. Y a pas personne d'autre qui pouvait rester dans les affaires de la Fine... pour astheure. Ce que t'as pas de besoin, t'auras juste à le descendre à la cave ou ben le monter au grenier. Tu vas l'aimer, chus sûr, ce vieux grenier poussiéreux...

Trop content de ce dénouement subit et pour le moins inattendu, Pamphile n'osa demander à sa protégée ce qui l'avait poussée à baisser subitement son offre. Il remarqua toutefois que les yeux de la jeune femme étaient devenus humides. En les voyant ainsi, le vieil homme songea à une belle rosée du matin. Il savait qu'une grande tristesse recouvrait son âme juvénile d'un manteau gris, celui de l'insoutenable attente. Ce manteau, il le connaissait bien : il l'avait lui-même tellement porté depuis son veuvage, même usé jusqu'à la corde...

Un instant, il crut que c'était peut-être pour se rapprocher de Jean Huot que Marie-Ève avait accepté de louer, mais il mit aussitôt de côté cette idée. Elle lui avait affirmé tout récemment qu'ils ne s'étaient plus vus depuis le jour de la tempête... Sa protégée, il en était persuadé, disait la vérité.

Pamphile Côté n'était pas né de la dernière pluie : la Marie n'avait pas besoin de voir le notaire pour l'aimer infiniment.

***

Dès que le secrétaire retrouva sa place, dans l'officine, Marie-Ève délaissa les boîtes et les valises pour s'y asseoir quelques minutes. Elle désirait ardemment lire la sixième lettre. Mais, elle était surtout très anxieuse d'ouvrir le médaillon. Pour la première fois depuis qu'elle l'y avait déposé avec délicatesse, la jeune femme prit le bijou dans ses mains. Elle l'ouvrit avec d'infinies précautions.

D'un côté, une mèche de cheveux foncés reposait derrière la vitre. De l'autre, une photo noir et blanc d'un homme dans la jeune quarantaine. Marie-Ève fut prise au dépourvu par la vision qui se présenta à elle. L'individu avait un visage assez fin, un nez parfait, une bouche charnue. Le teint hâlé, les yeux très noirs, les cheveux épais, un peu ondulés et passablement longs, une barbe de deux ou trois jours lui conféraient un air... de séducteur. Le magnétisme de son regard était extraordinaire. On pouvait sentir le charisme de l'homme même à travers le temps. Marie-Ève, ne s'attendant pas du tout à cette image donjuanesque de Marc-Aurèle Provencher, fut médusée. L'idée qu'elle se faisait d'un charmant médecin de campagne n'avait aucun rapport avec ce qu'elle avait sous les yeux.

« Je dois faire erreur, ce n'est pas lui. Cet... homme

ne peut pas être Marc-Aurèle! Non pas que le docteur eût été quelconque, loin de moi cette pensée, mais tout de même! Je vais enlever la vitre et regarder s'il y a une annotation derrière. Qui sait? Cette photo aura été découpée d'une revue que cela ne serait pas étonnant. Il peut aussi s'agir d'un cousin éloigné, d'un oncle. Après tout, Joséphine, dans sa jeunesse, son originalité et sa solitude, aura tenté de faire vivre le passé à sa manière. C'est compréhensible. »

La petite note ne laissait pourtant aucune place au doute : *Aix-en-Provence, juillet 1924. Pour Joséphine, ma seule amie. Merci pour la vie. Marc.*

« Ça alors! Ça alors! Je n'en reviens pas! Ouf! Quel homme! Ainsi, il s'est exilé dans les vieux pays! Ah! Pauvre Joséphine! Je la comprends d'être restée seule. Avant d'en trouver un autre comme lui... Peut-être l'a-t-elle attendu tout ce temps? Attendu qu'il revienne de son exil... »

Marie-Ève laissa le médaillon ouvert et le posa sur la table d'écriture. Puis, encore sous le choc, elle lut lentement la sixième lettre.

Le 29 septembre 1921

Ma douce Joséphine,

Comment arrives-tu à être si clairvoyante? Tu as raison de dire que tu sais me lire. C'est vrai. Je ne suis pas arrivé, lors de notre dernière rencontre, à t'avouer mon désarroi. Le dilemme que j'ai commencé à ressentir par rapport à notre liaison ne cesse de me tenailler. Tu es l'air dont j'ai besoin pour continuer à vivre et, pourtant, je ne peux pas te respirer. Alors, je ne cesse de me polluer. Tu es l'eau dont j'ai besoin et, pourtant, je ne peux te boire. Alors, je me dessèche et dépéris. Tu es le feu qui réchauffe mon cœur et mon corps. Hélas, je n'ai pas le droit de t'allumer...

Deux mois se sont écoulés avant que je vienne te donner des nouvelles. Aucun changement dans l'état de ma femme. Sinon qu'elle s'acharne à me demander de la libérer. Ce qui fait que j'ai peur maintenant d'aller à son chevet. Ses yeux suppliants, presque éteints, me bouleversent et m'émeuvent au plus haut point. La chaleur de l'été fut pour elle intolérable. Elle si calme et si patiente, jusqu'ici stoïque dans l'épreuve, se met à hurler à toute heure du jour et de la nuit. Il semble que son esprit s'égare dans les labyrinthes de la douleur et du feu qui dévore ses poumons. Puissent l'automne et l'hiver être plus cléments pour elle.

Je ne sais plus à quel saint me vouer. J'en viens à douter de Dieu. Je ne vais plus à l'église, comme tu as dû le remarquer. Jamais je n'aurais pensé en venir là.

Monsieur le curé vient me rendre visite régulièrement pour sauver mon âme, semble-t-il, mais il demeure impuissant à répondre à toutes les questions qui me hantent.

Comment Dieu, si bon, peut-Il accepter de la laisser souffrir ainsi? Pourquoi n'écoute-t-Il pas ses prières? Quand on Lui demande de nous délivrer du mal, s'agit-il seulement des péchés et des errances de l'esprit ou de ceux de la chair? Ne prend-Il pas en considération les grandes douleurs physiques de l'Homme? Pourquoi a-t-il permis que la contagion n'agisse pas pour moi?

Le curé me répond simplement que Dieu seul est juge et que nous devons nous plier à ses volontés, en toute humilité. Selon lui, nous n'avons même pas le droit de nous poser de telles questions... Je ne peux être en accord avec le discours du prêtre. Pour l'heure, il ne fait qu'attiser ma révolte.

Je pense à toi toutes les nuits... Je ne dors presque plus. Quelques heures, tout au plus. J'essaie de m'abrutir dans mon travail. Je deviens l'ombre d'un homme. Une ombre chancelante qui commence à ressembler à celle de ma femme mourante. Je me sens si seul. Abandonné de tous et surtout abandonnant tout.

Écris-moi encore et encore tes lettres de lumière, mon

*amie. Peut-être est-ce le seul endroit où je retrouve les traces de
la bonté de Dieu.*

*Merci d'être là, de vouloir encore me lire. J'aurais voulu
t'offrir plus.*

Ton ami fidèle,

Marc-Aurèle

Marie-Ève se mit d'abord à pleurer. Les larmes,
même abondantes, ne semblaient pas atténuer la grande
peine qui l'accablait soudain. Puis, rapidement, l'inquiétude la gagna. Elle eut un très fort pressentiment :
cette lettre déchirante s'appliquait aussi à celui qui
occupait toutes ses pensées, celui qu'elle aimait. Agitée
et angoissée au sujet de Jean, elle se leva et se mit à
parcourir la maison de long en large, cherchant un
moyen de lui venir en aide.

Le notaire ne lui avait plus donné signe de vie.
Comme elle désirait respecter son silence et le fait qu'il
s'éloigne volontairement d'elle, Marie-Ève se demandait comment l'aider, sans s'impliquer directement. Ce
n'est pas seulement l'amour qui la guidait, c'était l'amitié, aussi. Un moment, l'idée de lui écrire lui traversa
l'esprit. Idée qu'elle rejeta en bloc. Lui téléphoner était
hors de question. Comme aucune solution ne se présentait à elle, la jeune femme décida subitement de
monter au grenier.

Elle s'assit par terre, à même les planches vieillies et
chaudes. À l'endroit même qui avait été témoin de
leurs ébats enfiévrés. Elle ferma les yeux et médita, en
silence. À sa manière, elle pria pour Jean, pour qu'il ne
disparaisse pas un jour, comme le docteur. Ensuite, elle
eut de bonnes pensées pour Claire et aussi pour son
vieil ami Pamphile.

« Pamphile! Mais c'est exactement la solution!

Pamphile Côté. Pourquoi n'y ai-je pas songé plus tôt? Il est au courant de tout. Mais Jean ne sait pas que Pamphile sait... Je vais lui faire lire cette lettre et lui montrer le médaillon. Il comprendra. Lui seul pourra se rapprocher du notaire et qui sait si, avec toute la sagesse qu'il possède, il ne sera pas le mieux placé pour lui venir en aide? Jean respecte beaucoup monsieur Côté et réciproquement. Je vais le voir, tout de suite. Je vais l'appeler avant... non! Je me rends chez lui, de ce pas. »

Trompette, qui venait tout juste de rentrer, entendit d'abord un bruit sourd à l'étage. À la fois inquiet et surpris, il grimpa l'escalier à toute vitesse. Sa maîtresse, debout sur un guéridon branlant en plein milieu du corridor, était en train de refermer une trappe qui semblait bien lourde. Des poussières et des brindilles d'un âge incertain tombaient sur ses cheveux, dans ses yeux et aussi sur son beau visage. Elle maugréait. Jamais il n'avait vu la Fine dans cette position, à cet endroit.

Pourquoi sa nouvelle maîtresse avait-elle le don de tout compliquer? Que faisait-elle là? Elle ne pouvait pas se contenter d'épousseter comme tout le monde? Oh que non! Elle, elle n'enlevait pas la poussière, elle la recherchait pour l'étaler sur elle comme un attrait. Il était bien placé pour le savoir : ne l'avait-elle pas déjà fait le soir du fameux sac en toile? Pendant plus d'une heure, son visage blanc de poussière farineuse l'avait rempli d'effroi. C'en était trop. Il vint près d'elle et aboya. Pas trop fort, juste pour lui exprimer franchement son désaccord.

— Trompette, arrête de japper! Tu vois pas que je suis assez énervée comme ça! Ah! Que t'as le don de tout compliquer des fois. Tu peux pas être un chien comme les autres et aboyer après... après les chats, par exemple?

« Bon! après tout, je ne vais pas passer des heures là-dessus. Je la refermerai plus tard. Avec un escabeau, ça ira mieux et ce sera moins dangereux. Mais, pousse-toi un peu, je vais finir par te marcher dessus... »

Ensuite, en toute hâte, Marie-Ève prit un chandail, son sac et ses clefs. Arrivée à la porte, elle se retourna pour dire :

— Non. Cette fois, tu restes et tu gardes la maison comme un bon chien. T'as compris? TU RESTES.

Le griffon, ne comprenant pas un mot de ce qu'elle disait, la suivit. Et sa maîtresse se retourna en prononçant exactement les mêmes paroles, mais au ralenti. Toutefois, elle y avait ajouté un signe révélateur : elle avait levé la main, les doigts bien serrés, à la verticale. Pour les chiens, un signe vaut mille mots. Trompette, sidéré et humilié, finit par comprendre : Marie-Ève osait le laisser seul à la maison.

Frustré et malheureux, le griffon alla se blottir sous le secrétaire. Quand il entendit la porte se refermer, il se mit à aboyer à la mort. La jeune femme revint aussitôt, comme prévu. Recroquevillé sur lui-même, il s'attendait au pire. Mais, contre toute attente, elle n'était pas en colère.

— Ah! Heureusement que t'es là! J'allais oublier la lettre et le médaillon. Merci, toutou. Viens, tu peux venir. Trompette! viens donc. Qu'est-ce que t'attends, nigaud?

Sa maîtresse avait enfin retrouvé ses esprits et aussi un langage plus cohérent. Décidément, elle faisait partie d'un monde à part. On ne s'ennuyait vraiment pas avec elle.

Marie-Ève fit les quelques kilomètres qui la séparaient de Pamphile en moins de temps qu'il ne faut pour le dire. Quand l'antiquaire, qui se berçait devant sa fenêtre, la vit descendre en toute hâte de sa voiture et courir vers l'escalier, sans même attendre Trompette, il s'attendit au pire. Elle n'était jamais venue lui rendre visite à dix heures du matin, un dimanche. Peut-être un désastre était-il arrivé à la maison? Était-elle passée au travers des vieilles planches du grenier? Un dégât d'eau ou autre calamité? Elle venait pourtant juste d'emménager.

« Pourquoi qu'elle peut pas faire les affaires comme tout le monde, des fois? »

Marie-Ève embrassa son ami et puis elle se jeta à son cou et y resta accrochée en pleurant toutes les larmes de son corps.

— Vingueu! Tu me fais peur, la Marie. Que c'est qui se passe pour l'amour du bon Dieu? Ta mère... I est arrivé quelque chose à ta pauvre mère?

— Non, non. Pas... maman, haleta-t-elle en sanglotant. C'est Jean. Je suis certaine qu'il ne va pas bien. Il a besoin d'aide, réussit-elle à murmurer à travers les hoquets qui l'étouffaient.

— Viens t'assir. Pis essaye de te calmer, fillon. Prends ton respir pour l'amour du bon Dieu, tu vas finir par t'étouffer! C'est pas possible de se mettre dans des états pareils...

Au bout de quelques minutes, Marie-Ève sécha ses larmes. Elle but le verre d'eau que Pamphile lui avait apporté. Ensuite, plus calmement, elle lui raconta les derniers événements et signala aussi la découverte du médaillon qui attestait de l'exil de Marc-Aurèle dans les vieux pays. Elle insista pour lire la lettre du docteur Provencher et montrer sa photo à l'antiquaire. Elle expliqua que l'heure était à l'urgence et qu'elle ne pouvait faire autrement : seule la lecture de cette sixième lettre le convaincrait.

Un peu gêné et tracassé de pénétrer les secrets du passé de la Fine, le vieil homme – au souvenir de l'envoûtement dont il avait été victime – eut quelques réticences à accepter.

— Elle avait ben dit dans le testament : JUSTE UNE FEMME. Tu t'en rappelles, chus certain. Bon! on a tout respecté ses volontés, pis c'est toi, une femme, toi seule qui décides quoi faire avec ce qu'elle t'a légué en quelque sorte. T'es libre, y a pas à dire, d'agir comme tu penses. C'est TA décision, moi j'ai jamais rien demandé. Penses-tu qu'elle le sait ça? Ouais? O.K. d'abord, c'est ben parce que c'est toi, la Marie... T'es vraiment pas reposante des fois, le sais-tu, ça? termina-t-il en souriant et en lui faisant un clin d'œil complice.

— Comment m'avez-vous appelée? *La Marie?* Il me semble que c'est pas la première fois... Bon! ça ne fait rien. Vous savez, monsieur Pamphile, Jean m'appelle juste Marie. Marie... Appelez-moi comme vous voulez, mais je vous en prie, laissez-moi vous la lire maintenant, supplia-t-elle, implorante.

L'antiquaire, de bonne grâce, acquiesça. Il fut complètement retourné par le contenu de la lettre. Il y vit, lui aussi, un très mauvais présage.

— Ça m'a tout l'air que ça se peut, après tout, des affaires de même. On peut pas dire qu'est ben bonne, la nergie du docteur, vingueu! Dans sa lettre en tout cas parce que, sur la photo, y a l'air pas pire, hein? Chus ben de ton avis, la p'tite. T'as ben fait de m'en parler.

« I faut faire de quoi. C'est sûr que toi, t'es un peu mal placée. On est ben amis, le notaire pis moi. Pis i se doute pas une miette que chus au courant de... Coudon, comment que je vas m'y prendre? Moi non plus, je l'ai pus vu pour ainsi dire depuis la tempête de juillet. Les papiers pour la maison de la Fine, i les a envoyés par la malle. Tout s'est réglé de même. J'ai juste été une fois à son étude pour la signature. Chus pas resté longtemps, i avait l'air ben fatigué. I s'arrête pus à la boutique, non plus. Pis ça, ça y ressemble pas trop. Remarque, pour être ben franc avec toi, fillon, depuis un bout, il m'inquiète ben gros le p'tit notaire Huot.

— Ah! C'est loin d'être rassurant tout ça. Voyons, il doit y avoir un moyen? Nous devons absolument trouver, monsieur Pamphile.

— Ça y est. Je l'ai, vingueu! Ben oui, c'est simple comme bonjour...

— Quoi? À quoi pensez-vous?

— Jean m'avait dit qu'i était ben intéressé par l'armoire dans la chambre de la Fine. Mais j'y avais répondu que je la gardais pour... pour moi. Justement hier, le vieux Adémar Tremblay m'a proposé l'armoire de sa cousine qui veut s'en débarrasser pour s'acheter un set de chambre en ménamine blanche. Ben oui! que veux-tu, fillon, tous les goûts sont dans la nature. Est semblable à celle de la Fine, même époque à peu près. Les antiquités, on le sait tous les deux, c'est sa passion au notaire Huot. Au moins, même s'il la veut pas, ça me fera un prétexte pour le contacter. Hein? Que c'est que t'en penses, ma belle?

— Oui, oui. C'est exactement ce qu'il faut. Je le connais, il ne pourra pas résister. Je savais que vous pourriez faire quelque chose. Comment vous remercier pour tout ce que vous faites pour moi? Qu'est-ce que je ferais sans vous, cher monsieur Pamphile?

— Tut, tut, tut. Mets pas la charrue de devant les bœufs, fillon. Y a rien de fait encore. Je vas faire mon gros possible, c'est tout ce que je peux te promettre. O.K.? Pis toi, de ton bord, tu vas me promettre à ton tour de faire ton gros possible pour garder ton sang-froid. I manquerait pus que tu tombes malade, astheure!

— Je vous le promets, monsieur Pamphile. Je vous le promets sur mon cœur.

***

Tant bien que mal, Jean essayait de se concentrer

sur son travail. Comme à tous les lundis, la secrétaire, à son arrivée, lui avait remis son emploi du temps. Elle avait pris un rendez-vous pour dix heures avec un nouveau client, Théophile Savard. Ce nom ne lui disait rien. À côté, elle avait vaguement noté : bornage de propriété au bord du lac. Pour onze heures, son voisin Pierre Archambeault devait se présenter. Sans annotation puisqu'il venait pour la troisième fois dans le mois. Pierre faisait l'acquisition d'une trentaine d'hectares appartenant à Germain Lachance. Ce n'était pas de gaieté de cœur que ce dernier, en procédure de divorce, devait se départir d'une partie de ses biens afin de donner la part qui revenait à son épouse. La routine...

Le notaire ressentit soudain un violent mal de tête. Les effets secondaires du médicament qu'il prenait depuis trois mois commençaient à devenir franchement désagréables. Chaque fois qu'il essayait d'arrêter de le prendre, fût-ce une seule soirée, il ne fermait pas l'œil de la nuit. Alors, il pensait devenir fou dans le grand silence de la maison de campagne. Il ne pouvait plus attendre : il irait consulter un docteur aujourd'hui même. Soulagé, il constata que la secrétaire avait suivi ses dernières recommandations à la lettre. Elle n'avait inscrit aucun client pour l'après-midi. Sans plus attendre, Jean décrocha le téléphone et prit rendez-vous pour deux heures avec Serge Brochu, son médecin de famille.

La douleur était tenace. Tel un étau, elle lui serrait les tempes. Jean se leva et alla se chercher un grand verre d'eau. Il se sentait toujours déshydraté. Quand il revint à son bureau et qu'il le toucha, il pensa au docteur Provencher et à Joséphine Frigon. Puis, à Marie-Ève Saint-Amour. Avant de partir de la maison ce matin, il avait machinalement glissé dans la poche de son veston la lettre portant le numéro sept. Il n'avait pas vu

Marie depuis l'été, mais ne l'avait pas effacée de sa mémoire pour autant.

Jean regarda par la fenêtre. Les premiers jours de novembre apportaient leur pluie froide et neigeuse, leur grisaille et leur léthargie d'avant la grande blancheur, d'avant l'incomparable lumière d'hiver. Il détestait cette période creuse dans laquelle la saison d'automne semblait s'étioler, se mourant d'ennui. La nature même, dépouillée de ses beaux attraits, semblait neurasthénique. Cette période de l'année lui rappela la tenue imminente du Salon d'antiquités. Mais Jean avait déjà décidé de ne pas s'y rendre. Il pensa aussi à l'année précédente et au temps qui passait, sans rien apporter de nouveau.

Avant de venir à l'étude ce matin, le notaire n'avait pu s'empêcher de faire un détour par le rang des Apis. Il voulait juste savoir si Marie-Ève était encore en région. Depuis quelques semaines, il n'avait plus aperçu sa voiture stationnée rue de la Gare. Il avait donc conclu qu'elle avait déménagé. D'ailleurs, l'immeuble semblait toujours condamné. En apercevant Trompette qui jouait dans la cour de la maison de Joséphine, le cœur de Jean s'était mis à battre plus vite. Quand il avait aperçu l'ombre de Marie se promenant d'une pièce à l'autre, l'idée de s'arrêter lui avait traversé l'esprit. Il avait ralenti... puis vite accéléré.

De savoir qu'elle était encore là, près de lui, le soulagea grandement. Pamphile avait donc réussi à convaincre la jeune femme de louer la vieille maison de la Fine. Il était sincèrement content pour elle. Il se demanda si elle était retournée au grenier.

Jean pouvait donc lire la lettre, même s'il n'avait aperçu que l'ombre de Marie.

Le 25 novembre 1921

Mon ami,

Je comprends que tu te poses toutes ces questions. Je comprends aussi que les réponses incomplètes du prêtre ne soulagent pas ton âme endolorie. Car pour l'heure, existerait-il une réponse assez puissante pour te soulager de tes maux que, peut-être, tu ne l'entendrais pas? Car tu deviens, dans ton silence, sourd à la vie elle-même. Cela n'est pas un reproche mais une simple constatation. Ta révolte risque de te perdre à tout jamais, mon tendre ami.

Je ne crois pas que la réponse puisse se trouver ici et maintenant. Elle s'inscrit plutôt au cœur de quelque chose qui te dépasse, qui nous dépasse tous. Je pense que tu l'entendras un jour, mais plus tard, quand la tourmente sera terminée.

Dans la tempête, les matelots ne voient rien. Que les vagues de l'océan qui les submergent. Que le vent puissant qui les emporte, les faisant dévier de leur course. Aucun phare pour les guider. Même pas la moindre étoile. Pourtant, ils ne peuvent que continuer, se fiant toujours à leurs instruments devenus parfois inutiles, se fiant parfois à leurs intuitions toujours décisives.

Voguent-ils au hasard ou sont-ils menés par quelque chose d'incompréhensible, quelque chose qui dépasse l'entendement ordinaire? Quoi qu'il en soit, ils sont remplis d'une espérance de vie, de celle qui fait écouter le grand balancier de l'univers. Les matelots traversent la tempête, ensemble, car ils savent bien que, seuls, ils n'y arriveraient jamais. Ils continuent à lutter pas seulement pour eux, mais aussi pour ceux qui les attendent au port.

Ce que je cherche à te dire est simple. Il est clair que tu te replies dangereusement sur toi-même. J'entends les gens converser sur le perron de l'église le dimanche. Ils parlent souvent de toi, se posant mille questions à ton sujet. Ils s'inquiètent de ne plus te voir, de ne plus avoir de nouvelles. Ceux que tu visites, de par ton travail, racontent ton état lamentable, ton surprenant changement de comportement. Je m'inquiète à mourir, mon ami.

Je sais que tu es très lié avec monsieur Girard, le directeur de notre école de rang. C'est un homme bien. Je ne le vois plus personnellement car j'aide à la ferme pour une année, comme tu le sais. Essaie de le rencontrer, de lui parler. Je sais qu'il te respecte et t'admire. Il n'a toujours eu que des éloges envers toi. Lui aussi a passé de douloureuses épreuves il y a quelques années quand sa fille unique est décédée. Je suis certaine qu'il pourrait t'aider.

Si tu ne le fais pas pour toi, fais-le pour Marie-Jeanne. Fais-le... un peu pour moi. Moi qui désespère de ne pouvoir te secourir comme je le souhaiterais.

Ne tarde pas à m'écrire. Je suis toujours là, bien plus près de toi que tu ne peux imaginer. Aucune distance ne pourra jamais séparer nos cœurs.

Avec toute ma tendresse,

Joséphine

Jean fut touché par la lettre de Joséphine. Elle était remplie d'amour, mais surtout d'amitié et de compassion. Est-ce que Marie-Ève se trouvait dans ce même état d'esprit? Il commençait à peine à réfléchir à la réponse que le téléphone sonna. La secrétaire lui annonçait un appel, un certain monsieur Côté, antiquaire.

— Notaire, c'est-ti vous? Bien le bonjour. Coudon, ça fait une bonne escousse qu'on vous voit pus dans les parages...

— Bonjour, cher Pamphile. Cela me fait vraiment plaisir de vous entendre. Je suis pas mal occupé ces temps-ci...

— Ben! Je vas pas vous bâdrer plus qu'i faut. Ce sera pas ben long. Mais, je pouvais pas passer à côté de vous appeler en personne. J'ai déniché une vieille armoire, du genre de celle que vous cherchez.

— Oh! Intéressant... Mais je croyais que vous deviez cesser de grossir votre inventaire!

— Oui, j'ai arrêté d'acheter en effet. C'est un vieil ami qui me l'a proposée. Sa cousine veut s'en débarrasser. Est pas mal belle. L'armoire, je veux dire. La cousine, honnêtement, pas grand'monde en voudrait pour mettre dans sa chambre à coucher... Oh! Excusez-la, notaire, je voulais pas...

— Ne vous excusez pas. Elle est bien bonne, répondit Jean en riant. Vous l'avez au magasin? L'armoire, on s'entend.

— Oui, oui. Adémar me l'a apportée hier. Elle va partir en criant lapin, c'est sûr. Mais, on se comprend ben, monsieur Jean, je téléphone pas pantoute pour vous mettre de la pression...

— C'est très bien comme ça. Vous avez bien fait. Écoutez, Pamphile, vous pouvez me la garder jusqu'en fin de journée? J'ai un rendez-vous à deux heures. Je pourrais passer au magasin vers cinq heures, cinq heures et demie pour la voir. Cela vous convient-il?

— Diguidou, notaire. Je vous la garde pis on se voit en fin d'après-midi, aujourd'hui même. Bien le bonjour pis excusez encore du dérangement.

— Au revoir et à tout à l'heure, monsieur Côté.

Jean relut la lettre et ne put y voir qu'un signe du destin. Il se rappela les conseils du docteur Pronovost : « *Confiez-vous à un ami, le plus souvent possible...* » Joséphine demandait la même chose à Marc-Aurèle. La sagesse et l'empathie de l'antiquaire ne faisaient aucun doute dans l'esprit du notaire. Si l'occasion se présentait, peut-être...

Son nouveau client arriverait dans quinze minutes. En remettant la lettre dans son veston, Jean réalisa qu'il n'avait confié sa peine à personne d'autre que Marie.

Il eut une pensée pour ses parents, partis la semaine dernière. Jeunes retraités, ils passaient l'hiver en Floride. L'été, ils parcouraient le pays en camping-car avec un groupe d'amis. Les parents et le fils se voyaient rarement plus d'une fois dans l'année depuis que Jean vivait au Lac.

Sa mère en particulier, difficile d'approche et ne dérogeant pas d'un pouce de ses rigoureux principes, en voulait toujours à Claire d'avoir exilé son fils cadet dans le nord. Elle en voulait maintenant à Jean d'avoir aimé cette campagne creuse et d'y être resté, reniant du même coup ses origines citadines et, par ricochet, ses parents.

Louise Huot n'admettait pas les raisons que son fils évoquait pour demeurer en région malgré la maladie de sa femme. Cartésienne et austère, elle ne voulait rien entendre de l'aspect sentimental évoqué par son fils. Quand Jean lui faisait part de l'inestimable soutien apporté par toute la famille Bouchard au chevet constant de Claire et le bienfait que tous les deux en retiraient, sa mère, jalouse et piquée au vif, se contentait de répondre :

— Seule une ville comme Montréal offre les plus grands spécialistes et les technologies de pointe, donc les meilleures chances de guérison. La proximité et l'amour des proches n'ont aucun impact sur une possible guérison ou réhabilitation. Pure utopie, mon garçon! Retombe sur terre!

De plus, chaque fois que la mère et le fils se parlaient au téléphone, Louise Huot revenait sur le sujet de l'accouchement en répétant que tout cela ne serait pas arrivé si Claire n'avait pas eu la mauvaise idée d'aller accoucher en région.

— Si, aujourd'hui encore, à soixante-cinq ans, je ne suis pas grand-mère, c'est seulement à cause d'un caprice de ta femme. Si vous m'aviez écoutée, tout cela ne serait pas arrivé... répétait-elle, rancunière.

Dans son discours amer, elle ne tenait aucun compte de son fils aîné, Pierre, encore célibataire. D'ailleurs, personne n'osait prononcer son nom dans la famille. Son homosexualité affichée l'avait banni à tout jamais du cœur de Louise. Un criminel ou un traître aurait trouvé plus de grâce aux yeux de la femme puritaine.

Ces paroles inutiles, voire méchantes dans les circonstances, blessaient le cœur de Jean, déjà passablement attristé. Il eut beau insister pour dire que sa femme avait toujours reçu les meilleurs soins qu'on puisse avoir dans son cas et qu'au stade où elle était rendue, même le plus grand des spécialistes ne pouvait la réveiller de son profond coma. Louise Huot n'entendit rien aux propos de son fils. En conséquence, las de subir des reproches cinglants, Jean Huot avait mis un terme à ses confidences.

Se confier à son frère Pierre, pilote de lignes aériennes, s'avérait impossible. Il voyageait de par le monde, vivant toujours entre deux décalages horaires, naviguant souvent entre deux liaisons passionnelles. Leurs entretiens téléphoniques, quoique fréquents et fraternels, demeuraient superficiels. Quant à ses amis, demeurés en ville, ils se faisaient rares depuis son départ et encore plus depuis la maladie de sa femme. En fait, il ne voyait plus aucun d'entre eux.

Jean trouva son bilan affectif plutôt moche. « Le vieux Pamphile... Je me sens vraiment bien avec lui. Pourquoi pas? » songeait-il au moment où on frappa à la porte.

La secrétaire entra et présenta poliment le nouveau client. Le notaire sourit et mit de côté ses affaires personnelles. Il se leva pour accueillir avec courtoisie Théophile Savard.

***

L'antiquaire ne cessait de regarder l'heure à « la plus vieille pendule du monde ». Chaque fois, monsieur le Maire lui faisait remarquer cette exagération en disant : « Sans vouloir vous offenser, monsieur Pamphile, la plus vieille pendule *de la boutique* serait certes un terme plus approprié... » Toujours, l'antiquaire réfutait cette allégation répondant simplement : « Mon monde à moi, c'est ma boutique, monsieur l'Instituteur, ça fait que c'est du pareil au même! »

En réalité, la pendule antique faisait partie de son magasin, comme lui-même. Cent fois, mille fois, l'antiquaire aurait pu la vendre. Cent fois, mille fois, il refusa.

— Je peux juste pas. C'est comme si que je me vendrais moi-même pis l'âme de mon père, pis mon grand-père. On peut pas mettre un prix sur une affaire comme ça, vingueu! s'exclamait-il, sérieusement offensé.

Pour cesser tout quiproquo de par la situation de la très vieille pendule dans son magasin d'antiquités, Pamphile avait décidé de mettre un écriteau sur cette dernière, y soulignant les mots les plus importants. On pouvait y lire : « Ceusses qui disent que le temps, c'est de l'argent, i se trompent. La preuve : CHUS PAS À VENDRE. Merci ben. »

Étrangement, cet écriteau, tout en faisant sourire les clients, permettait de créer un lien entre l'antiquaire et sa clientèle qui demandait alors à connaître l'histoire de la vieille horloge.

Cette pendule de chêne massif de un mètre quatre-vingts de haut qui sonnait encore avec précision les quarts, les demies et les heures, habitait les lieux depuis le temps de son grand-père, Onésime Côté. Onésime l'aurait traînée avec lui de La Malbaie quand il était venu s'établir au Lac avec sa nombreuse famille en 1870. Son dernier, Charles-Eugène, père de Pamphile, était né à Saint-Gédéon en 1880.

L'histoire penchait pour l'hypothèse suivante : « Le Grand Côté » – l'arrière-grand-père de Pamphile dont le prénom s'était perdu en cours de déménagement – l'aurait léguée à son fils Onésime en cadeau de noces, exigeant que l'horloge soit retransmise de père en fils. Légende ou vérité, difficile à confirmer.

Un fait était certain : Onésime avait donné la pendule en cadeau à son plus jeune, Charles-Eugène. Le père de Pamphile, un peu avant de mourir avait confié :

— On sait pus d'où ce qu'elle vient, mais moi je sais où ce qu'elle va aller. Avec toi, mon Pamphile. Elle a toujours été à la même place. Essaye de pas l'en changer. Elle se vend pas, cette pendule-là. Elle se transmet, comme le sang dans nos veines, mon garçon. Le temps, i nous est juste prêté. Ça fait que, vois-tu, personne peut la vendre ni l'acheter. Mais, les temps étant pus ce qu'ils étaient, si tu peux pas la donner à un de tes gars un jour, donne-la au moins à quelqu'un qui est le plus proche de toi possible. O.K.? Je compte sur toi, mon p'tit gars...

Pamphile, le cœur gros, réalisa qu'il avait oublié cette requête depuis belle lurette. Il ne pourrait certainement la léguer ni à René ni à Fernand. Ses fils ne paieraient pas le déménagement d'une horloge de six pieds jusqu'en Floride, eux qui regrettaient les dépenses encourues pour venir aider leur père malade.

« I la vendraient au premier venu, c'est certain. Vingueu! I va falloir que je réfléchisse ben gros à ça. C'est de haute importance, vu mon grand âge... »

Au moment où Pamphile se perdait en conjectures, la clochette de la porte d'entrée se fit entendre.

— Ah! C'est toujours un plaisir de vous revoir, cher ami. Bonjour. Je suis désolé du retard. J'espère que je ne vous ai pas causé d'inconvénients...

— Mais non. Que c'est que vous allez chercher là,

notaire? I est à peine six heures moins quart! Justement, je regardais ma vieille pendule pis je me faisais ben du tracas à son sujet.

Et Pamphile se mit à raconter l'histoire, en y ajoutant la requête de son père, partie qu'il omettait habituellement de narrer à la clientèle.

— Je vous comprends, monsieur Côté. Ce n'est pas toujours facile de respecter des traditions centenaires. Les temps changent et les gens n'étant plus ce qu'ils étaient autrefois...

— Vous avez ben raison. Mon pauvre père disait pareil... Ces affaires-là intéressent pus grand-monde astheure. Pourtant, je considère que c'est là des questions de haute importance, notaire. Coudon, assez parlé de moi. Venez voir ça, cette belle armoire-là. Chus pas mal sûr que vous allez tomber en amour avec elle.

Le notaire, en bon connaisseur, sut apprécier la qualité et la beauté de la pièce. Effectivement, le meuble se rapprochait beaucoup de celui appartenant à Joséphine. Sans hésitation, il dit :

— Vendu, monsieur l'antiquaire. Peu importe le prix. Demain, en début d'après-midi, je vous envoie un camion de déménagement pour venir la chercher. Disons vers trois heures. Cela vous va?

— C'est ben correct. Je vas vous la faire à... disons, cinq cents. Vous pouvez me payer à votre convenance, notaire. Y a rien qui presse...

— Vous n'êtes pas sérieux, Pamphile! s'écria Jean. Vous savez bien que cette armoire vaut bien plus que cinq cents dollars. Je ne peux accepter...

Pamphile n'en revenait pas. « Le voilà qui agit comme la Marie astheure. I sont ben faits pour se comprendre, ces deux-là... » pensa-t-il.

— Écoutez-moi ben, notaire Huot. Chus, pour ainsi dire, retiré des affaires. Laissez-moi le plaisir de finir en beauté! Vous êtes un bon client, pis ça me fait ben gros plaisir. Pis, en plus, elle a même pas resté deux jours dans ma boutique! Vous le savez, quand ça rentre pis ça sort tusuite, c'est pas pareil non plus. Cinq cents, pas une cenne de plus, monsieur Jean!

— Bon! c'est d'accord. Il ne me reste plus qu'à vous remercier infiniment et vous faire un chèque tout de suite.

Pendant que le notaire préparait le paiement, Pamphile se demanda comment arriver à le faire monter à l'appartement : « Ça va ben trop vite, vingueu! Le notaire va partir sans que j'arrive à le faire se confier... » C'est alors qu'il eut une drôle d'idée.

Il se mit à tousser légèrement pour attirer l'attention et il s'assit sur la première chaise venue, en se touchant le front, la tête baissée. Le stratagème réussit puisque Jean, inquiet, demanda :

— Monsieur Côté, est-ce que ça va? Vous avez l'air mal...

— Ben, pour dire le vrai, je me sens pas trop dans mon assiette tout d'un coup. Je me demande si vous pourriez pas m'aider à barrer la porte pis monter l'escalier... avant de partir?

— Évidemment, Pamphile. Tout de suite.

Le vieillard se leva très doucement – il fallait bien jouer un peu la comédie – et remit les clefs de la boutique à Jean. Il enfila son chandail de laine et suivit docilement le notaire qui refermait la porte du magasin. Jean le soutint pour monter les marches et ils arrivèrent à l'appartement.

— Venez vous asseoir, monsieur Côté. Je vais vous chercher un verre d'eau. Comment vous sentez-vous? Voulez-vous que j'appelle votre médecin? Y a-t-il des médicaments que vous devez prendre?

Pamphile n'allait pas répondre que c'était en plein l'heure des comprimés. Au contraire, il profita de la situation pour s'exclamer :

— Coudon! C'est en plein ça, notaire. J'ai oublié de prendre ma pilune pour le cœur. Ah! La mémoire est pus ce qu'elle était! Est dans l'armoire à dret, juste à côté des verres...

Le notaire apporta le contenant à l'antiquaire tout en lui faisant des remontrances :

— Monsieur Côté, il faut absolument que vous fassiez attention! Votre état nécessite un suivi constant!

— Je le sais. Je le sais. Je vous promets de faire ben attention à l'avenir, assura Pamphile, l'air docile. C'est ben la première fois que ça m'arrive. Mais... ça commence déjà à aller mieux. Je vous assure. Prenez-vous donc une p'tite bière au frigidaire pis venez jaser un brin. Vous pouvez fumer, ça me gêne pas pantoute. Je me sens ben tout seul des fois. Pis... ça doit être pas mal pareil pour vous, même pire... Non?

— Je prendrais volontiers une bière, merci. Après toutes ces émotions... Ah! C'est mieux, vous retrouvez vos couleurs. Vous m'avez fait peur, vous savez! Quand je vous ai vu chanceler, cela m'a rappelé le mois de mai et aussi la peine de Marie.

Jean s'arrêta net de parler. Juste prononcer « Marie » à voix haute lui fit à la fois du mal et du bien. Comme si le simple fait de dire son nom ouvrait une large fenêtre sur la vie, débloquant du même coup les portes de sa prison, déliant aussi les nœuds de son cœur. Était-ce possible que son amour pour elle, au lieu de diminuer en son absence, ne fasse qu'augmenter? Pourtant il avait sincèrement cru que, loin de ses yeux, elle serait loin de son cœur.

Apparemment, Marie faisait exception à cette règle. « Marie fait exception à toutes les règles », songea-t-il.

Respectant ce silence qui en disait long, le vieux Pamphile se demanda si le notaire confierait son amour pour « Marie ».

« La p'tite a ben raison. Son nom, il est ben beau

dans la bouche du notaire. Vingueu! Pourquoi que les choses arrivent de même? Y a pas à dire, ils sont destinés l'un envers l'autre! Mais comment donc que ça peut finir une histoire pareille? S'il disparaissait comme le docteur, la p'tite s'en remettrait jamais, jamais... » réalisat-il soudain, très soucieux.

Jean se mit à trembler légèrement. Tout d'un coup, il y eut comme une explosion sourde dans son être, un peu comme celle de juillet. Tous les secrets enfouis firent surface à la manière de la vapeur qui jaillit d'un geyser. Il ne put – ni ne voulut – contenir plus longtemps le jaillissement des mots lourds et prisonniers.

Le notaire se confia. Il raconta tout depuis le début, depuis Longueuil. L'incompréhension de sa mère envers leur choix de vivre en région. Sa froideur et sa rancune envers Claire. La perte de Sophie. Le coma si proche de la mort. Les affres du doute, de la remise en question, de la peur. Le silence effrayant de la maison. Les amis envolés. La solitude accablante. Le désarroi. La dépression.

Et, tout naturellement, il termina en avouant sa liaison avec une autre femme, sans toutefois la nommer.

— Vous savez, Pamphile, je ne l'ai pas cherché. Je vous le dis en toute sincérité. C'est venu comme ça. Mais, depuis l'été, je ne vois plus... cette femme. J'ai ressenti un si grand tourment que j'ai tout avoué à Claire.

« Vous me direz que c'était facile – et aussi lâche de ma part – puisqu'elle dormait. Mais on dit que, parfois, les gens dans le coma entendent ce qu'on leur confie. Je sais qu'elle m'a entendu. Je serai tout à fait honnête avec vous, Pamphile. J'ai besoin de l'être, vous comprenez?

« J'aime toujours cette femme. Je suis incapable de faire autrement. Elle est adorable, spontanée, belle et douce. Vivante, bien vivante. L'amour que nous éprouvons l'un pour l'autre a comme base une solide et franche amitié. Nous avons même des passions communes. Je la sens si proche de moi, vous savez. C'est difficile à expliquer... Le seul terme qui me vient à l'esprit serait... une âme sœur. Oui. Une âme sœur qui ressent ce que je ressens, sans besoin de paroles. Les circonstances qui entourent notre rencontre sont tout aussi difficiles à comprendre... C'est tellement étrange! Comme si quelque chose d'invisible nous attirait l'un vers l'autre...

« Malheureusement, comme je ne peux rien lui promettre, j'ai préféré ne plus jamais la revoir. J'ai agi lâchement car je ne lui ai même pas donné d'explications. Je ne peux lui demander de m'attendre et risquer de gâcher son avenir. Ce serait malhonnête de ma part. Et si Claire se réveillait de ce coma? Dans quel état serait-elle cette fois? Nul ne peut savoir. Ni quand ni comment...

« Je me sens seul, oui. Et complètement désemparé. Je dois prendre des médicaments pour dormir! Je ne peux faire autrement. J'ai perdu ma confiance, mon entrain, ma joie de vivre. Que me reste-t-il, Pamphile?

— Mon cher Jean. Mon ami. Chus pas un brin étonné par vos confidences. Pour ce qui est de la... liaison, chus pas là pour vous juger, croyez-le ben. Chacun dirige sa barque à sa manière. J'ai pour mon dire qu'on a assez avec la nôtre sans se mêler de comment s'y prennent les autres. Les conditions de navigation sont pas les mêmes pour tout le monde non plus... Y en a qui se noyent dans les tempêtes, d'autres qui s'en sortent...

« C'est des choses qui peuvent se passer dans une longue vie. C'est pas juste à vous que ça arrive, c'est ça qu'i faut que vous admettiez. Vous pensiez pas que vous pourriez jamais faire une chose pareille, c'est ça itou

qui vous fait mal. Y a un p'tit brin d'orgueil là-dedans...
C'est là que l'humilité rentre en ligne de compte, voyez-
vous? On est tous faits pareil, mon pauvre ami. On peut
tous succomber ou s'affaiblir, à un moment ou à un
autre de notre vie.

« Moi, je trouverais ça plus malaisé à admettre quand
l'autre conjoint, i est ben vivant, en santé pis i se doute
de rien, croyant que l'autre l'aime à la folie en plus.
C'est pas pour adoucir la situation que je dis ça, notaire, mais c'est pour que vous réalisiez que ça, je pense
pas que vous l'auriez fait du vivant de la Claire ben
belle pis en santé, me comprenez-vous?

— Oh! oui. Vous avez raison, Pamphile. Ma fidélité
envers elle a été sans faille tout le temps que nous avons
avancé ensemble. Je l'aimais. Je l'ai toujours aimée et
l'aimerai toute ma vie. Mais comment vivre pendant
qu'elle dort et que je suis réveillé?

Et Jean pleura. Les larmes coulèrent librement comme
une source qui émerge du rocher. Elles lui firent du
bien. Pamphile se leva et alla chercher un mouchoir et
un verre d'eau. Quand il revint, il posa doucement la
main sur l'épaule de l'homme affaibli. Ce geste frater-
nel, ce geste de réconfort toucha beaucoup le notaire. La
main était puissante, elle appelait à se tenir debout.

— Courage, mon ami, ajouta le vieil homme. Chus
là. Ben vieux, mais là pareil. Venez me voir plus souvent. Je vous aime ben gros, ben gros. Vous remplissez
un peu l'absence de mes garçons, en quelque sorte. Pis,
si ça va pas ben, chez vous, tout seul, appelez. Je vas
vous répondre n'importe quelle heure. J'ai pas oublié
ce que vous avez fait pour moi quand j'ai été malade pis
aussi pour les affaires de la Fine. Vous avez attendu,
sans dire un mot pis sans me pousser, que je revienne
correct.

« L'amitié, pis l'amour, c'est comme le mariage :
c'est pour le meilleur et pour le pire. Là, vous vivez le

pire avec votre Claire. Mais le pire a toujours une fin, notaire. Espérez, mon ami. Espérez toujours.

« Quant à celle... qui trouble votre cœur, cherchez-la pas pour astheure. Comme vous faites pour le moment, c'est correct de même. Mais si elle se présente sur votre chemin par le plus grand des hasards, vous êtes pas obligé d'y tourner le dos. Des fois, la destinée a ses raisons que la raison, elle connaît pas! Elle peut s'habiller de toutes les manières pour nous venir en aide. Je vous le dis en connaissance de cause, vingueu!

« Seulement, un dernier p'tit conseil : faites ben attention, notaire! Y en a ben gros dans les environs qui attendent comme des vautours pour se nourrir. Pis une histoire comme ça, i passeraient pas à côté, c'est certain! Même l'estomac plein! Surtout quand i est question de la famille Bouchard! Pas besoin de vous dire que vous pouvez compter sur mon entière discrétion, monsieur Jean.

— Merci, monsieur Pamphile. Vous avez bien raison de me le rappeler et je vais suivre votre conseil. En tant que notaire, je suis bien placé pour les connaître. Ah! Je me sens mieux. Je me sens plus léger d'avoir partagé mes peines.

« J'aimerais vous inviter à aller manger. Je suis sûr que vous n'avez rien avalé depuis midi. Il est... Oh! Déjà! Neuf heures! Cela devait être aussi une des causes de votre faiblesse, tout à l'heure...

— Ben! Je dis pas non. Ils ouvrent les soirs à L'Escalier astheure, du premier novembre jusqu'au 2 janvier. C'est nouveau de cette année. On y va-ti? I sont tellement fins, ces deux-là, qu'i vont ben nous trouver un p'tit en-cas...

La nuit étant tombée et les degrés aussi, Pamphile s'habilla chaudement. Jean, en remettant son veston, se rendit compte qu'il n'avait pas mentionné les lettres de Joséphine. Une autre fois.

Après être passé aux aveux, il était l'heure de passer à table. Pour la première fois depuis longtemps, Jean Huot avait faim.

Les deux hommes, désormais liés par d'intimes confidences, sortirent dans la nuit froide. Machinalement, les gestes d'hiver revinrent au galop : ils remontèrent leur col et se frottèrent les mains pour les réchauffer. Dans la quiétude du village frissonnant, L'Escalier, avec son écriteau « Ouvert à tous et bienvenue », ainsi que son éclairage tamisé, invitait à la chaleur, aux échanges et surtout au plaisir assuré des palais.

VIII

Dans l'église centenaire, Pamphile Côté ne pouvait s'empêcher de pleurer. Le fardeau de sa tristesse était lourd à porter sur ses épaules voûtées. Plus de soixante-dix années d'amitié, qui ne serait plus, venaient le rattraper d'un coup en ces quelques jours de deuil. Le vieil homme, aujourd'hui accablé par la mort subite de son plus grand ami, n'arrivait pas à se concentrer sur les paroles du jeune curé. Ces dernières étaient trop anonymes et ne rendaient pas hommage à son compagnon de route, Josépha Bouchard. Par conséquent, Pamphile, en guise d'hommage personnel à son ami, préférait retourner loin en arrière pour faire revivre les souvenirs communs.

Les deux hommes s'étaient rencontrés dans un camp de bûcherons, quelque part en pleine forêt, au nord de la rivière Saguenay. Ils devaient avoir quatorze ou quinze ans, à peine adolescents. Tout de suite, peut-être dû au fait qu'ils venaient du même coin, l'entente avait été parfaite. Pendant plusieurs années consécutives, d'octobre à mars, les deux amis se retrouvaient avec joie. À eux seuls, dans une journée, du petit matin jusqu'à la brunante, fringants et téméraires, bravant les pires intempéries, ils abattaient des dizaines d'arbres. L'amitié franche qui les unissait alors les avait aidés à passer ces longs mois de solitude et de dur labeur dans l'immensité de la forêt nordique. C'est même à cette période que Pamphile, en riant, avait commencé à compter ses années en « hivers », lui qui avait fêté tant d'anniversaires en compagnie de Josépha, dans la froidure de décembre, dans la solitude et la blancheur de ces vastes forêts boréales...

Pamphile s'émut au souvenir du mariage de Josépha, dans cette même église qui le voyait partir aujourd'hui, tout seul.

« Toute une noce, vingueu! Hein? Mon Josépha! On avait été obligés d'aller danser chez ta cousine, à l'autre bout du village. Ton paternel voulait rien savoir de la danse. « Péché », qu'i disait. I voulait ben de la musique, mais pas de danse! Des fringants comme nous autres dans la jeune vingtaine! Comment qu'on aurait pu écouter le violoneux sans avoir le goût de faire un brin de steppettes. Les saintetés pis nous autres, ça faisait deux... dans ce temps-là. La Toinette pis moi, on était fiancés, je m'en souviens. Je crois ben qu'on avait apprivoisé les deux plus belles créatures du village... On en faisait-ti assez des jaloux, hein, mon Josépha? »

Pendant que l'antiquaire était perdu dans ses souvenirs, la tête baissée, pendant que les larmes glissaient sans bruit sur ses bretelles noires, Marie-Ève, assise tout à côté de lui, le surveillait. Inquiète, elle craignait pour sa santé.

« C'est connu! Souvent, quand une vieille personne perd un conjoint ou un ami, elle peut à son tour se laisser aller, même tomber malade. Avec son cœur fragile, il faudra que je sois alerte et attentive... »

En tournant la tête pour regarder Pamphile, elle croisa le regard du notaire, assis dans une rangée sur sa droite, un peu en avant d'elle. Il avait légèrement tourné la tête et regardait dans leur direction. Leurs regards ne s'étaient plus croisés depuis le violent orage, il y avait presque sept mois. C'était hier dans une folle tempête, c'était aujourd'hui dans un silence grandiose.

« Ni le temps ni l'éloignement, songea Marie-Ève ébahie, ne semblent avoir altéré l'élan naturel que nous ressentons l'un envers l'autre. »

Au même instant, la voix du prêtre clamait :

— N'oubliez pas que l'amour va bien au-delà de la

mort. L'amour que nous éprouvons pour un être cher demeure gravé dans nos cœurs. Tel une flamme éternelle de vie, il ne s'éteint jamais...

Marie-Ève reçut ces paroles comme une révélation. Elle aimait toujours le notaire. Et, malgré la détresse du regard de Jean, elle put lire l'amour qu'il lui portait encore.

Elle avait su par Pamphile que Jean s'était enfin confié, sans toutefois la nommer. C'était en novembre. La saison froide et blanche était venue, accompagnée de grands vents et d'une froidure à glacer le sang. Les soirs d'hiver, Marie-Ève les avait passés en compagnie de l'antiquaire. Son vieux compagnon avait été la seule personne qui pouvait lui donner régulièrement des nouvelles du notaire.

Après une courte période d'accalmie, Jean était retombé dans une profonde léthargie. Pamphile se disait désolé de ne pouvoir l'aider davantage. Jean dépérissait à vue d'œil, à vue d'âme. La jeune femme ne savait plus que faire, quoi penser. Pendant les longues heures d'incertitude et de remise en question, le gramophone de Joséphine tournait à nouveau dans la vieille demeure. Et, comme la Fine avant elle, Marie-Ève était en attente, espérant que le notaire « *n'oublie jamais le premier jour où ils s'étaient connus* »...

Pamphile releva la tête et se tourna vers sa jeune compagne. Ils se sourirent, en se prenant la main. Le service funèbre prit fin et la foule silencieuse se dirigea à pied, en silence, pour accompagner le défunt au cimetière situé juste à côté de l'église. Malgré un temps glacial de février, une foule nombreuse accompagna l'homme le plus respecté de la place pour son dernier bout de chemin. Pamphile, s'adressant plus ou moins à Marie-Ève, soupira dans un sanglot :

— Vingueu! Je peux pas croire que je vas rester le dernier? Tout seul... Josépha, mon ami, je peux pas croire que je t'accompagne pour ton dernier bout de route icitte, à matin, dans ce fret pas possible. Maudit hiver qui me garde en vie pis qui emporte mon compagnon! Il est parti comme un voleur, le vieux snoreau. Le savais-tu, la Marie? Dans la nuit, sans prévenir âme qui vive. Il a jamais voulu être du dérangement pour personne itou. C'est ben de lui de s'en aller comme ça. Poli pis monsieur, i s'en est pas fait deux comme lui dans tout le Lac. Il a eu une belle mort comme il a eu une belle vie. Y a pas à dire, fillon, la famille Bouchard, c'est du ben bon monde. Je vas ben gros m'ennuyer de lui...

On pria, on pleura longtemps Josépha Bouchard. Finalement, le grand froid de l'hiver eut raison de tout le monde, des plus jeunes aux plus âgés. Le fils aîné, Joseph, invita alors les participants à venir au sous-sol de l'église où la famille Bouchard les attendait pour une rencontre amicale.

On laissa là le cercueil, sans pouvoir le mettre en terre. On abandonna le corps qu'il contenait sur une neige durcie et rebelle, tellement ingrate... Il fallait attendre les jours plus cléments du printemps, quand la terre serait assez tendre pour recevoir le digne patriarche.

***

Plus d'une centaine de personnes, toutes transies de froid, acceptèrent l'invitation et s'engouffrèrent par l'unique petite porte qui donnait accès au sous-sol de l'église. Le temps que chacun enlève chapeau, manteau, foulard, mitaines et bottes, le brouhaha était à son comble. L'antiquaire et l'informaticienne réussirent tant bien que mal à se faufiler à travers cette foule disparate et agitée. Peu à peu, le calme revint et de petits groupes se formèrent de-ci de-là.

Pamphile fit part à Marie-Ève de son désir de s'asseoir, car il se disait fatigué par toutes ces émotions.

Cette dernière nota deux chaises libres juste devant la scène et s'empressa d'y conduire son vieil ami.

Joseph Bouchard, qui passait tout près d'eux, s'arrêta et vint dire quelques mots de réconfort à l'antiquaire. La jeune femme, qui suivait la conversation, se rendit compte qu'il s'agissait du père de Claire Bouchard, la femme de Jean.

— Tout le monde pensait ben que c'est ma fille cadette qu'on enterrerait en premier! Le père montrait aucun signe de faiblesse. Il était jamais malade! Vous le savez mieux que quiconque icitte! C'est ben pour dire, hein, monsieur Pamphile? Personne peut escompter de l'heure de sa mort... Elle vient juste quand c'est l'heure. Ni avant ni après pis personne peut mettre son grain de sel là-dedans, disait le septuagénaire, fort attristé.

— Au fait, pas de nouveau pour ta fille, Joseph? demanda poliment Pamphile.

— Non. Rien a changé depuis une année. Même quasiment quinze mois astheure... Batêche! que le temps passe. Pis les docteurs, i voyent pas pantoute de possibilité d'amélioration. I disent qu'y a pus beaucoup d'espoir qu'elle se réveille un jour. J'ai jamais pensé qu'une affaire comme ça était possible!

Il se tourna alors vers Marie-Ève qu'il avait reconnue comme étant « la protégée de l'antiquaire ». Il lui fit un signe poli de la tête. La voyant pour la première fois de près, il ne put que songer : « Y a pas à dire. C'est vrai. C'est là un beau brin de fille... » Par respect pour Pamphile et désirant la prendre également à témoin, il continua la conversation en s'adressant aussi à elle :

— Personne dans la famille Bouchard a eu le coma avant, vous comprenez! La vie est quand même ben faite : nous autres, je peux ben vous le confier à vous, monsieur Côté, pis à vous aussi, mam'selle, puisque vous êtes une intime de notre cher Pamphile, on trouve que le bon Dieu nous a donné ben le temps d'accepter cette épreuve-là pis de se faire à l'idée de la perdre. Notre deuil est quasiment fait depuis toutes ces années qu'elle est gravement malade.

« Mais notre Jean, lui, i fait pitié à voir! I dépérit ben gros. On essaye ben d'y changer les idées, des fois, mais il accepte pus aucune invitation. À part vous, Pamphile, il avait ben juste Josépha qui arrivait à l'encourager. Mais i est pus là astheure! Mon gendre est comme détaché du monde. J'ai pour mon dire qu'il est en train de tomber dans le coma, comme sa Claire. Apparence que ça s'attrape pas... mais, quant à moi, chus pas sûr de ça pantoute... Batêche! On s'inquiète ben gros pour lui... »

Marie-Ève s'excusa et prétexta le besoin d'aller aux toilettes. Un nœud lui étreignait la gorge. Entendre parler de Jean ainsi lui faisait l'effet d'un poignard dans le cœur. Elle se faufila discrètement à travers la foule et réussit à atteindre les toilettes des dames. Elle s'aspergea le front et la nuque et fit d'immenses efforts pour reprendre le dessus. Quand elle sortit, encore passablement perturbée, elle se retrouva nez à nez avec le notaire, qui sortait de la toilette des hommes. Pendant un bref instant, le temps s'arrêta. Marie-Ève n'entendit plus rien, ne vit plus personne. Elle ne put prononcer un seul mot tant ses lèvres tremblaient.

Jean, qui nota le grand trouble qui s'était emparé de Marie-Ève, se décida à prononcer les premières paroles :

— Bonjour, Marie. C'est gentil d'être venue. Tu accompagnes Pamphile, n'est-ce pas?

— Oui... Oui. Bonjour, Jean. Je ne voulais pas le laisser seul un jour pareil. Tu sais, c'est un coup dur pour lui. Monsieur Bouchard était son plus grand compagnon. Sa santé fragile m'inquiète, car il n'est plus très jeune et une telle épreuve peut grandement l'affaiblir. Il n'a que des éloges pour le grand-père de...

« Et... toi, comment vas-tu, Jean? Il y a si longtemps... qu'on ne s'est vus! Je croyais, au début, que la tempête avait emporté si peu de choses, enfin des choses matérielles sans valeur. Je me trompais, car elle t'a aussi emporté très loin... Enfin... je crois. Excuse-moi, excuse-moi! Oh! je suis désolée, je ne voulais pas... Ce n'est pas ce que je voulais dire! Je crois que je ferais mieux de rentrer. Je dois aller retrouver monsieur Pamphile. Prends soin de toi, Jean Huot.

— Marie, Marie... attends!

La jeune femme eut peine à l'entendre tant le timbre de sa voix avait baissé. Elle le sentit tout aussi troublé qu'elle-même.

— Je... Est-ce que je pourrais venir te voir? J'ai besoin de parler à quelqu'un. Est-ce que je peux t'appeler... en fin d'après-midi?

— Je veux passer la journée avec Pamphile. Je serai de retour à la maison entre sept et huit heures. Tu viens quand tu veux. Ma porte sera toujours ouverte pour toi, cher ami...

Sur ces mots, elle le quitta abruptement, sans se retourner. Son cœur battait à tout rompre. Elle sentait son visage en feu. Elle se trouvait ridicule. Pourquoi avait-elle parlé de la tempête? Pourquoi avait-elle été incapable de rester neutre, de le laisser en paix, lui qui avait déjà un si lourd fardeau à porter? Marie-Ève, honteuse et déçue de son comportement juvénile en de pareilles circonstances, se dépêcha de rejoindre Pamphile.

Heureusement, le vieil homme, bien entouré, ne manquait pas de compagnie. Il ne s'aperçut donc pas du changement soudain qui s'était opéré chez sa jeune compagne. Vers midi, les deux amis mangèrent un morceau et, peu après, ils firent le trajet à pied jusqu'à l'appartement de l'antiquaire.

Avec une patience infinie, malgré la tourmente qui sévissait dans son âme, Marie-Ève écouta le vieil homme pendant tout l'après-midi lui raconter une vie d'amitié. Elle réalisa alors que ce sentiment affectif était sûrement la plus inébranlable, la plus pure des multiples formes de l'amour et qu'il valait la peine de lui dédier une part importante dans toute relation amoureuse. N'était-ce pas ce qu'elle avait offert à Jean, en tout premier, au début de leur rencontre au bord du marais : l'amitié?

Vers cinq heures, elle fit chauffer une soupe pour Pamphile qui mangea d'assez bon appétit. Quant à elle, juste pour l'accompagner, elle grignota un biscuit; elle n'avait pas faim. Quand elle se prépara à partir, vers sept heures, l'antiquaire était calme. La jeune femme promit de passer après son travail, le lendemain. Pamphile l'attira vers elle et la serra très fort en disant :

— J'ai perdu mon meilleur ami, aujourd'hui, c'est vrai. Mais toi, toi, comme t'es ben plus jeune, je risque moins de te perdre tusuite... Merci mille fois pour m'avoir accompagné un jour pareil. J'aurais eu ben plus de peine tout seul. On a toujours plus de misère, tout seul dans la vie. Tu sais ben de quoi je parle, hein, ma p'tite? Roule ben doucement, fillon, les routes sont glacées avec ce fret-là. Demain, on parlera plus de toi... Bonne nuit pis inquiète-toi pus pour moi. Je crois ben que le bon Dieu, i m'a oublié pis i va me faire endurer encore ben d'autres hivers...

***

La vieille horloge de la Fine, exacte comme une montre suisse, fit entendre dix coups sonores. Ce qui fit penser à Marie-Ève que Jean avait changé d'avis. Aucun message sur le répondeur à son arrivée, aucun appel par la suite. Par la fenêtre à carreaux, toute givrée, elle regarda le vent fort balayer la plaine enneigée. Il avait outrageusement découvert certains endroits, laissant la terre à nu, frissonnante et impudique.

Trompette vint se blottir aux pieds de sa maîtresse, tremblant de peur.

« Mais non, mais non, dit doucement Marie-Ève au petit griffon en le prenant dans ses bras. Il faut pas avoir peur du vent comme ça, toutou! Viens, on va aller au secrétaire. C'est probablement le temps que je lise une autre lettre. Cela me rapprochera sûrement de lui... »

Le 24 janvier 1922

Ma belle amie,

Ne crois pas que j'ai pu t'oublier. Je t'ai écrit plusieurs lettres... mais je les ai toutes détruites. Après lecture, je me rendais compte qu'elles étaient uniquement remplies de désespoir, d'amertume et de noirceur. Tu n'avais pas besoin de lire cela. Toutefois, le simple fait de les écrire m'a énormément soulagé.

Je voulais te dire, après tous ces mois de silence, que j'ai suivi ton conseil. J'ai rencontré Auguste Girard et, comme tu l'avais pressenti, il m'a été d'un grand secours. Malheureusement, le fil des jours ne changeant pas, ma situation ne s'est guère améliorée. Je travaille beaucoup moins et demeure cloîtré à la maison. Néanmoins, te devinant toujours si près de moi, je me sens moins seul et je pense souvent au « grand balancier de l'univers » dont tu m'as parlé dans ta dernière lettre. Il m'arrive même de me retourner parfois, croyant que je vais te voir, juste là, juste ici... Que n'aurais-je déjà fait d'irréversible, sans ta présence réconfortante!

En passant devant votre ferme, la semaine dernière, je t'ai entrevue. Ah! Comme j'ai désiré m'arrêter pour te parler. Tu me manques beaucoup, Joséphine. Je suis certain que la vie nous fera rencontrer à nouveau. Je ne sais dans quelles

*circonstances, mais je ne puis m'empêcher d'avoir ce fort
pressentiment depuis quelques jours.*

*Il me semble aussi qu'un grand vent va venir bientôt, qui
soufflera si fort qu'il emportera avec lui bien des malheurs...
et bien d'autres choses encore!*

Dans un souffle, je te dis à bientôt, chère Joséphine.

Marc

Marie-Ève se sentit inquiète. Pour la première fois,
elle eut peur. Elle demeurait figée devant le secrétaire,
sans bouger, son regard fixé sur les deux derniers
tiroirs. Il ne restait plus que celui portant le numéro
neuf et l'autre sans rien dessus... Après, l'histoire prenait fin, le docteur avait disparu, laissant Joséphine
seule, pour toujours.

« Jean va venir. Peut-être pas aujourd'hui mais bientôt, ne put-elle que conclure. Mon Dieu! Il faut que
ces lettres servent à quelque chose! Sinon Joséphine
n'aurait pas désiré qu'une... parfaite étrangère en
prenne connaissance! Elle les aurait détruites! Pourquoi Marc-Aurèle est-il parti si loin? Ce n'est pas possible que notre histoire se termine comme la leur! Peut-
être vaudrait-il mieux que j'arrête ici, sans lire les
dernières lettres? Ou faut-il que je les lise maintenant... ensemble? Pourquoi a-t-il fallu que ce soit moi
qui hérite du secrétaire? »

Ces questions, qui ne portaient même pas l'ombre
d'une réponse, lui donnèrent des frissons et elle se leva
pour enfiler un chandail. Juste au moment où Marie-Ève
revenait ranger la lettre dans le secrétaire, Trompette
se mit à aboyer. Elle regarda par la fenêtre et reconnut
la voiture du notaire qui montait la côte de sa maison
pour aller se stationner à l'arrière.

Soudain, un grand calme l'envahit. Elle se sentit
vraiment sereine, beaucoup plus que dans l'après-midi.

Quand elle entendit frapper discrètement à la porte, onze coups sonnèrent à l'horloge de la Fine. C'est avec l'amitié au cœur qu'elle ouvrit à Jean Huot.

— Entre vite, Jean. Brr! qu'il fait froid. Ce vent qui n'arrête pas! Donne-moi ton manteau. Viens te réchauffer au salon, il y a un bon feu dans la cheminée.

Comme la jeune femme avait prononcé les premiers mots sans trembler, Jean se sentit plus à l'aise.

— J'espère que je ne te dérange pas, Marie. Il est vraiment très tard... et tu as certainement eu une longue journée avec Pamphile. J'ai voulu appeler mais... je ne suis pas très doué pour les conversations téléphoniques!

— Mais non, je ne me couche jamais avant minuit de toute façon. C'est correct, ne t'en fais pas pour moi. Je suis heureuse que tu sois là. Tu as bien fait de venir directement.

Elle lui offrit à boire. Comme elle, il opta pour une tisane aromatisée au miel de bleuets que tous deux sirotèrent lentement en échangeant quelques banalités, sur le temps, sur le grand vent... Ils parlèrent aussi de Josépha Bouchard, de Pamphile Côté. Marie-Ève relata quelques anecdotes amusantes concernant la belle amitié qui avait lié les deux hommes. Puis, Jean alluma une cigarette et demanda à Marie-Ève si le vieux gramophone Edison fonctionnait encore.

— Oh! oui! Et bien, à part ça. Veux-tu écouter le disque préféré de la Fine?

Le notaire, en souriant, répondit par un signe affirmatif de la tête, et Marie-Ève fit jouer le morceau en question. Tous deux se recueillirent en écoutant l'air d'antan. En songeant que Claire ne pouvait plus se souvenir du jour où ils s'étaient connus, Jean versa quelques larmes. Ensuite, il se mit à parler. Il relata sa rencontre avec celle qui fut sa première et unique compagne si longtemps.

— Si tu l'avais connue! Claire était rayonnante. Je

me suis souvent demandé comment ça se fait qu'elle s'était intéressée à moi. J'ai toujours été plutôt gauche et timide... Je n'ai jamais eu son courage, sa droiture...

— Je suis certaine qu'elle était extraordinaire. Mais... je pense sincèrement que tu te mésestimes... Enfin... Pamphile me disait encore ce matin que les Bouchard sont des gens bien.

Puis, Jean préféra changer de sujet, car il ne voulait pas parler de maladie. Il demanda à Marie-Ève si son contrat serait à nouveau prolongé, cette année, et aussi comment allait son travail, comment elle se sentait dans la maison de Joséphine.

— Pour le contrat, je n'en sais vraiment rien pour le moment. Pierre-Paul n'a rien dit à ce sujet. Je devrais le savoir au printemps, comme l'an dernier, je suppose. Au travail, c'est plus ou moins une routine qui s'installe. J'essaie d'être créatrice le plus possible, mais ce n'est pas toujours évident. On a tous nos mauvaises journées, n'est-ce pas? Pour ce qui est de vivre ici... Ah! Cela n'a rien de comparable avec l'appartement. C'est spacieux, coquet... et tranquille aussi. J'ai plus personne qui me marche sur la tête et plus de train pour faire trembler ma vaisselle! De plus, il y a tellement d'énergie dans cette vieille demeure... J'ai l'impression que l'âme de Joséphine erre encore...

Dans le silence qui s'installait, les deux grands coups annoncés par la pendule centenaire retentirent si fort qu'ils firent sursauter Jean.

— Il n'est pas déjà deux heures du matin?

— Si. La pendule de la Fine ne se trompe jamais! répondit Marie-Ève en riant de l'air ébahi du notaire.

— Comme le temps a passé vite! Surtout quand on est en bonne compagnie... Il est tard, dit Jean qui venait de sentir un grand vent de changement entre eux. Comme si les deux coups sonores de l'horloge de

Joséphine leur rappelaient qu'ils étaient réunis, tous les deux, ensemble...

— Je vais te laisser, Marie.

Il devait partir car le rire cristallin de la jeune femme avait encore eu cet effet du premier jour de leur rencontre : l'homme était subjugué. À la différence que, par cette nuit froide d'hiver, à la lueur des flammes vacillantes du feu de bois dans la cheminée, ce n'était plus le portrait d'une étrangère qui s'imposait à son esprit enfiévré mais bien celui d'une maîtresse exaltante et si belle... Pourtant, le notaire ne faisait plus un geste pour partir. C'était plutôt la volonté de partir qui s'éloignait de lui. Jean, désorienté, n'arriva plus à se concentrer.

— Je ne sais comment te remercier. Ces quelques heures m'ont fait le plus grand bien. J'étais venu aussi... pour m'excuser, Marie-Ève. J'ai été tellement lâche, avoua-t-il soudainement. J'aurais dû...

— Arrête, Jean. N'ajoute rien de plus. Tu n'as ni excuse ni explication à me donner. Tout était clair entre nous. Tu ne m'as jamais fait de promesses. Je connaissais la... la situation dans laquelle tu te débats depuis plusieurs années. Ce que je t'ai dit ce matin... c'était sous le coup de l'émotion, tu comprends? Je ne posais pas de jugement, je constatais, simplement... Sept mois sans te voir, ni te parler, m'ont paru une éternité, c'est vrai. Mais je crois que c'était mieux ainsi. Nous avons été... sages, vu les circonstances. Tout ce que je souhaite, sincèrement, c'est que tu arrives à prendre le dessus, à passer au travers... le mieux possible.

Devant tant de candeur, de sincérité et d'amour, Jean s'approcha et lui prit la main qu'il leva vers ses lèvres. Il y posa, juste au creux moite de la paume, un tendre baiser. Tout naturellement, il embrassa le poignet délicat. Puis il remonta vers le cou exquis et blanc. Il eut envie d'y poser simplement son souffle chaud, qui se mêla au subtil parfum de lavande. Ensuite, il chercha les lèvres douces et innocentes qu'il couvrit de mille baisers. Lorsqu'il détacha les cheveux prisonniers, qui retombèrent en folle cascade sur les épaules gracieuses, un vent de passion se déchaîna entre eux, bien plus fort que celui qui soufflait au dehors. Devant les flammes rougeoyantes de vie, à l'abri du froid glacial, l'amour devint résurrection.

Toute la nuit, jusqu'à l'aube naissante, leurs corps se cherchèrent à mourir d'amour. Les rires et les gémissements de la jeune femme amoureuse agissaient non seulement comme un baume sur l'âme blessée de l'homme, ils le maintenaient aussi en vie. Jean Huot ne se lassait plus de s'évader de l'enfer du silence et de la solitude, de la maladie et de la mort.

Au petit matin, avant le lever du soleil, Jean recouvrit Marie-Ève, endormie sur le tapis. Il posa un coussin sous sa tête. Puis, il se rhabilla sans bruit, attisa le feu et s'enfuit dans l'aube glaciale.

***

De retour chez lui, le notaire, dans un état second, prit une longue douche chaude puis se prépara un petit déjeuner. Étrangement, il ne pensait à rien, ne s'inquiétait de rien, ne regrettait rien. Il avait faim. Seulement faim. En attendant le café, il alla chercher la lettre portant le numéro huit. C'est seulement là que Jean réalisa qu'il s'agissait de la dernière lettre de Joséphine. Cette constatation le troubla plus qu'il n'aurait imaginé. Il ne put s'empêcher de songer que, peut-être, quelque chose se terminerait en même temps pour lui aussi... En revenant vers la cuisine, il se dit qu'il n'avait pas encore mentionné l'existence des lettres à Marie-Ève :

« La prochaine fois, je vais lui en parler. Je les lui

ferai lire. Je me demande bien ce qu'elle va en penser. Toutes ces coïncidences sont si étranges! Il me semble que ces lettres vont me manquer. Elles agissaient comme un lien subtil, un pont magique entre Marie et moi. »

Tout en dégustant son café, dans le calme et le silence absolu de la maison de campagne, il lut :

Le 10 février 1922

Mon tendre amour,

Il semble que, dès que tu exprimes un désir nous concernant, il se réalise. Tu es passé à la maison, prendre des nouvelles de mon père, comme il t'arrivait souvent de le faire avant... Mes parents s'absentent très rarement, comme tu le sais. Pourtant, ce dimanche matin, ils étaient loin, au chevet de ma grand-mère mourante. Personne n'était au courant de leur départ précipité, la veille au soir...

Nous retrouver seuls, seuls au monde dans cette grande maison chaude, a sans doute été le déclencheur de notre total abandon.

Cette fois, je ne ressens aucune culpabilité. Je me suis offerte impudiquement. Je me suis donnée à toi, sans limite, comme tu t'es abandonné à moi. Il me semblait que la vie en dépendait... Je sais, Marc, que je ne pourrai jamais aimer un autre homme que toi. C'est écrit en lettres de feu, dans les entrailles de mon corps.

Les êtres placés sur notre route ne sont pas là juste par hasard. Chacun a sa raison d'être dans notre vie. Il arrive que ces êtres reflètent nos plus grandes faiblesses. Il arrive aussi qu'ils expriment nos plus beaux rêves. Il arrive même que des destins ne se croisent qu'un court moment, juste le temps d'aller à l'essentiel, juste le temps de guérir une âme meurtrie, juste le temps d'aimer, de permettre la vie... On dit, à raison je crois, qu'il n'y a pas de hasards. Il n'y a que des rendez-vous! Tu es le plus beau rendez-vous de ma vie, monsieur Provencher. Pour rien au monde, je n'aurais voulu le manquer.

Je ne peux qu'espérer que ces heures d'amour restent à jamais gravées dans ton cœur. Puissent-elles t'éclairer dans le noir de tes jours sombres.

Je t'attendrai, docteur Provencher, car j'ai tout le temps du monde à t'offrir. J'aimerais tant découvrir l'âme du monde avec toi.

N'abandonne pas ton combat, mon tendre amour, mon grand ami. C'est le tien et toi seul possèdes les armes nécessaires pour vaincre, pour rester debout.

En attente de toi,
Ta bien-aimée,

Joséphine

Jean était fasciné. Cette lettre, simple et brève, contenait un grand amour et aussi beaucoup de sagesse. Encore une fois, il avait le profond sentiment qu'à travers Joséphine, Marie-Ève s'adressait à lui.

« Il me semble qu'elle dirait les mêmes mots! M'aime-t-elle autant? Oui... Je crois que oui. Qu'est-il donc arrivé au docteur? La Fine a toujours vécu toute seule... Est-il mort? Parti? Peut-être Pamphile pourrait-il me renseigner? »

La brusque sonnerie du téléphone mit un terme à ses interrogations.

— Monsieur Huot? Bonjour. Ici le docteur Pronovost...

— Bonjour, docteur. Que se passe-t-il?

— Vous devez venir, tout de suite. Votre femme... Embolies multiples... Nous devons parler... prendre une décision... Je vous attends.

— J'arrive, docteur. J'arrive tout de suite!

VIX

À moitié endormie, Marie-Ève comptait les coups à l'horloge : ... sept, huit, neuf, dix.

« Dix heures? Ça se peut pas! Ah! Non. Pas aujourd'hui! »

Quand elle ouvrit finalement les yeux, l'esprit encore au ralenti, elle fut surprise de croiser le regard interrogatif de Trompette, en boule, sous la chaise de Joséphine.

— Trompette! Qu'est-ce que tu fais là?

« Ah! Jean! Il est parti... Quelle nuit!... Ce n'est pas possible : je ne peux pas me présenter au travail à cette heure-là! Je vais appeler Pierre-Paul pour lui demander une autre journée. Déjà hier... Et puis zut! Il pensera bien ce qu'il voudra! »

La jeune femme se leva d'un bond et se rendit compte qu'elle était complètement nue. Il faisait froid dans la pièce, car le feu, éteint dans la cheminée depuis quelques heures, ne prodiguait plus sa chaleur rayonnante. En toute hâte, elle se dirigea vers sa chambre pour s'habiller. En passant près de la vieille pendule, elle regarda les aiguilles juste pour s'assurer qu'elle n'avait pas fait d'erreur en comptant. C'est alors que son rêve lui revint brusquement en mémoire et elle se sentit mal.

Pour la première fois, elle avait rêvé de Claire Bouchard. L'épouse de Jean était couchée dans un lit blanc. Ce n'est pas un drap qui la recouvrait, mais bien la neige : un manteau de neige blanche! Son grand-père, Josépha, se tenait au pied du grand lit immense, lequel se balançait doucement dans une sorte de vide bleu, un peu comme un berceau. Pas de mur, ni plancher ni plafond. Jean se trouvait à ses côtés. Claire le suppliait de la laisser partir avec son grand-père. Le notaire semblait désespéré. Dans sa main droite, il tenait un long fil qui semblait relier Claire à la vie, comme un cordon ombilical. Il s'apprêtait à le couper quand Marie-Ève s'était réveillée.

« Qu'est-ce que cela veut dire? C'était tellement réel! J'aime pas ça... J'aime pas ça! Je n'ai jamais rêvé d'elle avant! »

Frigorifiée, la jeune femme se dirigea vers sa chambre, s'habilla rapidement et fit sortir Trompette qui se tenait bien droit devant la porte d'entrée. En l'ouvrant, elle nota que le vent était enfin tombé. Toutefois, le froid, en l'espace de quelques secondes, avait eu le temps de la pincer à vif.

Marie-Ève se dirigea vers le téléphone pour appeler son patron. Elle eut à peine le temps de dire bonjour que Pierre-Paul lui coupa la parole d'entrée pour raconter « qu'à Alma aussi », il manquait d'électricité.

— Je ne sais pas comment c'est chez vous, ma chère, s'écria son patron tout excité, mais ici, cette nuit, c'était l'enfer! Les vents ont soufflé presque à cent kilomètres heure et on a perdu l'électricité dans tout le nord de la ville. Deux personnes seulement se sont présentées au bureau ce matin. J'allais partir justement. Tu as bien fait de ne pas venir sur ces routes glacées et dans ce froid intense : moins trente-cinq degrés ce matin, ma belle. Un record! Y a plus de chauffage au bureau, donc pas la peine de venir aujourd'hui. Appelle demain, avant de venir... Je dois te laisser. Au revoir, Marie-Ève!

Et Pierre-Paul raccrocha abruptement, sans qu'elle ait pu placer un seul mot. Il semblait pressé, car il ne lui avait même pas demandé s'il y avait du courant à Saint-André. Son patron devait désirer prendre ce temps libre pour faire... d'interminables révisions!

Ces circonstances fâcheuses l'arrangeaient pourtant au plus haut point.

Une fois ce problème réglé, Marie-Ève fit un feu dans la cheminée. Elle n'arrêtait pas de songer à son rêve et se sentait de plus en plus mal à l'aise. Trompette ne resta pas longtemps dehors et, dès que sa maîtresse le fit rentrer, il vint se blottir sous la chaise de Joséphine.

« T'es drôle, toi, ce matin. T'es jamais allé sous cette chaise depuis qu'on est là! Ma foi, il n'a jamais fait aussi froid, non plus! Et, ta maîtresse n'avait jamais dormi par terre dans le salon. Hein, toutou? »

Marie-Ève sentit l'odeur de Jean sur son corps. Elle se rappela leurs ébats amoureux. Peut-être n'auraient-ils pas dû?

« Comment va-t-il se sentir après cette nuit? J'aurais peut-être dû refuser qu'il vienne. Tout s'était passé normalement jusqu'à... jusqu'à... je ne pourrais pas dire quoi au juste! Il suffit qu'on soit ensemble pour que tout chavire! Ça n'a presque pas de bon sens d'aimer quelqu'un autant! »

L'inquiétude persistait. Un grand malaise la tenaillait à la poitrine en pensant à Claire recouverte de neige.

« Josépha, il vient juste de mourir! s'écria-t-elle tout haut. Et si Claire... Mais pourquoi ce fil dans la main de Jean? Qu'est-ce que ça peut vouloir signifier? »

La jeune femme se mit à tourner en rond. Du salon à la cuisine, de la cuisine à la chambre et de la chambre au salon. Dans chaque pièce, elle ne restait que quelques minutes. De plus, elle n'arrêtait pas d'ajouter des bûches dans le foyer, pourtant bien chargé. Tous ces déplacements saccadés en plus de la chaleur excessive n'auguraient rien de bon aux yeux attentifs du petit chien qui la surveillait.

— À chaque fois que j'ai ressenti des angoisses ou que j'avais une décision à prendre, j'ai lu une lettre, dit

Marie-Ève, en s'adressant à Trompette. Mais là, il reste juste un tiroir numéroté, et, je ne sais pas pourquoi, il me fait vraiment peur! La dernière lettre du docteur s'y trouve, très certainement... La dernière et il est parti! Disparu pour toujours!

Une forte impulsion la mena pourtant vers l'officine. Marie-Ève sentit qu'elle n'avait pas le choix :

— Autant en finir une fois pour toutes! ajouta-t-elle en se retournant vers le chien immobile, qui n'osait pas bouger d'un poil. Du secrétaire antique, elle sortit délicatement la lettre du tiroir numéro neuf. Ses mains tremblaient. Pour la lire, elle revint au salon et s'assit sur le fauteuil de la Fine, devant le feu de bois. Malgré l'intensité et la chaleur des flammes hautes, elle n'arrivait pas à se réchauffer.

Au fur et à mesure qu'elle lisait la lettre, la jeune femme fut prise de panique. L'image de Jean, Claire et Josépha réunis se mit à danser sur le papier vieilli. Malgré les frissons qui la secouaient, la sueur coulait de son front. Puis, les larmes embrouillèrent sa vue et vinrent tacher les pages de la dernière lettre du docteur Provencher. Ensuite, les feuilles au papier jauni tombèrent de ses mains. D'effroi et de désespérance, Marie-Ève poussa un grand cri dans la maison silencieuse.

Trompette, se rappelant le seul grand cri que sa première maîtresse ait jamais poussé, assise dans ce même fauteuil, dans cette même pièce silencieuse, craignit le pire. Car après ce cri, dont le son perçant s'était répercuté sous le siège – vers lequel il n'était jamais revenu jusqu'à ce jour –, le griffon n'avait plus vu parler, ni même bouger sa très vieille maîtresse. Elle était disparue de sa vie, à tout jamais.

Le petit chien, paralysé d'effroi, se mit à aboyer à la mort.

***

Le docteur Thibeault, plein de mansuétude et de patience, rassurait Pamphile.

— Je crois bien que nous n'aurons pas à nous rendre à l'hôpital, mon cher ami. Votre cœur s'est remis à battre normalement. Mais, dites-moi, qu'est-ce que vous avez fait pour vous mettre dans un état pareil?

— Rien! Rien pantoute, docteur! Je vous le jure sur ma Toinette! C'est ça qui m'inquiète! Depuis ma première attaque, j'ai jamais rien senti. J'étais assoupi dans ma chaise berçante pis tout d'un coup, vers dix heures et demie, je me suis réveillé de mon somme en sursaut. J'avais le cœur qui sautait dans ma poitrine comme le moteur de la Ford i fait des fois quand i veut pus starter... Vingueu que j'ai eu peur! Par chance que la Marie, elle a insisté pour que je déplace mon téléphone juste à côté de moi. Je pouvais à peine bouger, je trouvais pus mon souffle mais j'ai quand même réussi à vous appeler, Dieu merci!

— Avez-vous rêvé? Quelquefois un mauvais rêve...

— Pantoute! Ben, si j'ai rêvé, je m'en souviens pus, en tout cas. Je me suis senti ben toute la semaine... malgré les grosses émotions avec Josépha. Que c'est donc qui est arrivé, docteur Thibeault?

— Justement! Vous venez peut-être de mettre le doigt dessus, cher Pamphile. Josépha! Il était votre plus grand ami. Vous avez vécu des heures difficiles et, parfois, c'est l'adrénaline qui fait que nous passions au travers des épreuves. Une fois le choc passé, malgré qu'on se sente assez bien physiquement, le corps flanche sans prévenir. Je vous ai vu hier à l'enterrement avec votre... jeune protégée. Elle semble vous tenir en grande considération.

— Vous pouvez le dire, docteur. Sans la Marie, Marie-Ève, c'est son autre nom, je sais pas ce que j'aurais fait! Est comme une p'tite-fille pour moi. Le bon Dieu est ben bon d'avoir pensé à me l'envoyer pour mes vieux jours. Docteur, i faut me promettre de rien dire à personne! Si la Marie, elle apprenait ce qui vient de se passer... Elle a pas besoin de ça, astheure icitte. Promettez-moi.

— Je vous le promets, si vous insistez. Vous allez me promettre à votre tour de prendre ce médicament, matin et soir. Il remplacera celui que vous prenez déjà. Pour ne pas qu'il y ait confusion, je vais jeter l'autre sur-le-champ.

Pendant que le docteur s'affairait à la salle de bains, Pamphile se tourna vers la fenêtre. La première fois, l'attaque avait été si brutale qu'il n'avait pas eu le temps de s'en apercevoir. Mais là! C'était une tout autre affaire. Le docteur avait probablement raison. La mort de Josépha l'avait sûrement touché plus qu'il ne croyait. Pourtant, un doute persistait dans l'esprit agité du vieillard.

« Le docteur, il est ben perpécasse, mais i a pas mes hivers! Rendu où ce que chus, j'en ai vu ben du monde partir. La Toinette, le père Saucier, la Lise à Josépha, la Fine... À ce compte-là, j'aurais plus d'attaques que de beurre à mettre sur mes toasts! Je sais ben que personne est éternel pis que c'est chacun son tour. Pis c'est correct de même.

« J'ai ben dormi cette nuit, comme un ours dans sa tanière. C'est-ti de valeur que la Marie est partie travailler, je l'appellerais dret-là. Pas pour y parler de l'attaque mais juste pour prendre de ses nouvelles. Si elle pense que j'ai pas remarqué le changement quand Joseph a parlé de Claire pis du notaire... Pauvre p'tite fille. Comment que ça va finir cette histoire-là? Que c'est qui a ben pu me causer cette attaque-là, vingueu? »

Le médecin revint. Il prit à nouveau la tension et le pouls de Pamphile. Tout était redevenu normal.

— Sur ce, je crois que je peux vous laisser maintenant. Mais appelez-moi au moindre changement, au moindre signe de faiblesse. Vous me le promettez? Et sur « votre Toinette » à part ça! termina le docteur, en riant.

— Promis, c'est promis : sur ma Toinette! Et merci encore du dérangement. En me levant à matin, je pensais jamais que j'aurais à vous appeler! On sait ben pas ce que la journée, même pas la journée, vingueu! la minute nous réserve, hein, docteur Thibeault? Inquiétez-vous pus, tout est rentré dans l'ordre. Salut ben, cher docteur, et saluez votre dame pour moi.

— Pas d'effort, repos complet et surtout pas d'émotions fortes. C'est un ordre! Au revoir, monsieur Pamphile, et prenez soin de vous.

***

Jean roulait à très vive allure sur la route glacée qui le ramenait vers Saint-André. Que cherchait-il à faire, à provoquer en roulant à cette vitesse folle? Ne sentait-il pas le danger? Ou l'inconscient lui dictait-il, à son insu, une solution... commode?

« Je ne vous ai jamais rien demandé, bon Dieu. Mais là, il faut que Vous me guidiez. Je ne sais plus quoi faire! »

Perdu dans des pensées plus noires que le fond glacé du lac, Jean, malgré qu'il eût parcouru cette route des centaines de fois, ne vit pas le feu rouge. Il traversa l'intersection en trombe et évita de justesse une voiture qui tournait lentement au feu vert. L'autre conducteur klaxonna de peur et de rage et Jean réalisa qu'il venait de passer à un cheveu d'un très grave accident. Un peu plus loin, abasourdi, il s'arrêta sur le bas-côté.

« C'est ça que tu cherches, notaire Huot? À te tuer pis en tuer d'autres? Quelle solution facile : t'aurais pas à prendre de décision, hein? Tout serait réglé!

« Il faut que je reprenne le contrôle. Je deviens fou

et dangereux! À qui pourrais-je demander conseil? Monsieur Pamphile? Non, il est au courant de ma liaison avec une autre femme... Son avis ne sera pas objectif. Ah! Si Josépha était encore là! Je pourrais lui demander à lui! »

En effet, durant la dernière année, le grand-père de Claire était venu régulièrement visiter le notaire. Le patriarche, un vieil homme sage et avisé, avait toujours été de bon conseil. Il était aussi très clairvoyant. Jean s'était même demandé si Josépha n'avait pas deviné sa liaison. Il y a quelques semaines à peine, le vieillard avait murmuré :

— Mon cher Jean, je vous trouve ben courageux. Déprimé, c'est vrai, trop solitaire, c'est encore vrai, mais tellement courageux! Je sais pas si moi-même, j'aurais été si patient et capable de passer au travers une telle épreuve. Après toutes ces années... moi en tout cas, je pourrais comprendre si... si...

Soudain embarrassé, il n'en avait dit plus.

Au grand désarroi du notaire, Josépha, bien habillé dans son costume du dimanche, bien rigide dans son cercueil de satin, attendait, dans le froid glacial, sa mise en terre.

« Même s'il ne peut me parler, il m'écoutera sûrement. Peut-être m'enverra-t-il un signe? Je vais appeler au bureau et je me rends au cimetière... »

Le notaire ne parla avec sa secrétaire que quelques instants. Sans autres explications, il lui demanda d'annuler tous ses rendez-vous jusqu'à nouvel ordre. Cette dernière, étonnée, sentant un timbre de voix différent chez son patron, fit quelques tentatives pour en savoir plus, mais sans succès. Jean raccrocha abruptement.

Plus lentement cette fois, il traversa Saint-André et se dirigea vers Saint-Gédéon. Le vent de la nuit, maintenant au repos, avait formé d'immenses congères sur les bords de la route, rendant le paysage apocalyptique.

Pas même un chat n'osait sillonner les rues tant le froid était intense. Jean gara sa voiture dans le stationnement de l'église et fit le court trajet à pied jusqu'au cimetière.

Devant le cercueil qui n'avait pas encore été déplacé dans le charnier, Jean se recueillit de longues minutes. À cause du foulard remonté jusqu'au nez, ses lunettes s'embuèrent. Jean ne vit plus rien. Pourtant, contrairement à son habitude, il ne fit aucun geste pour remédier à la situation. « À quoi ça sert de voir au dehors quand on arrive même plus à voir en dedans... » Pendant que son esprit agité divaguait, son corps et son cœur souffraient d'un grand froid. Ainsi, dans une sorte de torpeur maladive, Jean confia à Josépha ce qui venait de se passer :

— Quand le docteur Pronovost m'a appelé ce matin, je croyais que c'était fini, que Claire s'en allait... d'elle-même.

« Nous en avions déjà vaguement parlé, le docteur et moi. Parler... d'euthanasie et passer aux actes, c'est deux choses, Josépha! Quelles que soient les circonstances! Comment peut-il penser que je puisse prendre une telle décision... si vite? Je l'ai surpris quand je lui ai demandé quelques heures de réflexion. Cela paraissait tellement évident pour lui.

« Soit on donne à Claire une médication anticoagulante pour détruire les caillots de sang et ainsi soigner les embolies multiples, ce qui peut lui permettre encore quelques mois, peut-être une année. Soit JE décide qu'on ne lui donne plus rien. RIEN! Je décide de la soulager enfin de son tourment comme dit le docteur Pronovost... JE! MOI! Vous entendez, Josépha : JE dois prendre la décision, tout seul! cria-t-il, éperdu, dans le froid imperturbable et indifférent.

« Josépha, reprit Jean plus calmement, je peux vous l'avouer maintenant. Si je dis oui, comment être certain que ce n'est pas aussi pour être enfin avec... celle que j'aime secrètement, cette autre femme qui s'appelle Marie? Pourtant, en disant oui, je libère Claire et aussi toute sa famille...

« Vous le savez mieux que quiconque, Josépha, je n'en peux plus de voir Claire ainsi. Toutes ces années... C'est trop long, trop dur! Je suis arrivé au bout et je n'ai plus ni le courage, ni la force, ni la volonté de continuer. Après, je n'aurai qu'à partir loin. Recommencer ma vie... retourner à Montréal...

« Si je dis non... Je ne peux pas dire non! Personne d'autre ne peut le faire pour elle! »

Malgré le court laps de temps à l'extérieur, Jean commença à ressentir des fourmillements dans les pieds et les mains.

— Josépha, puis-je vous déranger une dernière fois? Accompagnez-moi à l'église. Je me sens si seul. Aidez-moi à prier. Je ne sais plus comment il faut faire!

***

Une fois sortie de sa stupeur, Marie-Ève décida qu'il était grand temps d'agir.

« J'aurais bien dû parler des lettres avant... bien avant! Pourquoi est-ce que je fais les choses toujours en retard? J'apprendrai donc jamais? » songea-t-elle, misérable, au souvenir soudain de l'attaque de Pamphile, en mai.

La jeune femme était maintenant convaincue d'une chose : coûte que coûte, elle devait rejoindre Jean Huot et le mettre au courant des lettres, surtout la dernière. Elle se rappela alors le jour du grenier. Jean avait griffonné sur un bout de papier son numéro de cellulaire : « Au cas où... » avait-il lancé en l'air! Par la suite, Marie-Ève l'avait précieusement rangé dans le secrétaire. Elle n'avait jamais voulu, ni eu le besoin de s'en servir.

Elle courut à l'officine et trouva le feuillet en question, soigneusement plié en deux. Fébrile et anxieuse, elle composa le numéro. Aucune réponse. Elle recomposa de peur d'avoir fait une erreur la première fois. Elle laissa sonner longtemps, mais n'obtint pas plus de résultat.

« Il est presque onze heures. Il doit être à son bureau. Je ferai semblant d'être une cliente. Je dirai que... c'est pour Pierre-Paul Simard! »

Elle composa le numéro au bureau du notaire et, après deux sonneries, on décrocha.

— Ici le bureau du notaire Jean Huot. Puis-je vous aider?

— Bonjour, madame. Je désirerais parler au notaire Huot. J'appelle de la part de monsieur Pierre-Paul Simard, d'Alma. C'est très important.

— Je suis vraiment désolée, madame, mais le notaire est absent pour... jusqu'à nouvel ordre. Laissez-moi vos coordonnées et je lui ferai part de votre appel...

— C'est que... C'est une affaire extrêmement délicate et de la plus haute importance et je me permets d'insister. Mon patron...

— Écoutez. Je comprends, mais... Tout ce que je peux vous dire est que monsieur Huot devait venir ce matin. Il m'a appelée tout à l'heure en annulant tous ses rendez-vous... jusqu'à nouvel ordre! Je ne peux vous en dire plus et il m'est absolument interdit de vous donner son numéro personnel. Je suis désolée, croyez-moi.

— Bon. Je rappellerai, un peu plus tard peut-être?

— Oui. Essayez un peu plus tard. Au revoir, madame.

Marie-Ève ressentit à nouveau une vive inquiétude. Où pouvait être Jean? Pourquoi avait-il subitement annulé tous ses rendez-vous? Il ne restait que la maison de repos...

« Je ne peux quand même pas appeler là! Ça, c'est hors de question! Je vais aller chez monsieur Pamphile. Je ne peux pas rester ici, sans rien faire, à attendre! »

La jeune femme ramassa la lettre qui gisait encore par terre. Elle la mit rapidement dans son sac. En passant près de la fenêtre, elle regarda le thermomètre qui indiquait moins trente degrés. En se préparant, d'une voix douce, elle s'adressa au griffon, à ses pieds :

— Trompette, pas question que tu viennes cette fois. Il fait trop froid dehors, toutou. Je ne peux pas t'emmener aujourd'hui. Je ne peux pas. O.K.? Il faut que je parle à Jean. C'est tellement important...

Et sa voix se cassa. Elle se mit à pleurer de nouveau.

Le petit chien, trop heureux que sa maîtresse se soit remise à bouger et à parler, obéit sur-le-champ. Des larmes, il ne se faisait aucun souci. Sa première maîtresse pleurait aussi souvent qu'elle souriait, alors... Trompette alla docilement se blottir sous le secrétaire. Jamais, avait-il décidé, il ne remettrait les pattes sous ce fauteuil maudit!

— T'es bien fin, à matin! Je te revaudrai ça. Mes mitaines... où sont mes mitaines? Ah! Les voilà. Bon! souhaite-moi bonne chance...

Et, sans attendre de réponse, Marie-Ève, le visage ravagé par les pleurs, disparut dans l'air glacial.

La circulation se faisait rare sur le rang des Apis, et la jeune femme trouva étrange le brouillard dense qui prévalait, malgré le temps clair et sec. Elle observa alors les cheminées des maisons du village : presque toutes dégageaient d'épaisses fumées blanches. Le froid intense, les gardant basses, créait ainsi une sorte de pollution hivernale qui rendait le paysage irréel.

En passant devant l'église de Saint-Gédéon, elle songea à Josépha et à son rêve. Elle tourna la tête en direction du cimetière pour voir si le cercueil avait au moins été déplacé.

« Je veux juste pas mourir en hiver, mon Dieu! C'est trop triste de laisser un cercueil dans la neige! C'est presque indécent. Mais, mais... mon Dieu! c'est la voiture de Jean! Je ne rêve pas? »

Elle freina sec et braqua les roues, en dérapant, dans le stationnement de l'église. Oui. C'était bien la voiture du notaire. Mais... sans notaire.

« Mais où est-il? Pas au cimetière, il n'y a personne... À l'église? Je vais attendre un peu, on verra bien. »

Marie-Ève n'eut aucune intention d'aller vérifier la présence de Jean dans l'église. S'il s'y trouvait, pensait-elle, il avait sûrement de bonnes raisons et n'avait pas besoin d'être dérangé dans cet endroit de recueillement. Dix minutes passèrent, puis dix autres et encore dix autres. Marie-Ève voyait son niveau d'essence baisser à vue d'œil. Il lui faudrait faire quelque chose très rapidement...

C'est ce moment-là que Jean choisit pour sortir de l'église. À cause du grand froid, il se dirigea rapidement, tête baissée, vers sa voiture. Il ne porta aucune attention au véhicule stationné tout à côté du sien. C'est seulement quand il entendit une portière s'ouvrir qu'il releva la tête.

— Marie! Toi, ici? Mais qu'est-ce que tu fais ici? Tu... m'attendais?

— Jean, Jean... Il faut que je te parle. C'est extrêmement urgent!

— Pas maintenant. Pas maintenant. Je dois partir, tout de suite. Je suis désolé.

— Je dois insister, Jean. C'est au sujet de ta femme!

Croyant que Marie-Ève voulait mettre les choses au clair entre eux après leur nuit torride et son départ précipité, Jean avait pris ces paroles comme un reproche.

— Oh! Marie. Pas maintenant!

— Jean, je t'en prie. Oh! ce n'est pas ce que tu crois! Écoute-moi. Je sais. Je sais pour Claire! Je t'en supplie, je t'en conjure : TU NE DOIS PAS L'AIDER À... MOURIR! cria-t-elle, désespérée.

— Que dis-tu? Comment es-tu au courant? Personne n'est au courant. C'est impossible! Cela vient juste d'arriver...

Voyant que le froid gagnait le visage de la jeune femme, qui se couvrait de petites plaques blanches, il se décida à la faire monter dans sa voiture et mit le moteur en marche pour la réchauffer.

— Comment es-tu au courant? C'est impossible, impossible... répétait-il, incrédule.

— Je... J'aurais dû te parler de quelque chose... Bien avant, bien avant. Je suis désolée. J'ai peur, tellement peur que la même chose arrive encore! Le secrétaire, on dirait qu'il a conservé toute l'énergie des...

— Essaie de te reprendre et te calmer, Marie, coupa le notaire. Je ne comprends rien à ce que tu dis. Je n'ai pas beaucoup de temps. Je t'en prie, essaie d'être plus précise!

Sentant que le temps faisait défaut, Marie-Ève fit de grands efforts pour être plus concise.

— Voilà. Je suis en possession de plusieurs lettres... Des lettres qu'un certain docteur a écrites à... Joséphine Frigon, réussit-elle à avouer.

Pendant un court instant, Jean Huot crut sincèrement que le monde autour de lui chavirait. Ce qu'il venait d'entendre, assis bêtement dans sa voiture, en plein milieu d'un stationnement désert, dans un froid à couper au couteau, ne pouvait pas faire partie de la réalité. Jean n'arrivait pas à le croire, lui qui était persuadé que les lettres de Marc-Aurèle Provencher avaient été détruites! Le choc était si grand qu'il ne songea pas à dire immédiatement à la jeune femme qu'il était lui-même en possession des autres lettres.

— J'ai voulu t'en parler... plusieurs fois même. Les coïncidences qui entouraient la lecture de chacune des lettres du docteur étaient tellement... troublantes. Chaque fois, elles me rapprochaient de toi ou me parlaient de toi. Les circonstances aussi... Enfin, laissons faire les détails pour l'instant.

« Ce matin, j'ai fait un rêve étrange concernant ta... femme et Josépha. Je n'avais jamais rêvé de Claire, tu comprends! Je me suis finalement décidée à lire la dernière lettre du docteur : la neuvième. »

Marie-Ève baissa la tête et se mit à fouiller nerveusement dans son sac.

— Il faut... il faut que je te la lise, Jean. S'il te plaît, finit-elle par implorer.

Jean ne donna pas son accord tout de suite, désirant prendre quelques secondes de réflexion. D'abord, il tenta de reprendre contact avec la réalité d'une manière toute simple : il fixa son regard sur le grand sapin vert qui s'offrait à sa vue. Ensuite, il se cramponna au volant de sa voiture. Ces gestes, quoique banals en apparence, le soulagèrent pourtant et l'aidèrent à retrouver un semblant d'équilibre.

L'amitié et l'amour qui unissaient la Fine au docteur avaient été sincères et remarquables. De cela, Jean était convaincu. Il se souvint des derniers écrits de Joséphine : « *Toi seul possèdes les armes nécessaires pour vaincre et rester debout.* » Ces mots, empreints d'une grande sagesse, l'avaient bouleversé car ils avaient réveillé une crainte omniprésente en lui : celle d'être incapable d'arriver au bout de son tourment! Joséphine avait aussi parlé de hasards... qu'il n'y avait pas vraiment de hasards... seulement des rendez-vous!

En se tournant vers Marie-Ève, Jean prit conscience qu'il ne devait peut-être pas manquer le deuxième plus important rendez-vous de sa vie.

— Je t'écoute. Tu peux la lire, Marie.

Le 13 février 1922

Chère Joséphine,

À toi seulement, je peux tout dire, mon amour, mon âme sœur.

Je suis seul, dans la grande maison silencieuse. Le docteur Fortin, mon respecté confrère de Chicoutimi, de passage dans sa famille, vient de me laisser. Il est venu constater le décès de mon épouse.

Arrêt cardiaque.

Je te demande pardon. Je n'ai pas réussi à demeurer debout. J'ai perdu courage, j'ai perdu espoir. Je me suis avoué vaincu. J'ai commis l'irréparable.

C'est moi qui ai accéléré, sinon causé, la mort de Marie-Jeanne en lui donnant une dose de morphine... qui pouvait lui être fatale.

Elle souffrait tant, et moi je souffrais de sa souffrance. Elle me suppliait tant de la libérer, et moi, trop affaibli, j'ai succombé à sa demande. Ses délires sont devenus miens.

Quand j'ai pris la décision de l'aider en commettant ce geste... irréversible, il me fallait faire un autre choix, tout aussi irrévocable.

Ou bien je mourais avec elle ou bien je ne te reverrais plus jamais.

Jamais, je ne te reverrai, Joséphine.

Je pense, en tant que médecin, pouvoir soulager encore bien des souffrances. Pas de cette façon, bien sûr, et je prie Dieu de ne jamais me replacer devant un tel choix! En tant qu'homme... c'est une tout autre affaire.

Je l'ai fait pour elle.

Imaginons un jour lointain. Imaginons que nous soyons réunis et que le doute m'assaille! Peut-être même, ou plutôt sûrement, j'arriverais à m'en vouloir, à t'en vouloir alors que tu n'y es pour rien. Ce secret nous aurait détruits. Je le sais.

Jamais je n'aurais pu te cacher une chose pareille, à toi, mon aimée, à qui j'ai toujours tout confié.

J'ai décidé de partir loin... après les funérailles. Très loin. Là où personne ne me connaîtra. J'essaierai de recommencer à vivre debout. Personne d'autre que toi n'est et ne sera au courant du départ définitif que je prévois.

Tu m'oublieras, douce amie, et tu rencontreras un homme libre qui saura te rendre heureuse et te donner tout le bonheur que tu mérites.

Tout ce que je peux dire est que j'ai honte de ma faiblesse envers toi. Ne crois pas que tes mots d'encouragement ou tes sages conseils n'ont pas réussi à m'atteindre. Je n'ai simplement pas su – ou pas pu – attendre l'heure de la délivrance.

Tu écrivais, dans ta dernière lettre, que les destins se croisent parfois un court moment... juste le temps de permettre la vie. Sera-ce une consolation pour toi de savoir que, grâce à tes lettres de lumière, tu as sauvé une vie? Je souhaite sincèrement que oui.

Il n'est pas nécessaire que quiconque te fasse découvrir l'âme du monde, Joséphine, tu la possèdes déjà en toi.

Ton ami pour toujours,

Marc-Aurèle

Un très long silence se fit dans lequel Jean et Marie-Ève s'abandonnèrent totalement. Le notaire gardait délibérément les yeux fermés. Il attendait que ce soit Marie-Ève qui s'adresse à lui, personne d'autre. Jean Huot était désormais convaincu que, tout comme Joséphine, Marie-Ève Saint-Amour portait, en cet instant décisif, l'âme du monde en elle.

— Jean... ce que je vais te dire peut sembler égoïste, mais c'est ainsi. Je serai brève. Je ne veux pas que tu meures, comme mon père. Je ne veux pas que tu partes brusquement comme... Gilles. Il faut que ce cycle s'arrête. Si quelqu'un doit partir, cette fois, ce sera moi! Ainsi, je serai peut-être libérée des angoisses qui m'assaillent depuis tant d'années! Peut-être est-ce à cela que ces lettres serviront?

« Tu es seul à prendre la décision... pour Claire, mais si Joséphine avait été au courant des desseins de Marc-Aurèle, peut-être en aurait-il été autrement? Le docteur s'est trompé sur un point : la Fine ne l'a jamais oublié, elle l'a attendu toute sa vie...

« Tu sais que je t'aime. D'amitié et... d'amour. Mais, je suis prête à être ton amie, avant tout. Pamphile et moi pourrons t'aider. Tu ne seras pas seul, Jean! Nous veillerons sur toi, le temps qu'il faudra. Est-il nécessaire, pour le moment, de voir plus loin? Joseph, ton beau-père, disait justement hier à monsieur Pamphile que la mort venait seulement quand c'était l'heure. Ni avant ni après. *Demain sera un autre jour, mon ami.* »

Les secondes qui suivirent ces aveux eurent le même effet sur le notaire qu'un grand calme après la tempête. Sans plus hésiter, il prit son téléphone cellulaire et composa le numéro de la maison de repos.

— Ici Jean Huot. Le mari de Claire Bouchard. Je dois parler au docteur Pronovost immédiatement. C'est extrêmement urgent.

Jean n'eut à patienter que quelques secondes.

— Docteur! Ici Jean Huot. Je vous demande de donner à Claire la médication dont elle a besoin. Immédiatement, sans tarder.

Il écouta le médecin, puis il reprit :

— Non. Il n'en est pas question! Il n'en sera jamais plus question, est-ce que c'est clair? Je ne veux plus en discuter! S'il arrivait quelque chose parce que vous n'avez pas suivi mes instructions, je tiendrai votre établissement personnellement responsable... (Il attendit encore quelques instants.) Oui. Oui. Je comprends très bien. Mais nous devons la soigner, quel que soit le résultat. Je serai de retour auprès de ma femme d'ici une heure. Je compte sur vous, docteur Pronovost. Merci.

Puis, le notaire, grandement soulagé, s'adressa à Marie-Ève :

— Marie, j'ai... Je ne sais pas comment te dire. Ah! C'est tellement invraisemblable!

— Ne dis plus rien. Je sais bien que j'ai dû te causer un choc... mais je ne pouvais plus garder ce... secret.

En disant ces mots, Marie-Ève avait posé sa main sur la poignée de la portière et regardait en direction de sa voiture.

— Je vais te laisser maintenant. Retourne auprès d'elle. Courage, Jean.

C'est alors que le notaire la retint :

— Marie. Attends! Avant que tu partes, tu dois savoir. C'est moi qui suis en possession... des autres lettres. Celles de Joséphine Frigon!

Marie-Ève crut que Jean... plaisantait! Elle se retourna vers lui et vit qu'il était très sérieux : Jean Huot ne plaisantait pas du tout! De même en avait-il été pour Jean Huot quelques instants plus tôt, de même en était-il maintenant pour Marie-Ève Saint-Amour : le monde chavira. Complètement retournée, estomaquée, incrédule, elle n'arrivait pas à dire un seul mot! Jean poursuivit, mais le timbre de sa voix manquait d'assurance :

— Cela doit te paraître... fou et incroyable, n'est-ce pas? Oui... sûrement, je suis bien placé pour le savoir! C'est moi qui ai acheté le bureau du docteur Marc-Aurèle Provencher à l'automne quatre-vingt-dix-sept, je crois, et c'est monsieur Pamphile lui-même qui me l'a vendu!

À voir l'air ahuri de la jeune femme, ses yeux écarquillés de stupéfaction, toujours muette, Jean comprit que le hasard avait fait qu'elle n'en avait jamais rien su.

— Les lettres de Joséphine étaient cachées dans un tiroir secret. Je l'ai découvert par hasard plusieurs mois plus tard. En fait, maintenant que j'y pense, c'était le jour où tu es venue à mon bureau porter l'enveloppe pour Pierre-Paul! Et j'ai lu la première lettre juste après notre rencontre au marais... J'avais décidé de t'en parler, ce matin même, quand j'ai fini de lire... la toute dernière lettre de Joséphine, la huitième.

« Mais, nous en reparlerons plus tard. Je dois partir. Je voulais juste que tu saches... que tu comprennes que la dernière lettre du docteur a vraiment été très importante, très révélatrice, capitale en réalité. Je... je remercie le ciel que tu aies réussi à me trouver. Merci, merci, ma chère Marie. »

La jeune femme, hébétée, extrêmement troublée, ne put que sourire timidement à travers ses larmes. Encore sous le choc des révélations invraisemblables, elle sortit de la voiture de Jean, sans même lui dire au revoir.

X

La pleine lune de juillet, presque orangée, portait autour d'elle un grand halo de blancheur. Ce qui faisait croire à tous ceux qui la regardaient que la chaleur persisterait encore longtemps. L'humidité montait en vapeur voluptueuse de la terre encore détrempée par les violents orages. Plusieurs fois, Jean avait été réveillé en sursaut par les innombrables coups de tonnerre. Cette fois, ce qui le réveilla était d'une tout autre nature.

Jean venait tout juste de voir Claire en rêve.

Elle avait l'âge de leurs amours d'avant. Claire, sereine et heureuse, semblait flotter dans les airs. Elle chantait, dansait, tourbillonnait comme une enfant. Puis, Josépha, vêtu de blanc, apparut et elle se dirigea vers lui. Main dans la main, Jean les vit disparaître lentement. Une sorte de fil d'argent retombait du poignet de Claire et flottait légèrement derrière elle. Contre toute attente, sa femme se retourna et sourit. Jean put alors discerner son visage : il était lumineux!

Le notaire, bien réveillé, regarda l'heure : trois heures trente. C'était la première fois depuis longtemps qu'un rêve n'avait pas tourné en cauchemar. C'était la première fois également que Jean avait entendu la voix de sa femme, qu'il l'avait vue danser depuis plusieurs lunes...

« Ah! Claire, Claire... Quelle sensation merveilleuse! Comme ces images m'ont fait du bien! »

En se retournant dans le lit, Jean constata que son corps était en sueur. La chaleur humide et incommodante le dérangeait au plus haut point.

« Il faudrait que je me décide à isoler par l'extérieur. On dirait que la chaleur pénètre par les murs! »

Sur ce, titubant, il se leva pour aller boire. Par la fenêtre de sa chambre, Jean remarqua les gros nuages noirs qui s'éloignaient vers les Laurentides. La pleine lune éclairait maintenant toute la campagne. Il décida d'aller s'asseoir sur la galerie, le temps de se rafraîchir. En passant, il nota que le thermomètre indiquait encore vingt-quatre degrés Celsius.

« Je peux bien avoir chaud! » songea-t-il.

Assis sur le perron, Jean alluma une cigarette. Devant lui, la campagne jeannoise, bousculée par les orages, reprenait son souffle. Tout comme l'homme assis, elle se faisait silence, elle se faisait écoute. Le notaire, qui se sentait étrangement paisible, revit les derniers mois qui venaient de s'écouler.

En février, Claire avait bien répondu aux médicaments. Son état était redevenu stable, ce qui avait procuré à Jean un grand soulagement.

Il avait revu Marie-Ève à quelques reprises. Toutefois, après les révélations de l'hiver, leur relation était devenue – d'une manière aussi inattendue que bienvenue – strictement amicale. Ils avaient lu les lettres, ensemble. En commençant par la toute première, Jean lisait une lettre du docteur, et Marie-Ève, la réponse de Joséphine. Ainsi, en découvrant les lettres de l'autre, ils avaient pu mieux se rendre compte de toutes les coïncidences qui s'attachaient autour de leur histoire.

Tous deux étaient bien d'accord pour affirmer que les circonstances étaient si extraordinaires, voire extravagantes, qu'il valait mieux ne jamais en parler, de peur de passer pour fous!

Puis, monsieur Pamphile avait avoué au notaire qu'il savait... pour l'autre femme.

— Voyez-vous, cher notaire, avait-il confié, l'air gêné, je l'avais diviné depuis un bon bout de temps déjà. Mais, pas de crainte, personne d'autre a pu s'en rendre compte.

De plus, Pamphile avait été mis au courant des lettres par Marie. Le notaire avait apprécié les aveux de l'antiquaire, aveux qui avaient allégé leurs deux cœurs.

Il arrivait parfois que les trois amis se retrouvent, certains samedis, à L'Escalier. Jean se souvint du jour où Marie-Ève s'était présentée au bistro, l'air éperdu. Il se rappela l'inquiétude qu'il avait ressentie en voyant la jeune femme dans cet état. Encore une fois, elle devait prendre une décision : on lui proposait un poste permanent à Alma, poste assorti d'excellentes conditions. Elle hésitait et semblait extrêmement torturée.

Jean avait noté un grand désarroi chez l'antiquaire, et le souvenir de l'attaque semblait demeurer présent dans tous les esprits. C'est alors que, à la surprise de Pamphile et de Marie-Ève, le notaire avait lancé :

— Pourquoi n'acceptes-tu pas, Marie? Tu sembles heureuse ici. Tu dis toujours que tu es devenue une vraie fille du Lac, que la grande ville ne te manque plus. Tu adores ce travail. Je crois que tu devrais accepter. Monsieur Pamphile... ne demanderait pas mieux, non? Et... sincèrement, j'ai pas envie de perdre... ma meilleure amie!

Marie-Ève, soudain allégée d'un lourd fardeau, avait finalement accepté, et Pamphile était le plus heureux des antiquaires!

Le printemps, quoique assez difficilement, avait enfin libéré la nature et les hommes des grands froids de l'hiver, mais, semble-t-il, pas des grands vents! Puis l'été avait débarqué, sans crier gare. Depuis la mi-mai, la chaleur était insoutenable : collante, humide, étouffante. Les vents, qui se levaient désormais de partout sans discrimination, nord, sud, est ou ouest, rendaient les villageois nerveux et excités.

Tant que le notaire était entouré, il se sentait assez bien. Dès qu'il revenait dans la grande maison vide et silencieuse, le désespoir le reprenait. Venait en plus s'ajouter autre chose : le doute subsistait dans son esprit. Avait-il pris la bonne décision concernant Claire? Il lui arrivait d'avoir des remords, surtout envers ses beaux-parents. N'avait-on pas, auparavant, aidé la femme de Josépha, la Lise, à partir? Elle qui avait tant souffert suite à un cancer des os. Elle était très âgée... beaucoup plus que Claire. Il est vrai que Josépha avait demandé l'avis, et reçu l'appui, de toute la famille. Lui avait été seul à prendre la décision...

Voilà pourquoi il avait repris son travail à plein temps : pour occuper son esprit tourmenté. Aussi, il se rendait fréquemment, après sa journée de travail, à la boutique de l'antiquaire pour bavarder. Tout comme Josépha, le vieil homme ne cessait de l'encourager et de lui prodiguer d'excellents conseils. Chaque heure, souvent trop longue, passait en composant un adagio de jours, de semaines, de mois interminables...

« Si je n'avais pas Pamphile et Marie-Ève, je ne tiendrais pas le coup. J'ai l'impression de marcher sur une corde raide. On dirait que je peux tomber à tout moment! Mais, je ne dois pas abdiquer. Je ne peux pas abandonner maintenant... »

Il regarda l'heure à sa montre. Elle indiquait quatre heures trente.

« Une heure... une heure vient de passer. Est-ce que l'on se souvient d'une heure dans toute une vie? Je ne sais pas si c'est la nuit, la pleine lune, la campagne, la fraîcheur, le calme après l'orage mais je me sens bien. Je me sens beaucoup mieux! Demain sera un autre jour! Demain sera un autre jour... »

Jean se leva lentement et rentra dans la maison silencieuse. Alors qu'il se dirigeait vers sa chambre, il sursauta au son lugubre du téléphone dans la nuit. En courant vers l'appareil, il songea qu'à cette heure, l'appel ne pouvait provenir que de la maison de repos.

— Monsieur Huot, ici le docteur Pronovost. Je suis sincèrement désolé. Votre femme, Claire Bouchard, est... décédée.

— Quoi? Claire est... morte? Que s'est-il passé? Pourquoi ne m'avez-vous pas prévenu plus tôt? Je serais allé à son chevet! cria-t-il, sous le choc de cette annonce brutale.

— J'aurais tant voulu, Jean! Ne doutez pas un instant que nous l'aurions fait... si nous avions pu! L'infirmière a fait sa ronde habituelle, aux heures comme vous le savez. À trois heures, votre femme ne montrait aucun signe... d'un quelconque changement d'état. Le pouls, la tension... tout était normal! Quand l'infirmière est revenue à quatre heures, votre femme était... décédée. Très certainement d'un arrêt cardiaque, vers trois heures trente, probablement. Il n'y a rien que nous avons pu faire pour prévenir... Je suis réellement navré. Je vous offre toutes mes condoléances, Jean.

— Je comprends. Excusez ma réaction, docteur. Je... Je n'avais jamais imaginé que cela se passerait ainsi... Je viens. J'arrive. Attendez-moi! Je veux la voir et l'embrasser.

— Évidemment! Nous vous attendons. À tout de suite, Jean. Soyez prudent!

***

L'église centenaire, pourtant spacieuse, paraissait bien petite en ce jour de grand deuil. Comme pour le patriarche Bouchard, la foule se présenta, nombreuse, au dernier rendez-vous de Claire Bouchard-Huot. On pleura beaucoup sa mort que chacun trouvait injuste. Âgée de quarante-trois ans, la belle Claire était bien trop jeune pour mourir.

Cependant, aucun membre de la famille Huot n'était présent. Les parents et le frère de Jean se trouvaient en vacances en Europe et il n'existait aucune possibilité de les joindre. Le notaire était donc entouré de la famille Bouchard. Joseph, le père de Claire, et Amandine, sa belle-mère, se tenaient à ses côtés et le soutenaient de leur mieux dans ces heures difficiles.

Jean Huot n'avait pas voulu d'un témoignage anonyme. Il avait donc préparé un hommage personnel à celle qui fut sa première compagne. Il parla longtemps et ses aveux furent très émouvants. Tel un air grandiose, sa voix, parfois mêlée de sanglots, s'ajustait à merveille à ses confidences : tendre, forte, inquiète, voilée, tendue, imperceptible...

Longtemps, par la suite, on y ferait référence comme étant le plus bel éloge rendu à un membre de la famille Bouchard.

Marie-Ève, discrète, accompagnait Pamphile. Cette fois, l'antiquaire avait été tout oreilles.

« Vingueu qu'il l'a aimée! Dire qu'i serait quasiment parti avec elle... La dépression, la solitude pis le découragement, ça peut mener loin, des fois! »

Et, sans qu'il s'y attende, le vieil homme ressentit le besoin de s'adresser à son amie, la Fine :

« Joséphine... Tu m'entends-ti? C'est pas souvent que chus venu te causer... Si tu m'entends, je te demande, icitte, à matin, de réunir ces deux-là. Tu sais ben de qui que je veux parler. I sont faits pour faire un bout de route ensemble, c'est clair comme de l'eau... bénite, non? Pis, c'est à cause de toi... tes lettres, en tout cas, pis celles du docteur : elles ont gardé toute la nergie d'avant! Dire que j'ai jamais pris cas de ça, avant. J'aurais peut-être dû! Pis non, ça fait quasiment peur quand on y pense! Coudon. La Marie, est jeune, est capable d'en prendre... pis d'en donner tellement! Je sais qu'est parée à partir. N'importe quand! Est prête à s'effacer pour toujours! qu'elle dit. Pis, quand elle a une idée dans la tête, elle!

« Mais là, Claire est morte de sa belle mort, ça fait que le sort est comme... conjuré, non? Si c'est ça que tu voulais, la Fine, eh ben! c'est chose faite, astheure! Aide-la donc un brin, elle a ben gros fait sa part, la p'tite. Pis, j'ai pas pantoute envie de la perdre, pas pantoute... »

Marie-Ève, quant à elle, se sentait calme et soulagée. Elle écoutait l'*Ave Maria*, chanté par nulle autre que la postière, madame Saucier. Sa voix magnifique mettait un baume sur le cœur attristé de tous les participants. Elle songeait que le notaire, contrairement au docteur, avait réussi à vaincre cette dure épreuve : presque quatre années de tourment, de peur, d'angoisse, de solitude, d'impuissance. Le but avait été atteint : Jean avait réussi à passer au travers. À son grand soulagement, la jeune femme avait fini par apprivoiser l'idée de partir, s'il le fallait.

De son côté, Jean se remémorait son arrivée à la maison de repos, dans la nuit paisible et chaude de juillet. Le docteur Pronovost l'avait personnellement accueilli et l'avait conduit auprès de sa femme. Jean avait longtemps pleuré, seul, dans la chambre aux murs bleus, couleur du ciel. Il avait tant regretté de ne pas avoir été aux côtés de Claire pour le grand départ. Encore aujourd'hui, le cœur lourd, pour la centième fois, il lui posait la question :

« Pourquoi as-tu voulu partir toute seule, sans personne? J'aurais tant aimé t'accompagner dans tes derniers instants, ma belle, ma chère compagne. Pourquoi? »

Les larmes silencieuses inondaient son visage. Il songea qu'il y avait à peine cinq mois que l'on pleurait Josépha, ici, dans cette même église qui avait vu tant de baptêmes, de mariages, d'enterrements. Et le souvenir du grand-père de Claire réveilla sa mémoire endormie :

« Dieu du ciel! Comment ai-je pu oublier? Tu... tu es venue, Claire! Tu es venue me dire adieu! Ce rêve, ce beau rêve dans lequel tu chantais, tu dansais... Ton visage était lumineux! Le cordon qui flottait... Tu étais libérée! Quand je me suis réveillé, il était... il était trois heures trente!!! À ce moment-là, je n'ai jamais pensé, je n'ai jamais songé à faire un lien quelconque. C'était juste un beau rêve, un si beau rêve après tous ces mois de cauchemars! Merci, Claire, merci d'être venue. Josépha, prenez bien soin d'elle. »

Pamphile et Marie-Ève se rendirent au cimetière. Ils offrirent leurs condoléances à Jean Huot et à la famille Bouchard. Ils assistèrent à la mise en terre. Puis, ils rentrèrent à pied, bras dessus, bras dessous, à l'ombre des grands saules pleureurs.

Pour Claire Bouchard, qui avait tant souffert, la terre, en ce beau jour de juillet, s'était faite tendresse.

***

Plusieurs saisons passèrent. L'automne aux mille couleurs était venu, puis un hiver de grande blancheur. Un printemps de bourgeons tendres avait précédé un été fleuri.

Jean et Marie-Ève avaient commencé à se revoir. D'abord chez l'antiquaire, puis au marais, ensuite à L'Escalier et enfin à la maison de la Fine. Ils se faisaient discrets, par respect pour la famille Bouchard. Jamais le notaire n'avait demandé à Marie de venir chez lui. Jamais, de son côté, elle n'y songea.

Pendant ce temps, Pamphile, sans rien dire à personne, s'occupait « à préparer le terrain ». (Telle était son expression, pour la circonstance.) Pour ce faire, il était même allé jusqu'à surveiller l'heure à laquelle madame Saucier sortait du bureau de poste : onze heures quarante-cinq pile, du lundi au vendredi.

Par un jour de ce bel été fleuri, l'antiquaire s'arrangea donc pour faire sa marche quotidienne dans cette direction et, « comme par hasard », il croisa la postière qui sortait juste du bureau de poste :

— Coudon, regardez donc qui c'est qui est là? Madame Saucier en personne!

— Ben! c'est le monde à l'envers aujourd'hui! Monsieur l'antiquaire qui a viré de bord! Vous marchez pas souvent par icitte! À dire vrai, je vous ai même jamais vu...

— Vous savez, coupa Pamphile avant que le doute ne s'installe dans l'esprit encore vif de la postière, je commence à trouver que je me fais trop routinier. Un p'tit brin de fantaisie dans la vie, ça fait pas de mal à personne, non?

Après les paroles d'usage sur la santé, les contraintes du troisième âge, le temps, en plus de quelques commérages sur les voisins – venant tous de madame Saucier – Pamphile, pour qui l'effort était déjà assez demandant, déclara :

— Le temps passe ben vite, vous trouvez pas? Ça a fait un an et demi que j'ai enterré mon plus vieux compagnon... Ah! Cher Josépha! Pis, c'est vrai, ça fait un an cet été qu'on a enterré sa p'tite-fille, Claire... Une ben triste histoire!

« I faudrait ben que le notaire Jean, qui s'adonne à être intime avec moi, i trouve chaussure à son pied! I est pas mal trop jeune pour finir ses jours tout seul. C'est juste bon pour les vieux comme... moi! I serait temps qu'i connaisse un peu de joie pis de réconfort, après les années de grande épreuve, non?

L'antiquaire se faisait insistant et madame Saucier ne put que se montrer d'accord avec lui.

C'est qu'il se passait quelque chose de bien particulier dans le village. Et Pamphile Côté en était tout à fait conscient. Depuis la disparition du patriarche Bouchard, l'antiquaire était devenu, en quelque sorte, « la » référence de Saint-Gédéon et de Saint-André. Comme il avait été l'ami le plus intime de Josépha, personne n'osait remettre en question ses affirmations, ses conseils ou encore ses jugements. On le tenait en grande estime et en grand respect. Ainsi, de temps à autre, juste quand c'était vraiment indispensable – ce qui était le cas du notaire et de la Marie – Pamphile abusait un peu de ce très grand et nouveau privilège.

— Temps en temps, on le voit avec la Marie, à L'Escalier, au magasin... Marie-Ève Saint-Amour, vous savez? L'informaticienne? Ma... protégée! Est comme ma P'TITE-FILLE, cette enfant-là! (Il avait pris soin de bien insister sur ce terme.) Je trouve qu'i font un beau p'tit couple ensemble, un ben beau p'tit couple... Coudon, i fait chaud en vingueu! Je crois ben que je vas... revirer de bord pour tusuite! Bien le bonjour, madame Saucier pis... à la revoyure, peut-être ben?

Et c'est ainsi que le message fut subtilement lancé. Quel meilleur endroit que le bureau de poste, en effet! Et quelle personne plus efficace que madame Saucier!

À partir du mois de septembre, on commença à demander à Jean comment se portait mademoiselle Saint-Amour. Et à mademoiselle Saint-Amour, comment allait son ami, le notaire... « ON » incluait la famille Bouchard au grand complet!

Madame Saucier, jugea Pamphile, avait fait de l'excellent travail. Ce qui l'amena à penser qu'il devrait peut-être bien réviser ses positions sur la... dame!

L'informaticienne et le notaire ne surent jamais pourquoi, soudainement, on s'intéressait tant à eux. Tout ce qu'ils comprenaient, c'est qu'ils avaient, d'une certaine manière, carte blanche pour être ensemble. On les vit donc de plus en plus souvent, de plus en plus partout, ensemble. Aux premières neiges, non seulement on ne fit aucun commentaire, mais on ne s'étonna pas de voir la voiture du notaire, certains soirs, garée dans l'entrée de la maison de « la Marie »... jusqu'au petit matin.

La vie du village avait repris son cours normal.

***

D'un commun accord, Marie-Ève et Jean décidèrent de souligner l'anniversaire de monsieur Pamphile qui allait atteindre l'âge vénérable de quatre-vingt-treize ans! Le notaire avait insisté pour aller le chercher en voiture.

— Je sais bien que la Ford est fiable, monsieur Pamphile, mais on ne peut pas en dire autant des chemins en hiver. Et si jamais une tempête se levait, vous n'auriez qu'à dormir à la maison de Marie! Allez, laissez-vous conduire, pour une fois!

Et Pamphile, trop heureux de partager quelques moments de joie avec ses deux meilleurs compagnons, n'osa refuser. Le notaire se montrait d'une gentillesse sans pareille envers lui. Les liens s'étaient beaucoup, beaucoup resserrés depuis la mort de Claire, et le vieil antiquaire, qui n'avait plus de nouvelles de ses garçons – même pas à son anniversaire –, s'en trouvait fort heureux. Le bon Dieu, comme il disait volontiers, lui avait envoyé un troisième fils!

Le soir du 29 décembre, Pamphile, fier d'exhiber ses bretelles tricolores devant le notaire, se sentait en grande forme. Autour de la table, on mangeait, on riait, on s'amusait ferme. Les heures de souffrance, de tristesse et de grande solitude, enfin, appartenaient au passé.

— Vingueu! s'exclama l'antiquaire, tout joyeux. Ça vaut la peine d'arriver à... Combien que chus rendu, là?... Quatre-vingt-douze... Mais non! C'est quatre-vingt-treize! Vingueu que ça passe vite! Ouais! ça vaut la peine, juste pour vivre un si beau jour! Ah! Mes enfants, vous êtes... Vous êtes rendus ma seule famille, ma seule famille...

Et des larmes glissèrent lentement sur le visage attendri de l'antiquaire. Marie-Ève comprit à ces paroles que les garçons de Pamphile ne l'avaient pas appelé.

— Je suis sûre que Fernand et...

— Tut, tut, tut. La Marie! Chus pas né d'hier! Même pas d'avant-hier! La Jeanne-Mance, elle me passe son message, sans manière, comme à sa coutume. C'est clair. Elle va m'en vouloir jusqu'à la fin de ses jours! C'est-ti de valeur d'avoir la rage au cœur comme ça. Je sais pas comment qu'i font ceusses-là : les enragés pis les envieux pis les rancuniers... I doivent être ben malheureux. Mais, vous êtes là, avec moi, pis je vous aime comme mes enfants! Ça fait que l'amour que j'ai dans mon vieux cœur, i est pas perdu, fillon. I tombe à une ben bonne place! Coudon, assez de pleurnichage pis de jonglerie pour à soir! Et, en faisant claquer ses illustres bretelles, Pamphile ajouta : elle va-ti venir ma tisane à la camille!

— Camomille, monsieur Pamphile! Enfin, passons. L'eau va être chaude dans quelques secondes. En attendant, je crois qu'il serait temps de vous offrir notre cadeau d'anniversaire, hein, Jean? dit gaiement Marie, en clignant de l'œil vers son amoureux.

Le notaire, plus que surpris, ne sut que répondre. Il ne se souvenait pas avoir discuté de quoi que ce soit concernant un cadeau pour l'antiquaire. Toutefois, il n'eut même pas le temps de répliquer que Marie-Ève se levait, légère et insouciante, pour aller chercher le miel.

— Ah! Comme c'est dommage! C'est le dernier pot de miel de la Fine.

Elle l'ouvrit, et, comme à chaque fois, elle y trempa le petit doigt pour le déguster... la première!

— Hum... que c'est bon!

Soudainement, son visage changea du tout au tout. Les deux hommes s'inquiétèrent, pensant qu'elle s'étouffait ou se sentait mal.

— Mon Dieu! s'écria-t-elle d'une manière précipitée. J'ai... j'ai jamais regardé ce qu'il y avait dans le tiroir...

— Marie, de quoi parles-tu? questionna le notaire. Est-ce que tu te sens bien?

— Je parle du SECRÉTAIRE! Il reste un tiroir qui ne porte aucun numéro. Le dernier tiroir : je ne l'ai jamais ouvert! Attendez-moi, je reviens!

Et, sans crier gare, elle partit à la course vers l'officine, Trompette à ses trousses. À peine quelques secondes plus tard, Marie-Ève revenait, l'air hébété, le pot de miel encore dans une main, une enveloppe dans l'autre.

— Qu'est-ce que je fais? demanda-t-elle naïvement aux deux hommes.

Ni l'un ni l'autre ne surent que répondre tant la surprise était partagée.

— Ben! on peut pas dire que vous m'aidez beaucoup! s'exclama Marie-Ève, désappointée.

Le notaire réussit enfin à dire quelques mots :

— Est-elle adressée... à quelqu'un en particulier?

— Non, Jean. Y a rien d'écrit dessus.

— Ma foi, ajouta l'antiquaire, moi je crois ben que tu devrais l'ouvrir. La Fine était maîtresse d'école pis elle aimait ben à écrire sur son secrétaire. C'est peut-être des poèmes... ou ben quelque chose dans le genre, non?

— Tout à fait. C'est tout à fait possible! J'ouvre alors?

Suite à l'assentiment des deux hommes, la jeune femme décacheta l'enveloppe avec beaucoup de précautions. Elle comprit tout de suite qu'il ne s'agissait pas de poésies. Elle s'assit et Trompette monta sur ses genoux. D'une voix incertaine, elle commença la lecture :

Octobre 1995, à Saint-André.

À la personne qui aura hérité de mon secrétaire,

Je viens de terminer la lettre à mon grand ami, l'antiquaire. Je prie qu'il respecte la seule condition que je lui ai imposée en lui léguant mes biens : donner mon secrétaire à une femme. Je demanderai au charmant notaire Huot, qui s'occupe de mon testament, d'y voir. J'ai confiance en lui, car, malgré que ce ne soit pas une question de ressemblance, il me rappelle tellement une certaine personne...

Marie-Ève s'arrêta quelques instants avant de continuer et, interloquée, elle regarda les deux hommes.

— Vous ne trouvez pas ça drôle que nous soyons là, tous les trois, ensemble, pour la lecture de cette lettre? J'en ai des frissons... Joséphine s'adresse à moi d'abord, puis elle parle de vous, Pamphile, et elle te mentionne, Jean. Elle te trouvait... charmant! En plus, elle écrit que tu lui rappelais une certaine personne qui doit être, j'en suis sûre, le docteur! Ça alors... Ça alors! C'est trop fort!

— Continue, la Marie. Chus curieux comme une vraie belette! Quelle histoire, vingueu! J'aurai ben tout vu avant de mourir. C'est ben juste à vous autres que ça arrive, des affaires de même!

— Nous autres, monsieur Pamphile. Nous autres! Vous faites partie de cette histoire depuis le début... ne l'oubliez pas! C'est vous qui nous avez... soit vendu, soit donné les meubles qui contenaient les lettres. Ouf! Bon, je continue.

Si vous n'avez pas lu les lettres qui se trouvent dans les neuf tiroirs, vous devez le faire avant de continuer la lecture de celle-ci.

Le docteur Provencher est parti, comme il me l'avait écrit. Je ne l'ai jamais revu. Toutefois, deux ans plus tard, il est arrivé un événement important que je dois confier. J'avais repris l'enseignement. Cela s'est passé un peu avant la mort de mon père, en 1924, je crois. J'allais fermer l'école quand un homme s'est présenté devant moi. Il était fort bien habillé et, ce qui m'avait surtout frappée, il ne s'exprimait pas comme nous, les gens du Lac. Il m'a tout de suite demandé si j'étais bien Joséphine Frigon, la seule institutrice de Saint-André, et si mes parents avaient une ferme sur le rang des Apis. Surprise, je lui ai répondu par l'affirmative. Ensuite, il m'a questionnée à savoir si j'avais « bien » connu le docteur Marc-Aurèle Provencher.

Le ton de sa voix s'était fait plus intime. Mon cœur s'est mis à battre. Avait-on découvert quelque chose?

« Chère mademoiselle Frigon, m'a-t-il dit, j'ai quelque chose à vous remettre. En mains propres. De la part... de notre ami commun, Marc-Aurèle. »

J'ai compris qu'il était au courant. C'était le médaillon, celui que vous avez certainement trouvé. Marc-Aurèle était quelque part dans les vieux pays. Sa photo m'a littéralement transportée. En le revoyant, si serein, encore plus beau et plus charismatique que jamais, j'ai su que je ne pourrais, ni ne voulais, aimer un autre homme.

L'ami de Marc, de passage dans notre pays pour un éminent congrès dans la ville de Québec, était venu spécialement pour me remettre ce cadeau. Il a juste ajouté que le docteur pratiquait à nouveau et qu'il était un excellent médecin. Puis, cet homme est parti, sans que je sache jamais son nom. Je ne lui ai pas confié... le secret qui me hantait. Pas à un étranger!

Aujourd'hui, je suis vieille, très vieille, et Marc n'est jamais revenu, malgré toutes mes prières et les années d'attente. Il faut croire que c'était écrit : ce serait une personne étrangère qui devait recevoir ce secret! J'ai eu assez de le porter toute ma vie : je ne veux pas l'emporter dans l'au-delà!

Marie-Ève s'arrêta à nouveau. Ses mains tremblaient. Elle regarda éperdument les deux hommes qui ne savaient que dire.

— Est-ce que... je dois continuer? Ah! Que d'émotions! J'ai chaud! J'ai la bouche sèche! Dieu que j'ai soif!

Sur ce, Jean se leva et alla chercher un verre d'eau. La tension était à son comble. Pamphile s'écria, en faisant claquer ses bretelles :

— Vingueu de vingueu! Quand tu m'avais parlé de la nergie des vieux meubles, je te trouvais un brin extravagante, fillon. J'étais loin du compte, loin du compte... Continue, astheure que t'as commencé! On peut pas s'arrêter là, hein, monsieur Jean?

— L'énergie, monsieur Côté. L'ÉNERGIE! coupa Marie-Ève nerveusement. Oh! Excusez-moi... monsieur Pamphile, je ne sais plus ce que je dis.

— C'est correct, la Marie. C'est comprenable. O.K. Comme tu dis, fillon : LES NERGIES. En tout cas, il en manque pas icitte à soir!

— Continue, Marie, dit le notaire en regardant d'abord sa bien-aimée, puis l'antiquaire. Je crois qu'il faut aller jusqu'au bout. Pamphile a raison.

Et Marie-Ève reprit la lecture d'une voix frémissante :

Vous savez déjà, madame, ou peut-être mademoiselle, que la dernière fois que j'ai revu mon bien-aimé Marc, c'était dans la maison de mes parents... sur le rang des Apis. Je ne l'ai jamais revu par la suite. Cette fois-là... Cette fois... Après quelques semaines, je me suis rendu compte... que... j'attendais un enfant.

— Vingueu! ne put s'empêcher de crier Pamphile. Hein? C'est-ti vrai? Ça se peut pas! La Fine aurait eu un bébé? Pas icitte au Lac, en tout cas. Pas icitte...

— Attendez, monsieur Pamphile. Ce n'est pas fini :

J'étais désespérée et j'avoue avoir songé à mourir avec mon enfant. Mais ce petit être contenait une partie de l'amour de ma vie. Je ne pouvais pas faire mourir l'amour, même pas une petite partie d'amour...

Jamais mes parents, qui me croyaient vierge et innocente, n'auraient pu... comprendre et encore moins me pardonner! Quant à moi, je ne voulais pas faire rejaillir la honte sur eux et leur famille. Dans ce temps-là, hélas, les mentalités étaient fort différentes!

Même si je semblais porter mon enfant plutôt en dedans – comme Marc-Aurèle m'avait déjà fait remarquer chez certaines femmes – et malgré des vêtements plus larges qui cachaient mon état, au bout de quatre mois, il me fallut agir. J'ai donc commencé à prétexter une grande fatigue et je me suis mise à tousser, jour et nuit. Mes parents ont alors insisté pour que je me rende chez le médecin. Comme un docteur est tenu au secret professionnel, sans crainte, je lui ai avoué mon état et l'ai supplié de m'aider. Ce qu'il a fait. Il a dit à mes parents qu'il craignait pour mes poumons et qu'il était urgent pour moi de respirer l'air du grand large...

Si tôt dit, si tôt fait. Sans plus attendre, on me conduisit chez ma tante Zoé, une sœur de ma mère. Elle et sa famille vivaient au bord du fleuve. J'y suis demeurée plusieurs mois.

Dieu m'a aidée dans mon tourment. Ma tante Zoé attendait, elle aussi, un enfant. Elle le perdit en couches, deux jours avant que je n'accouche moi-même prématurément d'une charmante et belle petite fille. Zoé, à peine plus âgée que moi, fut une confidente exceptionnelle. Que dis-je? Elle fut comme une sœur que Dieu avait placée sur ma route.

Il était entendu que je placerais l'enfant, sitôt né, mais je n'arrivais pas à me séparer de ma petite... Aurélia. C'est ainsi que je l'ai nommée, en souvenir de son père. Je pleurais sans cesse. La nuit suivant sa naissance, tourmentée, je n'arrivais pas à dormir. C'est alors que Zoé m'a fait une étrange proposition. Elle m'a offert de garder Aurélia et de prétendre que l'enfant était d'elle. Personne d'autre que la sage-femme et son mari n'étaient encore au courant du décès prématuré de son petit garçon. J'ai accepté mais devais jurer devant Dieu que je ne dévoilerais jamais... notre secret.

Aurélia, qui est née le 17 octobre 1923, devint ainsi la première fille de Zoé Ouellet et Arthur Fortin. Le couple avait déjà deux garçons en bas âge.

Une seule fois, j'ai eu des nouvelles de mon enfant. Cela se passa à la mort de maman, Éléonore, au début des années trente, peu après mon père. Ma mère avait une sœur plus âgée et une autre plus jeune, Zoé. Toutes deux assistèrent aux funérailles de leur sœur. Ce fut Marie-Ange, l'aînée, qui demanda à Zoé des nouvelles de ses enfants. Cette dernière, gênée par ma présence, répondit vaguement que les petits allaient tous bien. Marie-Ange questionna alors : « Il paraît que ta petite... – Aurélia, c'est bien son nom? – ressemble beaucoup à Éléonore! La seule fille que vous avez serait donc du bord des Ouellet? »

Zoé répondit par l'affirmative en ajoutant que, effective-ment, Aurélia n'avait rien des Fortin. Zoé se laissa aller en disant que la petite était une enfant facile, d'une douceur et d'une intelligence exceptionnelles. De plus, Zoé vanta la grande beauté de l'enfant en terminant par ces mots : « Cette enfant, c'est notre petit ange... »

Par la suite, j'ai appris que mon oncle Arthur était décédé et que Zoé s'était remariée, il y a bien longtemps de cela! De Saint-Jean-Port-Joli, ils sont partis, mais je ne suis jamais arrivée à me rappeler où ils sont allés. Peut-être ne l'ai-je jamais su?

Ce que j'ai à vous demander peut paraître insensé.

Le médaillon, celui que vous trouverez dans le secrétaire où il a sa place depuis tant d'années, je souhaiterais qu'il soit remis à Aurélia. Elle est peut-être décédée, car elle aurait... soixante-douze ans maintenant! Néanmoins, si elle est encore vivante, j'aimerais qu'elle connaisse la vérité sur sa nais-sance. Je sais que ses parents adoptifs n'en souffriront pas puisqu'ils sont tous deux décédés à ce jour.

Ce n'est pas une exigence, loin de là, c'est seulement mon vœu le plus cher, car moi, je suis désormais trop vieille pour entreprendre ces démarches.

Toutes ces années, l'absence de Marc-Aurèle a été difficile à supporter. Mais, d'avoir à me séparer de ma petite Aurélia a beaucoup aggravé ma blessure, déjà si profonde. Le docteur avait été obligé de me quitter, et moi, j'ai été obligée de me séparer de notre fille! Quel étrange destin...

À vous qui avez lu cette lettre, je dis merci, merci de m'avoir écoutée.

S'il n'est pas déjà là, je vous souhaite de rencontrer l'amour de votre vie. Je vous souhaite surtout d'avoir la chance de le vivre librement et longtemps.

Ah! Qu'il doit être merveilleux de regarder le tendre fruit d'une union s'épanouir au milieu du jardin qui l'a vu naître...

Du ciel, je veillerai toujours sur vous.

Joséphine Frigon

Le visage de Marie-Ève devint méconnaissable. Elle était d'une blancheur fantomatique et tout son corps oscillait, comme si elle allait tomber d'un moment à l'autre. Jean, inquiet, se leva pour venir vers elle. Sans explication, de la main, elle lui fit signe de ne pas bouger. Après quelques minutes interminables, la jeune femme réussit à parler :

— Monsieur Pamphile, marmonna-t-elle en s'adressant à l'antiquaire, vous... vous rappelez-vous des paroles que vous m'avez dites quand nous sommes venus ici même, sur le rang des Apis... le samedi... ramasser le secrétaire que vous m'offriez en cadeau?

— Vingueu, la fille! J'ai pus vingt hivers! Ma mémoire est pus ce qu'elle était! J'ai beau chercher... Non. Pantoute. J'en ai pas souvenance! Mais, où c'est que tu veux en venir, la Marie? demanda le vieil homme, perplexe et troublé.

— Moi, je m'en souviens. Je m'en souviens parfaitement! Vous m'avez dit textuellement : « Qui sait, la p'tite, c'est peut-être bien... l'affaire de ta vie! » Vous en rappelez-vous maintenant?

— Ben! astheure que tu le dis, je m'en rappelle. C'est vrai! Pis?

— Vous ne croyiez pas si bien dire, cher, cher Pamphile. C'est vrai. Ce secrétaire... ce secrétaire...

— Marie, Marie, est-ce que ça va? Mais qu'est-ce qui se passe? Pourquoi es-tu dans cet état? questionna Jean, bouleversé et inquiet.

— C'était... vraiment... l'affaire...

Et, Marie-Ève, le visage inondé de larmes, se mit à rire et à pleurer en même temps. Trompette, habitué à un seul de ces états à la fois, se sentit perdu. Il descendit promptement des genoux de sa maîtresse et vint se blottir sous la chaise de l'antiquaire.

La jeune femme regarda tendrement les deux hommes, « ses deux amours ». Puis, dans un geste d'une infinie tendresse, elle baissa la tête et, lentement, de ses mains, elle caressa son ventre.

— C'était vraiment l'affaire... D'UNE VIE! Jean! Monsieur Pamphile... C'était notre cadeau... J'ATTENDS UN ENFANT!

***

Tel un bateau qui s'ancre au port, le temps s'immobilisa dans la maison de Joséphine Frigon, sur le rang des Apis.

Tout comme Pamphile, Jean venait d'entendre l'annonce pour la première fois. Le notaire ressentit alors des émotions aussi puissantes que contradictoires l'envahir. D'abord, il y eut une première vague, comme celle dans laquelle le baigneur, ivre de plaisir, se jette de son plein gré. Cette vague le berça de bonheur, le fit rire, l'étourdit de joie. Douce vague dans laquelle Jean s'abandonna avec béatitude. Puis une seconde lame arriva, forte et critique, qui le prit par-derrière, sans qu'il ait eu le temps de la voir arriver. Celle-là était faite de Sophie, de Claire, de maladie et de mort... Et Jean prit peur : il perdait pied et se sentait emporté dans un tourbillon d'écume noire et de grandes eaux mauvaises. Il allait se noyer quand il sentit une main forte l'empoigner. Un homme posait sa main sur son épaule.

À l'instar de Jean, l'antiquaire avait été assailli de sentiments forts et différents. Mais surtout, il avait clairement entendu celui à ses côtés, le noyé qui appelait au secours :

« La Marie, elle a pas osé le dire au notaire tout seul! Je la comprends. Après tout ce qu'il a vécu, le pauvre homme, elle devait pas savoir à quoi qu'elle pouvait s'attendre... »

Pamphile se dit que la Fine avait bien plus qu'exaucé ses prières pour la Marie. C'était à son tour d'agir. C'est pourquoi il s'était approché du notaire pour poser sa main sur son épaule. Au même moment, Pamphile avait senti le regard de Marie-Ève posé sur lui. Un regard qui implorait, qui le priait de faire quelque chose.

Le vieil homme, compatissant et généreux, sourit en s'adressant à Jean :

— Mon ami. Je comprends votre crainte. Pis c'est normal! Ça va arriver encore, vous le savez pis la Marie itou elle le sait... Mais, vous êtes pus tout seul, notaire! On est là! Vous qui avez lu les lettres de la Fine, elle vous a pas toujours guidé comme i faut? Pis là, elle vient encore vous aider, en quelque sorte. C'est pas tout le monde qui a la chance d'avoir un ange gardien de même! Plus souvent qu'autrement, on le voit pas pis on sait même pas qu'i est là! Tout ce que je peux ajouter, c'est que, comme moi, plus que moi, même, vous connaissez la Marie. La belle, juste là, avec ses p'tites taches de rousseur, comme des étoiles, pis ses yeux brillants comme des soleils. Quand elle fait les choses, elle, elle les fait pas à moitié, vingueu!

À ces mots simples et touchants, Jean refit surface. Les deux hommes se regardèrent, complices, dans une totale amitié.

Alors, Pamphile, le premier, n'y tenant plus, vint embrasser la jeune femme.

— Oh! ma p'tite fille, ma belle enfant! C'est le plus beau cadeau du monde! Vingueu que chus content! Tu peux pas savoir... tu peux pas savoir!

Puis, le vieil homme se retourna, confus d'avoir été le premier à venir vers la Marie.

— Monsieur Jean... Ah! excusez-moi, dit-il, gêné, en se retirant.

Alors, sans plus attendre, Jean s'élança vers Marie-Ève et la prit dans ses bras. Ils rirent, ils firent des rondes, ils s'embrassèrent. Les vieux planchers de la maison du rang des Apis vibraient de joie et d'harmonie. Pamphile riait, pleurait de bonheur et, en faisant claquer ses bretelles tricolores, il lança :

— Non seulement cet enfant-là, il va avoir des parents, un vrai beau jardin pis un vieux grand-père... antique, mais je peux le jurer sur ma Toinette, ça va être le plus beau moussaillon de la terre! Prenez-en ma parole d'antiquaire, vingueu!

Marie-Ève riait, heureuse et comblée dans les bras de l'homme qu'elle aimait et qui l'aimait et, en se moquant de son vieil ami, elle rétorqua :

— Un moussaillon! Un moussaillon... monsieur Pamphile! Qui dit que ce ne sera pas une moussaillonne, vingueu! La plus belle des moussaillones que le Lac ait jamais portée!